令和**7**年度版
（2025年度版）

1級
建築施工管理技士

一次対策
問題解説集

1 建築学・施工・共通

2025

はじめに

■1級建築施工管理技士の資格について

　建築工事の施工技術の高度化・多様化、さらに専門化にともない、建築施工管理技士の重要性が高まっています。

　1級建築施工管理技士は、建設業法に定められた建築工事関係16業種の許可に際して、営業所ごとに置かなければならない専任の技術者並びに工事現場ごとに置かなければならない主任技術者又は監理技術者となることが認められています。また、特定建設業に係る建築工事業、鋼構造物工事業（指定建設業）については、国土交通大臣が定める国家資格を有するものとして、営業所の専任技術者及び工事現場の監理技術者となることが認められています。

■将来性・メリット

　1級建築施工管理技士は、建築工事の現場監督として仕事をするために不可欠な資格です。工事に関する技術的知識と管理能力を備えた人材として確実にステップアップしていくことができ、また、資格取得が直接企業の技術力評価につながります。

■試験のポイント

　近年の全国合格率は、約35%から50%となっており、その年度の問題の難易度により、大きく変動しています。それは、1級建築施工管理技士試験が、一定以上の得点者を合格させるという「基準点試験」である為です。

　したがって、**基本をしっかりと理解しなければならない厳しい試験です。**

■本書のねらい

　本書は、令和5年〜平成30年までの過去6年間の出題462問を分野別に①②の2分冊にまとめ、問題と解説を同一頁または見開き頁に編集したもので、非常に理解しやすく、かつ、学習を進めやすい編集となっています。そして、最新の令和6年の問題（72問）は②に「本試験にチャレンジ」として、本試験形式で掲載しています。また、全設問肢解説付きで、できるだけ図・表を配置して視覚からも理解をすることができる内容になっています。

　すなわち、本書は、単に「解くだけの問題集」ではなく、「読んで理解する問題集」、「項目別の出題傾向を把握する問題集」でもあるべき、という主旨で作成されています。

　合格のために必要なのは、なんといっても「繰り返し」です。「繰り返し」によって問題の解き方が徐々に身についてくるとともに、新たな発見があり、学習の楽しみが湧いてくるものです。

　本試験までに本書を繰り返し解くことが、合理的で、かつ、効果的な学習方法であり、合格への最短距離となります。

　本書の内容を繰り返し学習することで、試験における項目別の出題内容を理解し、一次試験に合格されますよう、心よりお祈り申し上げます。

日建学院教材研究会

令和7年度版
1級建築施工管理技士　一次問題解説集①

＝＝＝目　次＝＝＝

本書の特徴と活用方法 …………… vi

出題年度・問題解説集番号　対応表 … vii

ズバリ解説のご案内 ……………… ix

1　建　築　学
計 画 原 論 ……………………………… 2
　換　　　気 ……………………………… 2
　伝熱・結露 ……………………………… 9
　日照・日影・日射 …………………… 11
　採光・照明 …………………………… 16
　音　　　響 …………………………… 19
構 造 力 学 …………………………… 24
　力学（計算） ………………………… 24
　構 造 設 計 ………………………… 53
一 般 構 造 …………………………… 59
　地盤・基礎構造 ……………………… 59
　鉄筋コンクリート構造 ……………… 68
　鉄 骨 構 造 ………………………… 77
　木 質 構 造 ………………………… 84
建 築 材 料 …………………………… 87
　コンクリート材料 …………………… 87
　金 属 材 料 ………………………… 88
　ガ ラ ス …………………………… 94
　防 水 材 料 ………………………… 96
　石　　　材 ………………………… 102
　左 官 材 料 ………………………… 105
　塗　　　料 ………………………… 108
　サッシ・ドアセット ……………… 111
　内 装 材 料 ………………………… 114

2 施 工

躯 体 工 事 …………………… 118
  地 盤 調 査 …………………… 118
  仮 設 工 事 …………………… 120
  土工事・山留め工事 …………… 126
  基礎・地業工事 ………… 141
  鉄 筋 工 事 …………………… 150
  型 枠 工 事 …………………… 160
  コンクリート工事 …………… 164
  鉄 骨 工 事 …………………… 174
  木 工 事 …………………… 188
  ALC パネル工事 ………………… 194
  押出成形セメント板工事 ……… 198
  耐震改修工事 …………………… 202
  建 設 機 械 …………………… 203
仕 上 工 事 …………………… 211
  防 水 工 事 …………………… 211
  屋 根 工 事 …………………… 222
  左官工事・吹付け工事 ………… 232
  塗 装 工 事 …………………… 238
  張 り 石 工 事 …………………… 244
  タ イ ル 工 事 …………………… 248
  建 具 工 事 …………………… 252
  金 属 工 事 …………………… 258
  断 熱 工 事 …………………… 266
  内 装 工 事 …………………… 268
  その他の仕上工事 ……………… 278

3 共 通

設 備 工 事 …………………… 284
  給 排 水 …………………… 284
  空 調 …………………… 290
  電気・避雷 …………………… 296
  消火・避難 …………………… 304
  その他の設備 ………………… 310
そ の 他 …………………… 314
  積 算 …………………… 314
  測 量 …………………… 317
  舗 装 …………………… 319
  植 栽 …………………… 322
  契 約 約 款 …………………… 323

本書の特徴と活用方法

●**特　徴**

①　出題傾向を把握できるよう、過去６年間の出題を、分野別に分類して①②の２分冊に編集しています（最新の問題は②に本試験形式で掲載しています）。

②　問題の難易度によって、**A〜C**の３ランクに分類しています。

ランク	難　　易　　度
A 基本問題	比較的易しい問題で、類題も多く出題されている。 確実に解答できなければならない問題。
B 標準問題	多少難解で、正解するには応用力を必要とする。 出題頻度が高く、今後においても出題が考えられる問題。
C 難解問題	難解な問題で、正解するには幅広い知識と応用を必要とする問題。

③　最新の法改正・基準改定に対応した内容としています。

●**学習方法**

　試験に合格するためには、試験傾向を把握し、過去問題は確実に正解する必要があります。そこで限られた時間内に必要な情報を効率よく習得できるよう、次のような学習方法を実施して下さい。

①　問題は解答肢を選択するだけではなく、全ての設問肢について解説を読み、何度も出題されている設問肢については、マーキングしておきましょう。

②　特に間違った設問肢については、どこを理解していなかったのかを解説でしっかりと確認しましょう。

③　解答肢の丸暗記はしないようにしましょう。また、関連する事項や手順なども把握するようにしましょう。

④　問題を１問でも多く把握するために、とにかく問題を解く時間をつくりましょう。

⑤　「問題番号の左」、「解説肢番号の左」に＊のある設問は、今後の出題があまり考えられない、または、難解で学習効率が低く、試験対策として重要でない事項です。学習においては、深入りする必要はありません。

⑥　その他、問題の見出し他は、次の通りです。

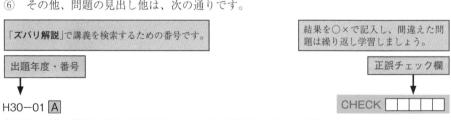

「**ズバリ解説**」で講義を検索するための番号です。

結果を○×で記入し、間違えた問題は繰り返し学習しましょう。

出題年度・番号

正誤チェック欄

H30−01 A

CHECK ☐☐☐☐☐

【問題　1】　換気に関する記述として、**最も不適当なもの**はどれか。

出題年度・問題解説集番号　対応表

		出題年度					
		R05	R04	R03	R02	R01	H30
出題番号	1	8	1	2	3	4	5
	2	11	6	12	9	7	10
	3	16	14	17	15	13	18
	4	37	47	38	59	39	60
	5	46	58	48	49	50	51
	6	52	53	54	55	56	57
	7	43	40	44	41	45	42
	8	31	34	32	35	33	36
	9	19	20	24	21	22	23
	10	25	26	27	28	29	30
	11	61	62	66	63	67	64
	12	65	79	77	80	78	81
	13	76	68	86	85	87	69
	14	70	73	71	74	72	75
	15	82	88	83	89	84	90
	16	248	245	243	246	244	247
	17	229	232	230	233	231	234
	18	223	226	224	227	225	228
	19	238	235	239	236	240	237
	20	249	241	250	242	251	252
	21	93	94	95	96	97	98
	22	102	99	91	100	92	101
	23	107	104	108	105	103	106

		出題年度					
		R05	R04	R03	R02	R01	H30
出題番号	24	116	110	120	111	109	112
	25	124	119	127	114	113	115
	26	130	126	131	117	121	118
	27	138	144	136	122	125	123
	28	149	141	139	128	129	134
	29	159	147	150	132	133	135
	30	158	160	161	145	137	146
	31	165	167	170	142	140	143
	32	193	172	194	148	151	152
	33	177	195	178	162	163	164
	34	205	175	206	168	166	169
	35	181	184	182	173	171	174
	36	201	198	188	196	192	197
	37	187	211	209	179	180	176
	38	153	214	207	203	217	204
	39	218	156	154	185	183	186
	40				199	202	200
	41				190	191	189
	42				212	210	213
	43				215	208	216
	44				157	155	222
	45				220	219	221

試験問題の構成

　試験問題は**4肢択一式**（一部：5肢択一式）の出題となっています。

　午前の試験問題は、建築学等の分野から出題され、午後の試験問題は、施工管理法と法規から出題されています。**建築学の一部と共通と施工管理法**の分野は、**全問**解答しなければなりませんが、**建築学・施工及び法規**は、**選択**解答となっています。

試験問題の構成

分野別区分			出題数と解答数		試験時間
区分	細　分	細　　　目	出題数	解答数	
建築学等	建　築　学	計　画　原　論 一　般　構　造	6	6	午前 2時間30分
		構　造　力　学 建　築　材　料	9	6	
	共　　通	設　備　関　係 契　約　関　係 そ　の　他	5	5	
	施　　工	躯　体　工　事	10	8	
		仕　上　工　事	10	7	
施工管理法	施　工　計　画		**4**	**4**	午後 2時間00分
	施　工　計　画 工　程　管　理 品　質　管　理 安　全　管　理		**6**	**6**	
	応用能力（5肢択一）		10	10	
法規	建　築　基　準　法 建　設　業　法 労　働　基　準　法 労　働　安　全　衛　生　法 その他関連法規		12	8	
計			72	60	

注）　**選択問題**は、**余分**に**解答**すると**減点**されます。

日建学院の動画を使った ズバリ解説
オンライン学習システム

ネット学習なので、いつでも、どこでも、何度でも、
自分のペースで受講できる！

一次問題解説集に掲載している問題について、解答までしっかり解説した「映像講義」が視聴できるシステム。理解し難い内容も、日建学院の合格ノウハウが凝縮された「映像」で視覚的に理解！期間中何度でも視聴でき、必要な解説だけをピンポイントで検索も可能。苦手分野の克服など、効率的な学習を全面的にサポート！

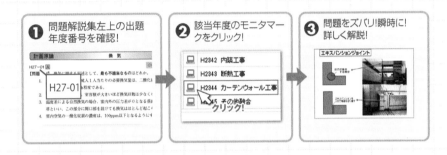

❶ 問題解説集左上の出題年度番号を確認！

❷ 該当年度のモニタマークをクリック！

❸ 問題をズバリ！瞬時に！詳しく解説！

※お申込みの前に、必ず視聴に必要なネットワーク環境等をご確認ください！
https://www.ksknet.co.jp/nikken/guidance/check2/index.aspx

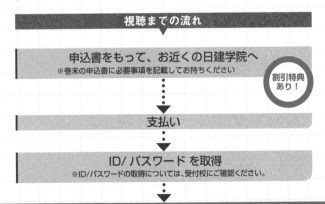

視聴までの流れ

申込書をもって、お近くの日建学院へ
※巻末の申込書に必要事項を記載してお持ちください

割引特典あり！

支払い

ID/ パスワード を取得
※ID/パスワードの取得については、受付校にご確認ください。

ログインして視聴開始＝学習スタート！
※2025 年 4 月下旬～2025 年 7 月下旬まで視聴可能です

申 込 み 期 限 2025年6月5日（木）

1

建　築　学

計画原論（問題 1 ～問題 18）
　●換気／●伝熱・結露／●日照・日影・日射／
　●採光・照明／●音響

構造力学（問題 19 ～問題 39）
　●力学（計算）／●構造設計

一般構造（問題 40 ～問題 60）
　●地盤・基礎構造／●鉄筋コンクリート構造／
　●鉄骨構造／●木質構造

建築材料（問題 61 ～問題 90）
　●コンクリート材料／●金属材料／●ガラス
　／●防水材料／●石材／●左官材料／●塗料
　／●サッシ・ドアセット／●内装材料

※6問と9問に分かれて出題され、6問を全問
　解答、9問のうちから6問を選択して計12問
　解答する。

R04-01 A　　　　　　　　　　　　　　　　　　CHECK ☐☐☐☐☐

【問題　1】　換気に関する記述として、**最も不適当なもの**はどれか。

1. 必要換気量は、1時間当たりに必要な室内の空気を入れ替える量で表される。

2. 温度差による自然換気は、冬期には中性帯より下部から外気が流入し、上部から流出する。

3. 全熱交換器は、冷暖房を行う部屋で換気設備に用いると、換気による熱損失や熱取得を軽減できる。

4. 室内の効率的な換気は、給気口から排気口に至る換気経路を短くするほうがよい。

解説

1. **必要換気量**は、室内汚染濃度を許容濃度以下に保つために必要な**最小**の換気量で、換気をする室の**1時間**に必要とする外気量で表すことができる。

2. 重い外気は下方の開口部から室内に流入し、軽い室内空気は上方から室外に流出しようとする。このため室周壁の内外に圧力差が生じ、室内の気圧が外気と同一（圧力差が0）になる部分が生じるが、この位置を**中性帯**といい、中性帯の上方と下方に給・排気口を設けることで、自然換気が行われる。

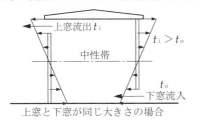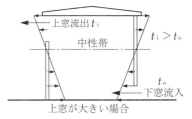

開口部の大きさと中性帯の位置

3. **熱交換器**は、空気調和機の外気取入れにおいて、排気中の排熱を回収し、その熱を給気部分で新鮮空気に伝えて利用する装置。取入れる外気は、冬期暖房時は加熱・加湿され、夏期冷房時は、冷却・除湿されて室内に供給される。これにより、**外気負荷**が**軽減**される。

4. 換気は、室内の汚れた空気を排出し、新鮮な外気と入れ替えることである。この際できるだけ汚れた空気を排出するとともに、排出された空気が再度外気として入ってくるのを防ぐ必要がある。換気経路（給気から排気に到る空気の流れ）を検討する場合、空気の流れが短絡しないよう、**給気口**と**排気口**の位置を**離さ**なければならない。

正答 4

R03-01 Ａ

【問題　2】　換気に関する記述として、**最も不適当なもの**はどれか。

1. 風圧力による自然換気の場合、他の条件が同じであれば、換気量は風上側と風下側の風圧係数の差の平方根に比例する。

2. 室内外の温度差による自然換気で、上下に大きさの異なる開口部を用いる場合、中性帯の位置は、開口部の大きい方に近づく。

3. 中央管理方式の空気調和設備を設ける場合、室内空気の一酸化炭素の濃度は、100ppm以下となるようにする。

4. 中央管理方式の空気調和設備を設ける場合、室内空気の浮遊粉塵の量は、0.15mg／m³以下となるようにする。

解説

1. 建物の風上側では正圧、風下側では負圧が生じ、室のそれぞれの側に外部開口部があると、風向きが一定であれば、**自然換気量**は、風上側と風下側の**風圧係数の差**（$C_f - C_b$）の**平方根に比例**する。

2. 温度差換気において、室内外の気圧の差が等しくなる位置（高さ）を**中性帯**という。上下の開口部の大きさが異なる場合には、開口部の大きさが等しいときよりも、中性帯は大きい開口部のほうに近づく。これは、大きい開口部の位置での内外圧力差が小さくなることによる。

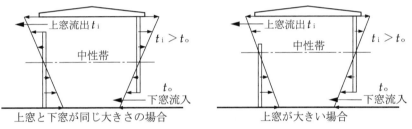

開口部の大きさと中性帯の位置

3. **二酸化炭素濃度**（含有率）は、**1,000ppm**（0.1％）以下、**一酸化炭素濃度**は、**6ppm**（0.0006％）以下である。

4. 浮遊粉じんの吸入による健康被害においては、一般に、粒子径が0.1～1.0μmのものによる影響が大きいと考えられており、10μm以下の粉じんが規制対象となっている。**浮遊粉じんの許容量は0.15mg／m³以下**とされている。

R02−01 **A**

【問題　3】　換気に関する記述として、**最も不適当なもの**はどれか。

　　1.　換気量が一定の場合、室容積が小さいほど換気回数は多くなる。

　　2.　給気口から排気口に至る換気経路を短くするほうが、室内の換気効率はよくなる。

　　3.　全熱交換器を用いると、冷暖房時に換気による熱損失や熱取得を軽減できる。

　　4.　換気量が同じ場合、置換換気は全般換気に比べて、換気効率に優れている。

**　　解説**

1.　室内の空気が1時間に入れ替わった回数を**換気回数**といい、1時間の換気量をその室の容積で除した値である。

$$換気回数　〔回 / h〕= \frac{1 時間の換気量 〔m^3 / h〕}{室の容積 〔m^3〕}$$

したがって、室容積が小さいほど換気回数は多くなる。

2.　換気は、室内の汚れた空気を排出し、新鮮な外気と入れ替えることである。この際できるだけ汚れた空気を排出するとともに、排出された空気が再度外気として入ってくるのを防ぐ必要がある。換気経路（給気から排気に到る空気の流れ）を検討する場合、空気の流れが短絡しないよう、**給気口**と**排気口**の位置を**離さなければならない**。

3.　**熱交換器**は、空気調和機の外気取入れにおいて、排気中の排熱を回収し、その熱を給気部分で新鮮空気に伝えて利用する装置。取入れる外気は、冬期暖房時は加熱・加湿され、夏期冷房時は、冷却・除湿されて室内に供給される。これにより、外気負荷が軽減される。

4.　**置換換気方式**は、床面から給気し、室内に温度成層を形成して、汚染空気は上昇気流に乗せて搬送し、天井付近の排気口から排出する。全般換気は、換気と同時に室内空気を混合して換気するものなので、置換換気の方が換気効率に優れている。

R01−01 Ａ

【問題　4】　換気に関する記述として、**最も不適当な**ものはどれか。

1. 室内空気の気流は、0.5m／s以下となるようにする。
2. 室内空気の二酸化炭素の濃度は、1.0％以下となるようにする。
3. 室内空気の相対湿度は、40％以上70％以下となるようにする。
4. 室内空気の浮遊粉じんの量は、0.15mg／m³以下となるようにする。

━━━　解説　━━━━━━━━━━━━━━━━━━━━━━

1.3.　室内の気候条件は下表の範囲が適当である。

浮遊粉じんの量	0.15mg／m³以下
一酸化炭素の含有率	6ppm以下
二酸化炭素の含有率	1,000ppm以下
温度	18℃以上28℃以下
相対湿度	40％以上70％以下
気流	0.5m／s以下
ホルムアルデヒドの量	0.1mg／m³以下

2. **二酸化炭素濃度**（含有率）は、**1,000ppm**（0.1％）**以下**、**一酸化炭素濃度**は、**6ppm**（0.0006％）**以下**である。

4. 浮遊粉じんの吸入による健康被害においては、一般に、粒子径が0.1〜1.0μmのものによる影響が大きいと考えられており、10μm以下の粉じんが規制対象となっている。**浮遊粉じんの許容量は0.15mg／m³以下**とされている。

H30-01 Ａ

【問題　5】　換気に関する記述として、**最も不適当なもの**はどれか。

1.　第3種機械換気方式は、自然給気と排気機による換気方式で、浴室や便所などに用いられる。

2.　自然換気設備の給気口は、調理室等を除き、居室の天井の高さの1／2以下の高さに設置する。

3.　営業用の厨房は、一般に窓のない浴室よりも換気回数を多く必要とする。

4.　給気口から排気口に至る換気経路を短くする方が、室内の換気効率はよくなる。

　　解説

1.　**第3種機械換気方式**は、自然給気と機械排気による換気方式で、室内は負圧になるので、汚染室に適し、浴室・便所・湯沸室・コピー室等に用いられる。

給気を多くすれば正圧
排気を多くすれば負圧
になる。

第1種換気方式

室内は周りよりやや気圧が高いので、
外から空気が入り込みにくい。

第2種換気方式

室内は周りよりやや気圧が低いので、
室内の空気は外へもれにくい。

第3種換気方式

2.　**給気口**を、居室の天井高の1／2以下の高さに設置するのは、自然換気設備の設置基準の1つである。

3.　営業用の**厨房の必要換気回数**は、30〜60回／hであり、窓のない浴室の必要換気回数は、5回／h程度である。

4.　換気は、室内の汚れた空気を排出し、新鮮な外気と入れ替えることである。この際できるだけ汚れた空気を排出するとともに、排出された空気が再度外気として入ってくるのを防ぐ必要がある。**換気経路**（給気から排気に到る空気の流れ）を検討する場合、空気の流れが短絡しないよう、**給気口**と**排気口**の位置を**離さなければならない**。

正答　4

R04−02 B

【問題　6】　伝熱に関する記述として、**最も不適当なもの**はどれか。

1. 熱放射は、電磁波による熱の移動現象で、真空中においても生じる。
2. 壁体の含湿率が増加すると、その壁体の熱伝導率は小さくなる。
3. 壁体の熱伝達抵抗と熱伝導抵抗の和の逆数を、熱貫流率という。
4. 物質の単位体積当たりの熱容量を、容積比熱という。

■■■■　解説　■■■■

1. 熱の基本的な伝わりかたは、**伝導・対流・放射**の三種である。伝導が固体内部の伝熱、対流が流体内部での伝熱であるのに対し、放射は電磁波なので、光や電波同様、真空中においても透過して他の物体に熱を伝える。なお、太陽からの熱エネルギーも電磁波であり放射である。

2. 壁体の**熱伝導率**は、結露などによって**水分**を含むと**大きく**なる。

3. **熱貫流率**とは、壁体内の**熱伝導**と壁体表面や中空層での**熱伝達**を含む、壁体全体の単位面積当たりの伝熱の割合である。熱貫流率の逆数を熱貫流抵抗といい、壁体の熱の通しにくさを表す。熱貫流抵抗＝熱伝達抵抗＋熱伝導抵抗

* 4. 重さの替わりに容積を単位にした比熱を「容積比熱」といい、物質 $1\,m^3$ の温度を $1\,℃$ 上昇させるのに必要な熱量で表す。

【問題　7】　伝熱に関する記述として、**最も不適当なもの**はどれか。

1. 壁体内の中空層の片面にアルミ箔を貼り付けると、壁体全体の熱抵抗は大きくなる。

2. 熱放射は、電磁波による熱移動現象であり、真空中でも生じる。

3. 壁体内にある密閉された中空層の熱抵抗は、中空層の厚さに比例する。

4. 総合熱伝達率は、対流熱伝達率と放射熱伝達率を合計したものをいう。

解説

1. 壁体内の**中空層の表面**を**アルミ箔**で覆うと、熱放射を反射して伝熱が減少し、**熱抵抗**の値は**大きくなる**。

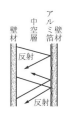

2. **熱**の基本的な伝わりかたは、**伝導・対流・放射**の三種である。伝導が固体内部の伝熱、対流が流体内部での伝熱であるのに対し、放射は電磁波なので、光や電波同様、真空中においても透過して他の物体に熱を伝える。なお、太陽からの熱エネルギーも電磁波であり放射である。

3. **空気層の熱抵抗**(断熱効果)は、厚さ20〜30mm程度まで**比例**して**増加**するが、それ以上になると対流による伝熱が生じるため僅かながら少しずつ減少する傾向が見られるが、**ほとんど変化しない**といえる。

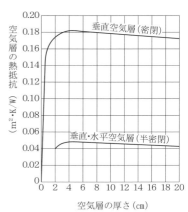

空気層(中空層)と熱抵抗

4. 熱伝達は、固体(材料)表面における、対流と放射による伝熱を総合したものである。熱伝達による熱の伝わりやすさを表す熱伝達率は、総合熱伝達率ともいい、対流熱伝達率と放射熱伝達率との合計になる。

R05-01 A

【問題　8】　日照及び日射に関する記述として、**最も不適当なもの**はどれか。

1. 北緯35°における南面の垂直壁面の可照時間は、夏至日より冬至日のほうが長い。

2. 日影規制は、中高層建築物が敷地境界線から一定の距離を超える範囲に生じさせる、冬至日における日影の時間を制限している。

3. 水平ルーバーは東西面の日射を遮るのに効果があり、縦ルーバーは南面の日射を遮るのに効果がある。

4. 全天日射は、直達日射と天空日射を合計したものである。

解説

1. 北緯35°付近の**南面**の垂直壁の**可照時間**(太陽から直接光があたっている時間)は、冬至では約9時間30分、夏至では7時間なので、夏至より**冬至**の方が**長い**。

壁面の方位別可照時間

壁面の向き	冬至	春・秋分	夏至
南面	9時間32分	12時間	7時間
北面	0	0	3時間44分×2※
東・西面	4時間46分	6時間	7時間14分
水平面	9時間32分	12時間	14時間28分

※日の出後と日没前

2. **日影規制**とは周囲の敷地に対し、**冬至の日**(真太陽時)に定められた時間以上の日影が生じないように、建築物の高さを制限する規制である。

3. **南面**は太陽高度が高いためひさし状の**水平型ルーバー**を用いた日射遮蔽が有効である。一方**西面**は太陽高度が低いため水平型ルーバーは効果が小さく、ルーバーの角度を考慮して**縦型ルーバー**を用いる方が有効である。

4. 水平面が受ける**直達日射**と**天空日射**をあわせて**全天日射**という。

R02−02 A

【問題　9】　日照及び日射に関する記述として、**最も不適当なもの**はどれか。

1. 同じ日照時間を確保するためには、緯度が高くなるほど南北の隣棟間隔を大きくとる必要がある。

2. 夏至に終日日影となる部分は永久日影であり、1年を通して太陽の直射がない。

3. 北緯35度付近で、終日快晴の春分における終日直達日射量は、東向き鉛直面よりも南向き鉛直面のほうが大きい。

4. 昼光率は、全天空照度に対する室内のある点の天空光による照度であり、直射日光による照度を含む。

━━━━━ 解説 ━━━━━

1. 同じ日照時間を確保するためには、緯度が高くなると太陽高度が低く、日影の範囲が広くなるので、**隣棟間隔を大きく**取らなければならない。

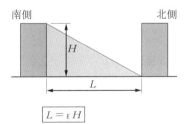

$$L = \varepsilon H$$

H：日影を生じさせる部分
　　の最高高さ(m)

L：隣棟間隔(m)

ε：前面隣棟間隔係数

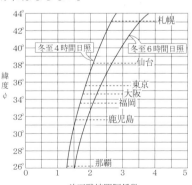

前面隣棟間隔係数 ε

※緯度別、冬至日照時間と前面隣棟間隔
　係数との関係（平たん地の場合）

2. 建築物の配置や形状によっては、1日中日影になる部分が生じる。これを終日日影といい、最も日照条件の良い**夏至**の日に**終日日影**となる部分は、1年中日影となる。これを**永久日影**という。

3. 終日の直達日射量の変化は、右図のとおりである。

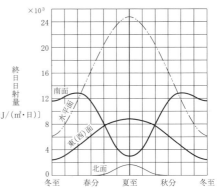

鉛直壁面・水平面の終日日射量（北緯35°）

- ●東向き鉛直面と西向き鉛直面の終日の直達日射量は、季節にかかわらず同じである。
- ●冬至における南向き鉛直面の終日の直達日射量は、水平面の直達日射量より大きい。
- ●春分時では東向き鉛直面よりも南向き鉛直面のほうが大きい。

4. 昼光率とは、設問のとおりで、**昼光率＝室内のある点の照度／全天空照度×100（%）**で表される。全天空照度には直射日光による照度を含まない。

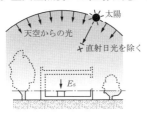

全天空照度 E_s

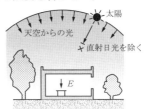

室内のある点の水平面照度 E

$$昼光率 D = \frac{E}{E_s} \times 100 \quad (\%)$$

H30−02 **A**

【問題　10】　日照、日射及び日影に関する記述として、**最も不適当なもの**はどれか。

1.　水平ルーバーは西日を遮るのに効果があり、縦ルーバーは夏季の南面の日射を防ぐのに効果がある。

2.　北緯35度における南面の垂直壁面の可照時間は、春分より夏至の方が短い。

3.　同じ日照時間を確保するためには、緯度が高くなるほど南北の隣棟間隔を大きくとる必要がある。

4.　建物の高さが同じである場合、東西に幅が広い建物ほど日影の影響の範囲が大きくなる。

■■■■ 解説 ■■■■■■■■■■■■■■■■■■■■■■■■■■■■■

1.　南面は太陽高度が高いためひさし状の水平型ルーバーを用いた日射遮蔽が有効である。一方**西面**は太陽高度が低いため水平型ルーバーは効果が小さく、ルーバーの角度を考慮して**縦型ルーバー**を用いる方が有効である。

2. 北緯35°付近の**南面**の垂直壁面の**可照時間**は、春秋分では12時間、夏至では7時間なので、春分より**夏至**の方が**短い**。

壁面の方位別可照時間

壁面の向き	冬至	春・秋分	夏至
南面	9時間32分	**12時間**	**7時間**
北面	0	0	3時間44分×2※
東・西面	4時間46分	6時間	7時間14分
水平面	9時間32分	12時間	14時間28分

※日の出後と日没前

3. 同じ日照時間を確保するためには、緯度が高くなると太陽高度が低く、日影の範囲が広くなるので、**隣棟間隔を大きく取らなければならない**。

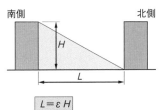

$$L = \varepsilon H$$

H：日影を生じさせる部分の最高高さ（m）
L：隣棟間隔（m）
ε：前面隣棟間隔係数

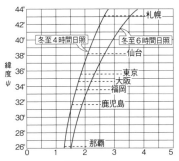

前面隣棟間隔係数 ε
※緯度別、冬至日照時間と前面隣棟間隔係数との関係（平たん地の場合）

4. 平面の長さの割合に対して高さの割合が大きいと、長時間の日影範囲の場合、影となる部分の変化はほとんど見られないが、**東西**に幅が広い建物ほど影の影響の範囲が大きくなる。

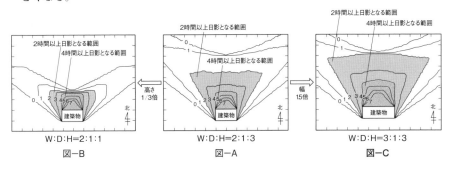

図－B　　　　図－A　　　　図－C

正答　1

R05-02 B

【問題　11】　採光及び照明に関する記述として、**最も不適当なもの**はどれか。

1. 横幅と奥行きが同じ室において、光源と作業面の距離が離れるほど、室指数は小さくなる。

2. 設計用全天空照度は、快晴の青空のときのほうが薄曇りのときよりも小さな値となる。

3. 照度は、単位をルクス(lx)で示し、受照面の単位面積当たりの入射光束のことをいう。

4. 光度は、単位をカンデラ(cd)で示し、反射面を有する受照面の光の面積密度のことをいう。

解説

1. 室指数は、次式で求めることができる。室の床面積に対して天井の高さが高いほど(距離が離れるほど)室指数は小さくなる。

$$室指数＝\frac{間口×奥行}{作業面からの光源までの高さ×(間口×奥行)}$$

2. **設計用全天空照度**は、昼光設計時に用いられる全天空照度の値で、標準的な天候条件に応じて定められ、「**快晴の青空**」の設計用全天空照度は**10,000lx**、「**特に明るい日(薄曇)**」は**50,000lx**である。設計用全天空照度と昼光率との積がそのときの室内のある点の昼光照度になる。受照点における最低照度を確保する意味では、暗い日の5,000lxがよく用いられる。

3. **照度**とは、**受照面の明るさを表し**、単位面積当たりに入射する光束の量をいう。

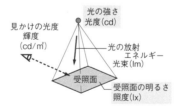

4. **光度**とは、点光源から単位立体角に発散する**光束(光の強さ)**をいう。

R03−02 A

【問題　12】　採光及び照明に関する記述として、**最も不適当なもの**はどれか。

1.　演色性とは、照明光による物体色の見え方についての光源の性質をいう。

2.　光束とは、単位波長当たりの放射束を標準比視感度で重みづけした量をいう。

3.　形状と面積が同じ側窓は、その位置を高くしても、昼光による室内の照度分布の均斉度は変わらない。

4.　設計用全天空照度は、快晴の青空のときが薄曇りのときよりも小さな値となる。

■■■■　解説　■■■■

1.　**演色性**とは、照明光が物体を照らしたとき、その物体の色の見え方に及ぼす光源の性質のことである。自然光で見た場合に近いほど演色性がよい。

2.　**光束**とは、**単位時間当たり**、発散・透過・入射する**光のエネルギー量**をいう。〔単位は、ルーメン［lm］〕。

3.　**均斉度**は、室内の明るさが均一かどうかを知るための指標で、**室内の最大照度と最小照度**の比であり、室内がすべて同じ照度ならば最大値1となる。窓が高い位置にあるほど窓付近と室奥との照度差が少なくなるため明るさが均一となり均斉度が上がる。窓が低い位置にある場合は、窓直下の照度が最大となり室奥に行くにしたがって急激に照度が小さくなるため、照度差が大きく均斉度は小さくなる。

4.　**設計用全天空照度**は、昼光設計時に用いられる全天空照度の値で、標準的な天候条件に応じて定められ、「**快晴の青空**」の設計用全天空照度は**10,000lx**、「**特に明るい日（薄曇）**」は**50,000lx**である。設計用全天空照度と昼光率との積がそのときの室内のある点の昼光照度になる。

R01－03 B

【問題　13】　採光及び照明に関する記述として、**最も不適当な**ものはどれか。

1.　均等拡散面上における輝度は、照度と反射率との積に比例する。

2.　演色性とは、光がもつ物体の色の再現能力のことで、光の分光分布によって決まる。

3.　昼光率とは、全天空照度に対する室内のある点の天空光による照度の比をいう。

4.　設計用全天空照度は、快晴の青空のときが薄曇りの日よりも大きな値となる。

■■■　**解説**　■■■

1.　**輝度**は、光源面（発光面、反射面、透過面）から特定の方向に出射する単位面積当たり、単位立体角当たりの**光束**であり、光源面を特定の方向から見たときの明るさを表す。また、均等拡散面（すべての方向に対する輝度が同じ理想的な面）上のある点の輝度は、照度と反射率との積に比例する。

2.　**演色性**とは、照明光が物体を照らしたとき、その物体の色の見え方に及ぼす光源の性質のことである。自然光で見た場合に近いほど演色性がよい。演色性は、視対象の色の見え方を表す特性であり、光源の分光分布（スペクトル）によって変化する。視対象の色（物体色）をどの程度忠実に再現するかの特性であり、昼間の自然光（昼光）の下での色の見え方に近いほど演色性が良い。

3.　**昼光率**とは、設問の通りで、**昼光率＝室内のある点の照度／全天空照度×100（％）** で表される。

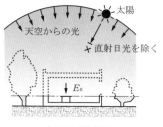
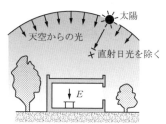

全天空照度 E_s 　　　　　　　　室内のある点の水平面照度 E

$$昼光率 D = \frac{E}{E_s} \times 100 \quad (\%)$$

4.　**設計用全天空照度**は、昼光設計時に用いられる全天空照度の値で、標準的な天候条件に応じて定められ、「**快晴の青空**」の設計用全天空照度は10,000lx、「**特に明るい日（薄曇）**」は50,000lxである。設計用全天空照度と昼光率との積がそのときの室内のある点の昼光照度になる。受照点における最低照度を確保する意味では、暗い日の5,000lxがよく用いられる。

R04-03 Ａ

【問題　14】　音に関する記述として、**最も不適当なもの**はどれか。

1.　音波は、媒質粒子の振動方向と波の伝搬方向が等しい縦波である。
2.　音速は、気温が高くなるほど速くなる。
3.　音波が障害物の背後に回り込む現象を回折といい、低い周波数よりも高い周波数の音のほうが回折しやすい。
4.　ある音が別の音によって聞き取りにくくなるマスキング効果は、両者の周波数が近いほどその影響が大きい。

解説

1.　**音**とは、物理的には、媒質粒子の微小振動であり、空気のような弾性体の中を伝搬するもので、音波と呼ばれる。分子の運動方向と伝わる方向が同じなので縦波である。
2.　音速は気温が高いほど速くなる。
3.　音には、障壁の陰になる部分にも頂点を越えて回り込む**回折現象**が見られるが、音源・障壁の頂点・受音点という３点の位置関係が同じ場合には、周波数の**高い音**ほど回折現象が**生じにくくなる**。したがって、障壁は低周波数音よりも高周波数音の遮断に有効であるが、**低周波数音は回折現象**が起こりやすい。
・高い周波数の音：「波長が短い」ため、障害物の背後に回り込むことができない。
・低い周波数の音：「波長が長い」ため、障害物の背後に回り込むことができる。

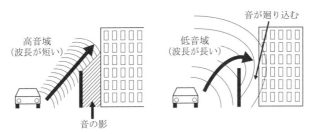

4.　聞こうとしている音が、それ以外の音の影響によって聞きにくくなる現象を**マスキング現象**という。一般に、**暗騒音**（バックグラウンドノイズ：特定の音を対象として考える場合、その場所における対象音以外の全ての騒音）が**大きい**ほど、また、目的音の周波数に近いほど、**マスキング効果は大きくなる**。

正答　3

R02-03 B

【問題　15】　音に関する記述として、**最も不適当なもの**はどれか。

1.　人間が聞き取れる音の周波数は、一般的に20Hzから20kHzといわれている。

2.　室内の向かい合う平行な壁の吸音率が低いと、フラッターエコーが発生しやすい。

3.　自由音場において、無指向性の点音源から10m離れた位置の音圧レベルが63dB
のとき、20m離れた位置の音圧レベルは57dBになる。

4.　音波が障害物の背後に回り込む現象を回折といい、低い周波数よりも高い周波数
の音のほうが回折しやすい。

■■■　解説

1.　周波数の多い音は高く、少ない音は低く聞こえる。人間の耳に聞こえる音の範囲は、
低音約**20Hz**から高音約**20kHz**までといわれている。

2.　室内の天井と床、両側壁などが互いに平行な場合、音の反射が規則的に繰り返され、
二重、三重に聞こえる現象を、**フラッターエコー**(鳴き竜)という。室内の向かい合う
平行な壁の吸音性が高いと、フラッターエコーは発生しにくい。

3.　**音の強さは、音源の出力の大きさに比例し、点音源からの距
離の2乗に反比例する。**図に示すように、1つの点音源から
の距離が2倍になると、音の拡散する面積が4倍となるため
音の強さが1／4となり、音の強さのレベルは6dB減少する。
したがって、

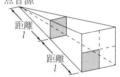

点音源
距離
l
距離
l

音の拡散

63dB(元の音圧レベル)－6dB(減少したレベル)
＝57dB

4.　音には、障壁の陰になる部分にも頂点を越えて回り込む**回折現象**が見られるが、音源・
障壁の頂点・受音点という3点の位置関係が同じ場合には、周波数の高い音ほど回折
現象が生じにくくなる。したがって、障壁は低周波数音よりも高周波数音の遮断に有
効であるが、**低周波数音は回折現象**が起こりやすい。

・高い周波数の音：「波長が短い」ため、障害物の背後に回り込むことができない。

・低い周波数の音：「波長が長い」ため、障害物の背後に回り込むことができる。

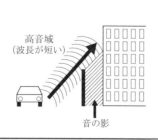

高音域
(波長が短い)

音の影

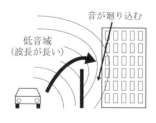

音が廻り込む

低音域
(波長が長い)

R05-03 B　　　　　　　　　　　　　　　　　　CHECK ☐☐☐☐☐

建築学

【問題　16】　吸音及び遮音に関する記述として、**最も不適当なもの**はどれか。

1. 吸音材は、音響透過率が高いため、遮音性能は低い。
2. 多孔質の吸音材は、一般に低音域より高音域の吸音に効果がある。
3. 単層壁において、面密度が大きいほど、音響透過損失は小さくなる。
4. 室間音圧レベル差の遮音等級はD値で表され、D値が大きいほど遮音性能は高い。

■■■ 解説 ■■■■■■■■■■■■■■■■■■■■■■■■■■■■■■■■

1. 吸音材は、音響透過率が高いので、遮音効果は低い。
2. **多孔質**のグラスウールなどの吸音材は、その微細空隙により、一般に**中・高音域の吸音率**が大きい。
3. **単層壁の透過損失**は、壁体の単位面積当たりの**質量**(面密度)が**大きいほど大きくなる**。

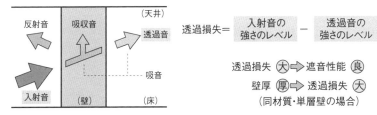

4. 話し声や音楽のように、空気中を伝搬する音を空気音という。**室間音圧レベル差（D値）**は、空気音に対する壁の遮音性能の良否を表す基準で、日本産業規格（JIS）に定められている。音源を設置した室と隣室との音圧レベルを各々測定し、その**差が大きいほど**、２室を隔てる壁の**遮音性能が高い**と評価し、それをD−60～30の値による遮音等級で表示する。

正答　3

R03−03 B　　　　　　　　　　　　　　　　　CHECK ☐☐☐☐☐

【問題　17】　吸音及び遮音に関する記述として、**最も不適当なもの**はどれか。

1. グラスウールなど多孔質の吸音材の吸音率は、一般に低音域より高音域の方が大きい。
2. コンクリート間仕切壁の音響透過損失は、一般に低音域より高音域の方が大きい。
3. 床衝撃音レベルの遮音等級を表すL値は、その値が大きいほど遮音性能が高い。
4. 室間音圧レベル差の遮音等級を表すD値は、その値が大きいほど遮音性能が高い。

▬▬ 解説 ▬▬

1. **多孔質**のグラスウールなどの吸音材は、その微細空隙により、一般に**中・高音域の吸音率**が大きい。

2. **透過損失**とは、壁や窓などの材料の遮音性能を表わす数値である。コンクリート間仕切壁の透過損失は、厚さ120mmの場合、125Hzの音では39dB、2,000Hzの音では61dBであり、低音域より高音域の方が**大きい**。

3. **L値**は振動音または固体伝播音と呼ばれ、実際に聞こえる音のレベルを示し、値が**小さいほど遮音性能**が高い。

4. 話し声や音楽のように、空気中を伝搬する音を空気音という。**室間音圧レベル差（D値）**は、空気音に対する壁の遮音性能の良否を表す基準で、日本産業規格（JIS）に定められている。音源を設置した室と隣室との音圧レベルを各々測定し、その**差**が大きいほど、2室を隔てる壁の**遮音性能**が**高い**と評価し、それを**D−60〜30**の値による遮音等級で表示する。

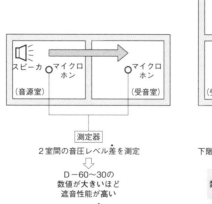

2室間の音圧レベル差を測定
⇩
D−60〜30の
数値が大きいほど
遮音性能が高い

室間音圧レベル差の遮音等級

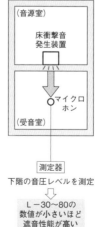

下階の音圧レベルを測定
⇩
L−30〜80の
数値が小さいほど
遮音性能が高い

床衝撃音レベルの遮音等級

正答　3

H30-03 B　　　　　　　　　　　　　　　　CHECK ☐☐☐☐☐

【問題　18】　吸音及び遮音に関する記述として、**最も不適当なもの**はどれか。

1. グラスウールなどの多孔質材料は、厚さが増すと高音域に比べて中低音域の吸音率が増大する。

2. 共鳴により吸音する穿孔板は、背後に多孔質材料を挿入すると全周波数帯域の吸音率が増大する。

3. コンクリート間仕切壁の音響透過損失は、一般に高音域より低音域の方が大きい。

4. 単層壁の音響透過損失は、一般に壁の面密度が高いほど大きい。

─■　解説　■─

1. 多孔質吸音材料の厚さを大きくすると、全般的に吸音率は大きくなり、低周波数域における吸音率も大きくなる。

2. 孔あき板は、背後空気層が厚いほど低音域をよく吸音し、開口率が大きければ高音域をよく吸音する。なお、広い周波数にわたって吸音させる場合には、数種の孔あき板を用いたり、多孔質材料や板状材料を組合せて用

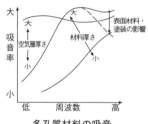

多孔質材料の吸音

いたりする。その際、多孔質材は、孔あき板の背後に密着させたほうが効果が大きい。

3. **透過損失**とは、壁や窓などの材料の遮音性能を表わす数値である。コンクリート間仕切壁の透過損失は、厚さ120mmの場合、125Hzの音では39dB、2,000Hzの音では61dBであり、低周波数域より**高周波数域**の方が**大きい**。なお、周波数の高い音は高く、少ない音は低く聞こえる。

4. **単層壁**の**透過損失**は、壁体の単位面積当たりの**質量**(面密度)が**大きいほど大きく**なる。

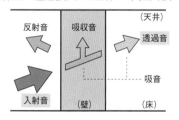

透過損失＝　入射音の　　　透過音の
　　　　　　強さのレベル　－　強さのレベル

透過損失 大 ⇒ 遮音性能 良
壁厚 厚 ⇒ 透過損失 大
(同材質・単層壁の場合)

【問題　19】　図に示す３ヒンジラーメン架構のDE間に等分布荷重wが作用したとき、支点Aの水平反力H_A及び支点Bの水平反力H_Bの値として、**正しいもの**はどれか。

ただし、反力は右向きを「＋」、左向きを「－」とする。

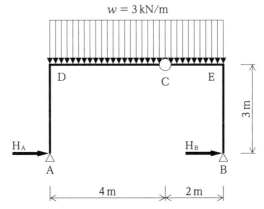

1. $H_A＝＋9\,\text{kN}$
2. $H_A＝－6\,\text{kN}$
3. $H_B＝\quad0\,\text{kN}$
4. $H_B＝－4\,\text{kN}$

━━ 解説

スリーヒンジラーメンは、両方の支点がともに「ピン支点」なので、合計4つの反力を持つ。

図aのように鉛直反力V_A、V_B、水平反力H_A、H_Bを仮定する。

これが、力のつり合い条件となり、さらに中間にあるヒンジ（C点）が回転に抵抗できないためモーメントは0になる。

①等分布荷重wを集中荷重W_1に置き換える。図a
参照。

集中荷重$W_1 = 3\,kN/m \times 6\,m = 18kN$

②$\Sigma X = 0$より

$H_A + H_B = 0$ ─────────（ⅰ）

$\Sigma Y = 0$より

$V_A + V_B - 18kN = 0$ ─────（ⅱ）

③$\Sigma M_A = 0$より

$18kN \times 3\,m - V_B \times 6\,m = 0$

$6\,V_B \cdot m = 54kN \cdot m$

∴$V_B = +9\,kN$（仮定通り上向き）

上記（ⅱ）より

∴$V_A = +9\,kN$（仮定通り上向き）

④$M_C(右)$を計算する際には、C—E間の等分布荷重を
集中荷重W_2に置き換える。図b参照。

集中荷重$W_2 = 3\,kN/m \times 2\,m = 6\,kN$

$\Sigma M_C(右) = 0$より

$-9\,kN \times 2\,m - H_B \times 3\,m + 6\,kN \times 1\,m = 0$

$3\,H_B \cdot m = -18kN \cdot m + 6\,kN \cdot m$

$\qquad\qquad = -12kN \cdot m$

∴$H_B = -4\,kN$

（仮定の向きと逆となり、左向き）

上記（ⅰ）より

∴$H_A = +4\,kN$（仮定通り右向き）

したがって枝4.が正しい値となる。

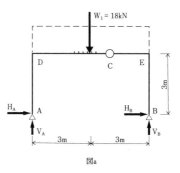

図a

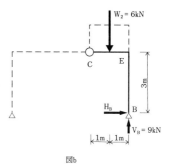

図b

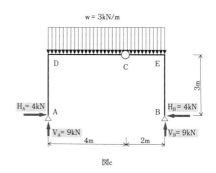

図c

R04−09 A

【問題　20】　図に示す３ヒンジラーメン架構のAD間及びDC間に集中荷重が同時に作用するとき、支点Bに生じる水平反力H_B、鉛直反力V_Bの値の大きさの組合せとして、正しいものはどれか。

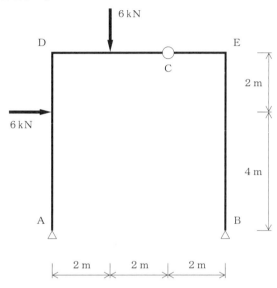

1.　$H_B = 2\,kN$、$V_B = 6\,kN$

2.　$H_B = 3\,kN$、$V_B = 9\,kN$

3.　$H_B = 4\,kN$、$V_B = 12kN$

4.　$H_B = 5\,kN$、$V_B = 15kN$

━ 解説 ━

　スリーヒンジラーメンは、両方の支点がともに「ピン支点」なので、合計4つの反力を持つ。

　図のように鉛直反力V_A、V_B、水平反力H_A、H_Bを仮定する。

　これが、力のつり合い条件となり、さらに中間にあるヒンジ(C点)が回転に抵抗できないためモーメントは0になる。

① $\Sigma X = 0$ より

　　$6\,\text{kN} - H_A - H_B = 0$ ──────（ⅰ）

　　$\Sigma Y = 0$ より

　　$V_A + V_B - 6\,\text{kN} = 0$ ──────（ⅱ）

② $\Sigma M_A = 0$ より

　　$6\,\text{kN} \times 4\,\text{m} + 6\,\text{kN} \times 2\,\text{m}$

　　　　　　　$-V_B \times 6\,\text{m} = 0$

　　$6\,V_B \cdot \text{m} = 24\text{kN} \cdot \text{m} + 12\text{kN} \cdot \text{m}$

　　　　　　$= 36\text{kN} \cdot \text{m}$

　　$\therefore V_B = +6\,\text{kN}$（上向き）

　　上記（ⅱ）より

　　$\therefore V_A = 0\,\text{kN}$

③ ΣM_C（右）$= 0$ より

　　$-V_B \times 2\,\text{m} + H_B \times 6\,\text{m} = 0$

　　$6\,H_B \cdot \text{m} = V_B \times 2\,\text{m} = +6\,\text{kN} \times 2\,\text{m}$

　　　　　　$= +12\text{kN} \cdot \text{m}$

　　$\therefore H_B = +2\,\text{kN}$（左向き）

　　上記（ⅰ）より

　　$\therefore H_A = +4\,\text{kN}$（左向き）

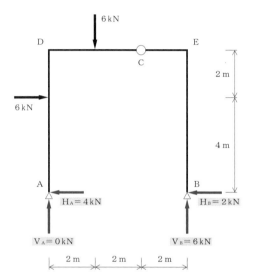

正答　1

R02−09 B

【問題　21】　図に示す３ヒンジラーメン架構のAD間に等分布荷重が、CE間に集中荷重が
同時に作用したとき、支点A及びBに生じる水平反力(H$_A$、H$_B$)、鉛直反力(V$_A$、
V$_B$)の値として、**正しいもの**はどれか。
ただし、反力は右向き及び上向きを「＋」、左向き及び下向きを「−」とする。

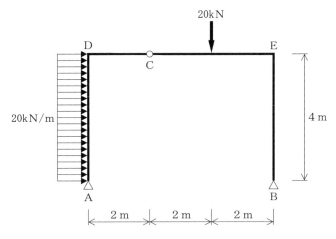

1.　H$_A$＝−40kN
2.　H$_B$＝＋40kN
3.　V$_A$＝−20kN
4.　V$_B$＝＋20kN

━━━ **解説** ━━━

　架構図の等分布荷重を集中荷重に置き換えることで、支点AとBの水平反力の値を求めることができる。次にAB間の水平距離を求めることで、支点AとBの鉛直反力の値を求めることができる。等分布荷重を集中荷重に置き換えると、集中荷重は80kN右向きとなる。

　スリーヒンジラーメンは、両方の支点がともに「ピン支点」なので、合計4つの反力を持つ。

　図のように鉛直反力V_A、V_B、水平反力H_A、H_Bを仮定する。

　これが、力のつり合い条件となり、さらに中間にあるヒンジ（C点）が回転に抵抗できないためモーメントは0になる。

①A点、B点に反力を仮定鉛直反力V_A、V_B

　　水平反力H_A、H_B

　　● $\Sigma X = 0$ より

　　　$80\text{kN} + H_A + H_B = 0$ ───── ①

　　● $\Sigma Y = 0$ より

　　　$V_A + V_B - 20\text{kN} = 0$ ───── ②

②鉛直反力V_A、V_B

　　● $\Sigma M_A = 0$ より

　　　$80\text{kN} \times 2\,\text{m} + 20\text{kN} \times 4\,\text{m} - V_B \times 6\,\text{m}$

　　　$= 0$

　　　$6\,V_B \cdot \text{m} = 160\text{kN} \cdot \text{m} + 80\text{kN} \cdot \text{m}$

　　　$= 240\text{kN} \cdot \text{m}$

　　　$\therefore V_B = +40\text{kN}（上向き）$

　　　上記②より

　　　$\therefore V_A = -20\text{kN}（下向き）$

③水平反力H_A、H_B

　　● $\Sigma M_C = 0$（右側）$= 0$

　　　$20\text{kN} \times 2\,\text{m} - V_B \times 4\,\text{m} - H_B \times 4\,\text{m} = 0$

　　　$4\,H_B \cdot \text{m} = 40\text{kN} \cdot \text{m} - 160\text{kN} \cdot \text{m} = -120\text{kN} \cdot \text{m}$

　　　$\therefore H_B = -30\text{kN}（左向き）$

　　　上記①より

　　　$\therefore H_A = -50\text{kN}（左向き）$

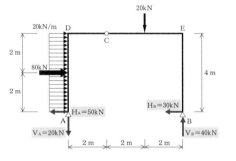

R01－09 B

＊【問題　22】　図に示す３ヒンジラーメン架構のDE間に等変分布荷重が、AD間に集中荷重が同時に作用したとき、支点A及びBに生じる水平反力(H_A、H_B)、鉛直反力(V_A、V_B)の値として、**正しいもの**はどれか。

ただし、反力は右向き及び上向きを「＋」、左向き及び下向きを「－」とする。

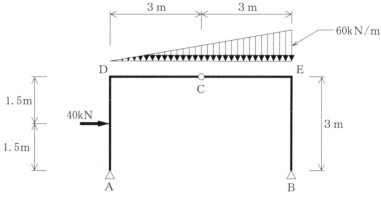

1.　H_A＝＋　15kN

2.　H_B＝－　60kN

3.　V_A＝＋　60kN

4.　V_B＝＋120kN

━━━　解説　━━━━━━━━━━━━━━━━━━━━━━━━━━━━━━━━━

　スリーヒンジラーメンは、両方の支点がともに「ピン支点」なので、合計４つの反力を持つ。

　図のように鉛直反力V_A、V_Bを上向き、水平反力H_A、H_Bを左向きに仮定する。

　これが、力のつり合い条件となり、さらに中間にあるヒンジ(C点)が回転に抵抗できないためモーメントは０になる。

・等変分布荷重を集中荷重
に置き換える。

$W_1 = 60kN \times 6 \times 1/2$
$= 180kN$

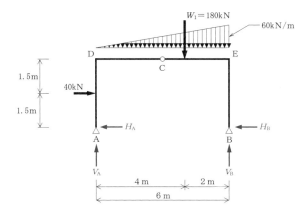

・$\Sigma X = 0$ より、
$H_A + H_B = 40kN$

・$\Sigma Y = 0$ より、
$V_A + V_B = W_1$
$= 180kN$

・$\Sigma M_A = 0$ より、V_Bを求
める。

$40kN \times 1.5m + W_1 \times 4\,m$
$-V_B \times 6\,m = 0$
$60kN \cdot m + 180kN \times 4\,m$
$-6V_B \cdot m = 0$
$6V_B = 780kN$
$V_B = 130kN$（仮定の向き
と同じ。「上向き」）
$\therefore V_A = 50kN$（仮定の向き
と同じ。「上向き」）

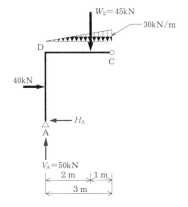

・$M_C(左) = 0$ より、H_Aを求める。
等変分布荷重を集中荷重に置き換える。

$W_2 = 30kN \times 3 \times 1/2 = 45kN$
$M_C(左) = -45kN \times 1\,m - 40kN \times 1.5m + H_A \times 3\,m + V_A \times 3\,m = 0$
$-45kN \cdot m - 60kN \cdot m + 3H_A \cdot m + 150kN \cdot m = 0$
$H_A = -15kN$（仮定の向きと逆。「右向き」）　⇒　$H_A = +15kN$
$\therefore H_B = 55kN$（仮定の向きと同じ。「左向き」）　⇒　$H_B = -55kN$

正答　1

＊【問題　23】　図に示す３ヒンジラーメン架構のAD間に等分布荷重が作用したとき、支点Aに生じる水平反力H_A及び鉛直反力V_Aの値の大きさの組合せとして、**正しいもの**はどれか。

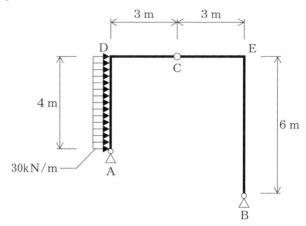

1.　H_A＝60kN、V_A＝40kN

2.　H_A＝60kN、V_A＝48kN

3.　H_A＝96kN、V_A＝40kN

4.　H_A＝96kN、V_A＝48kN

━ 解説

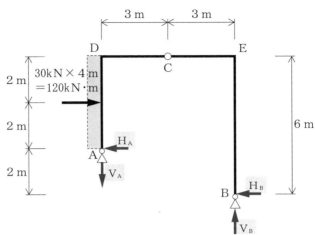

スリーヒンジラーメンは、両方の支点がともに「ピン支点」なので、合計4つの反力を持つ。

図のように鉛直反力V_A、V_B、水平反力H_A、H_Bを仮定する。

これが、力のつり合い条件となり、さらに中間にあるヒンジ（C点）が回転に抵抗できないためモーメントは0になる。

● $\Sigma M_B = 0$ より、

$-V_A \times 6\,m - H_A \times 2\,m + 120kN \times 4\,m = 0$

$6\,V_A \cdot m + 2\,H_A \cdot m = 480kN \cdot m$

$3\,V_A \cdot m + H_A \cdot m = 240kN \cdot m$ ………①

● $\Sigma M_C = 0$（左側）より、

$-V_A \times 3\,m + H_A \times 4\,m - 120kN \times 2\,m = 0$

$-3\,V_A \cdot m + 4\,H_A \cdot m = 240kN \cdot m$ ………②

● ①＋②より、

$5\,H_A \cdot m = 480kN \cdot m$

$\therefore H_A = 96kN$ ………③

③を①に代入すると、

$3\,V_A \cdot m + 96kN \cdot m = 240kN \cdot m$

$\therefore V_A = 48kN$

したがって、$H_A = 96kN$、$V_A = 48kN$となる。

R03-09 B

【問題　24】　図に示す静定の山形ラーメン架構のAC間に等分布荷重wが作用したとき、支点Bに生じる鉛直反力V_Bと、点Dに生じる曲げモーメントM_Dの値の大きさの組合せとして、**正しいもの**はどれか。

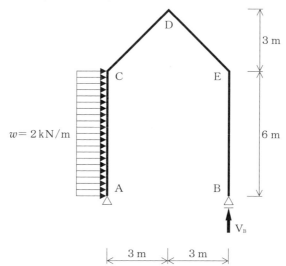

w = 2 kN/m

3 m

6 m

3 m　　3 m

1.　$V_B=6\,kN$、$M_D=0\,kN \cdot m$

2.　$V_B=6\,kN$、$M_D=18kN \cdot m$

3.　$V_B=12kN$、$M_D=0\,kN \cdot m$

4.　$V_B=12kN$、$M_D=18kN \cdot m$

解説

①等分布荷重wを集中荷重Wに置き換える。

等分布荷重wは、1m当たり2kNであるから、W＝2kN/m×6m＝12kN

②鉛直反力V_Bを求める。図(a)参照。

$\Sigma M_A＝0$より、

$-V_B×6m+12kN×3m＝0$

$-V_B×6m＝-36kN・m$

$\therefore V_B＝+6kN$

プラス(＋)として求められたので、仮定の通り上向きとなる。

③D点の右側の力によって、曲げモーメントM_Dを求める。図(b)参照。

$M_D＝-V_B×3m＝-6kN×3m$

$\quad＝-18kN・m$

$\therefore M_D＝18kN・m$ ｜下側(内側)凸｜

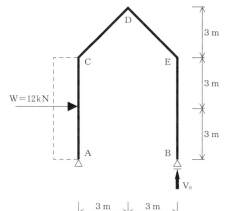

(a)

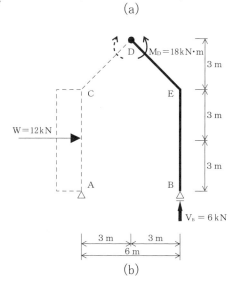

(b)

【問題　25】　図に示す３ヒンジラーメン架構の点Dにモーメント荷重Mが作用したときの曲げモーメント図として、**正しいもの**はどれか。

ただし、曲げモーメントは材の引張側に描くものとする。

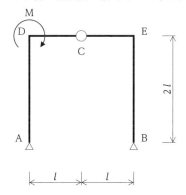

1.　　　　　　　　　　　　　　　　　　2.

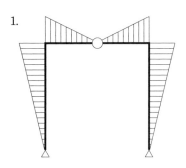

3.　　　　　　　　　　　　　　　　　　4.

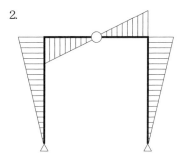
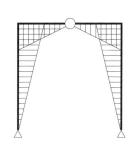

■■■■　**解説**　■■■■

　スリーヒンジラーメンは、両方の支点がともに「ピン支点」なので、合計４つの反力を持つ。

図aのように鉛直反力V_A、V_B、水平反力H_A、H_Bを仮定する。

これが、力のつり合い条件となり、さらに中間にあるヒンジ（C点）が回転に抵抗できないためモーメントは0になる。

①$\Sigma X = 0$より

$H_A + H_B = 0$ ——————（ⅰ）

$\Sigma Y = 0$より

$V_A + V_B = 0$ ——————（ⅱ）

②$\Sigma M_A = 0$より

$M - V_B \times 2l = 0$

$\therefore V_B = +\dfrac{M}{2l}$（仮定通り上向き）

上記（ⅱ）より

$\therefore V_A = -\dfrac{M}{2l}$（仮定の向きと逆となり、下向き）

③$\Sigma M_C（右）= 0$より

$-H_B \times 2l - V_B \times l = 0$

$2H_B = -V_B$

$\therefore H_B = -\dfrac{M}{4l}$（仮定の向きと逆となり、左向き）

上記（ⅰ）より

$\therefore H_A = +\dfrac{M}{4l}$（仮定通り右向き）

④E点、D点の曲げモーメントを求める。図b参照。

$M_{E柱} = \dfrac{M}{4l} \times 2l = \dfrac{M}{2}$（外側凸）

$M_{E梁} = M_{E柱} = \dfrac{M}{2}$（上側凸）

$M_{D梁} = -\dfrac{M}{2l} \times 2l + \dfrac{M}{4l} \times 2l = -\dfrac{M}{2}$（下側凸）

$M_{D柱} = -\dfrac{M}{4l} \times 2l = -\dfrac{M}{2}$（外側凸）

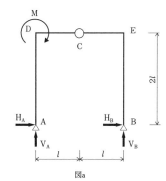

図a

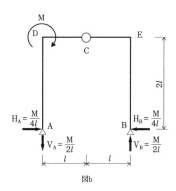

図b

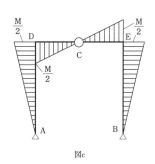

図c

また、$M_A = M_B = 0$より、曲げモーメント図は図cとなる。

したがって、枝2.が正しい曲げモーメント図となる。

正答　2

R04-10 B

【問題　26】　図に示す単純梁ABのCD間に等分布荷重wが、点Eに集中荷重Pが同時に作
用するときの曲げモーメント図として、正しいものはどれか。

ただし、曲げモーメントは、材の引張側に描くものとする。

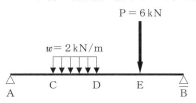

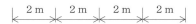

1.
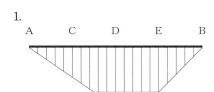

2.
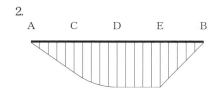

3.
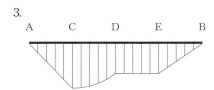

4.
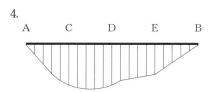

解説

①等分布荷重wを集中荷重Wに置き換える。

W＝2kN/m×2m＝4kN

②鉛直反力V_A、V_Bを求める。図(a)参照。

$\Sigma M_A = 0$ より、

4kN×3m＋6kN×6m－V_B×8m＝0

8V_B・m＝12kN・m＋36kN・m

∴V_B＝＋6kN

プラス(＋)として求められたので、仮定の通り上向きとなる。

$\Sigma Y = 0$ より、

V_A－4kN－6kN＋V_B＝0

V_A－4kN－6kN＋6kN＝0

∴V_A＝＋4kN

プラス(＋)として求められたので、仮定の通り上向きとなる。

③A点、C点の曲げモーメントを求める。図(b)参照。

M_A＝0

M_C＝4kN×2m＝8kN・m(下側凸)

④B点、E点、D点の曲げモーメントを求める。図(c)参照。

M_B＝0

M_E＝6kN×2m＝12kN・m(下側凸)

M_D＝6kN×4m－6kN×2m＝12kN・m(下側凸)

また、曲げモーメント図は点C～Dにおいては等分布荷重が作用しているため2次曲線となる。以上より、曲げモーメント図は図(d)となる。

したがって、枝2.が正しい曲げモーメント図となる。

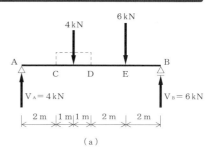

(a)

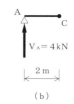

(b)

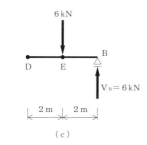

(c)

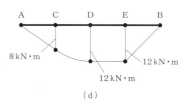

(d)

正答 2

R03−10 C

【問題　27】　図に示す単純梁ABにおいて、CD間に等分布荷重wが作用したときの曲げ
モーメント図として、**正しいもの**はどれか。

ただし、曲げモーメントは、材の引張側に描くものとする。

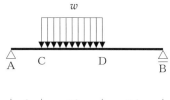

1.

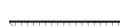

2.

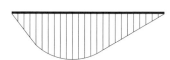

3.

4.

━━━　解説　━━━

①等分布荷重wを集中荷重Wに置き換える。

$\qquad W = w \times 2\,l = 2\,wl$

②鉛直反力 V_A、V_B を求める。図(a)参照。

$\Sigma M_A = 0$ より、

$-V_B \times 5l + 2wl \times 2l = 0$

$-V_B \times 5l = -4wl^2$

$\therefore V_B = +\dfrac{4wl}{5}$

プラス(+)として求められたので、仮定の通
り上向きとなる。

$\Sigma Y = 0$ より、

$V_A - 2wl + V_B = 0$

$V_A - 2wl + \dfrac{4wl}{5} = 0$

$\therefore V_A = +\dfrac{6wl}{5}$

プラス(+)として求められたので、仮定の通
り上向きとなる。

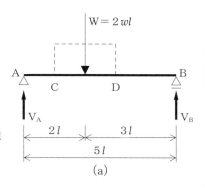

(a)

③A点、C点の曲げモーメントを求める。図(b)
参照。

$M_A = 0$

$M_C = +\dfrac{6wl}{5} \times l = +\dfrac{6wl^2}{5}$

$M_C = \dfrac{6wl^2}{5}$ (下側凸)

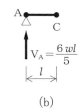

(b)

④B点、D点の曲げモーメントを求める。
図(c)参照。

$M_B = 0$

$M_D = -\dfrac{4wl}{5} \times 2l = -\dfrac{8wl^2}{5}$

$M_D = \dfrac{8wl^2}{5}$ (下側凸)

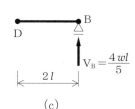

(c)

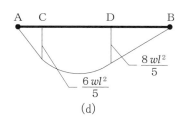

(d)

曲げモーメント図は点A〜C、点D〜Bは傾斜した直線、点C〜Dは等分布荷重が作用
しているため二次曲線となる。図(d)参照。

したがって、2.が正しい曲げモーメント図となる。

正答 2

【問題　28】　図に示すラーメン架構に集中荷重３P及び２Pが同時に作用したときの曲げモーメント図として、**正しいもの**はどれか。

ただし、曲げモーメントは材の引張り側に描くものとする。

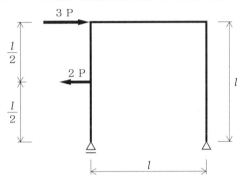

1.

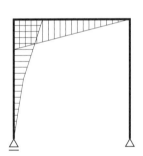

2.

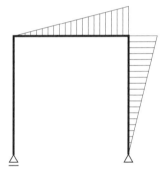

3.

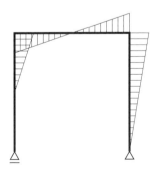

4.

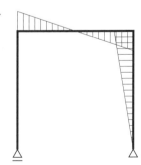

解説

ピンローラー支点には水平反力が生じない

ピンローラー支点側の柱の点A〜Cには曲げモーメントは生じない

点Cに水平方向の集中荷重2P

ピンローラー支点側の柱の点C〜Dには曲げモーメントが生じる

支点Aと支点Bに生じる鉛直方向の反力

●$\Sigma M_A = 0$

$3P \times 1 - 2P \times 1 / 2 + V_B \times 1 = 0$

$3Pl - Pl + V_B \times 1 = 0$

∴$V_B = 2P$（上向き）

●$\Sigma Y = 0$

$V_A + V_B = 0$

$V_A + 2P = 0$

∴$V_A = -2P$（下向き）

V_AとV_Bの大きさは2Pだが、

向きは逆である。

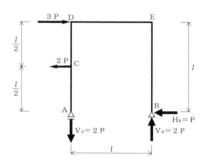

支点Bに生じる水平方向の反力

●$\Sigma X = 0$

$3P - 2P + H_B = 0$

∴$H_B = -P$（左向き）

●点Dと点Eの中間の点F（左側）

$M_F = +2P \times 1 / 2 - 2P \times 1 / 2 = 0$

各点の曲げモーメントは、次のとおりとなる。

曲げモーメントは、材の引張側に描く。

$M_A = 0$

$M_B = 0$

$M_C = 0$

$M_D = 2P \times 1 / 2 = Pl$（内側凸）

$M_E = P \times 1 = Pl$（外側凸）

$M_F = 0$

よって、肢3が正しい。

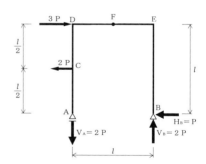

R01-10 C

CHECK ☐☐☐☐☐

【問題　29】　図に示す梁のAB間に等分布荷重 w が、点Cに集中荷重Pが同時に作用した ときの曲げモーメント図として、**正しいもの**はどれか。

ただし、曲げモーメントは材の引張り側に描くものとする。

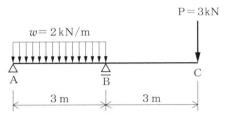

1.

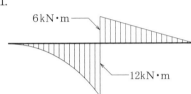

2.

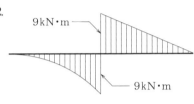

3.

4.

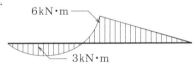

解説

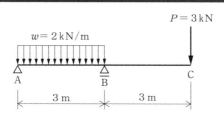

●それぞれの荷重ごとに分けて考える

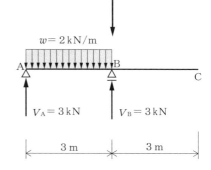

●集中荷重 P による曲げモーメント図

●等分布荷重 w による曲げモーメント図

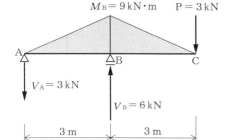

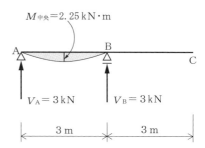

●2つの曲げモーメント図を重ね合わせる

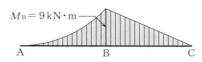

$M_\mathrm{B} = 9\,\mathrm{kN \cdot m}$

【問題　30】　図に示す３ヒンジラーメン架構に集中荷重Pが作用したときの曲げモーメント図として、**正しいもの**はどれか。

ただし、曲げモーメントは材の引張り側に描くものとする。

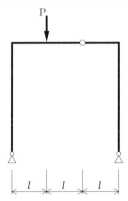

1.

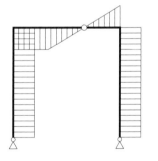

2.

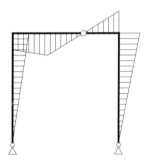

3.

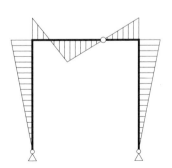

4.

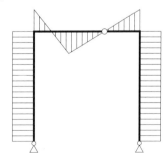

━━━ 解説 ━━━━━━━━━━━━━━━━

●反力を仮定する。

$\Sigma X = 0$ より、$H_A - H_B = 0$

$H_A = H_B$ ‥‥‥‥(1)

$\Sigma Y = 0$ より、$V_A + V_B = P$‥‥‥(2)

1. 4.　支点A及び支点Bは、いずれ
　　　もピン支点なので、曲げモーメ
　　　ントは、生じない。

2. 3.　門形ラーメンは、左右対称形
　　　をしており、かつ外力Pは鉛直
　　　方向のみであることから、支点
　　　A及び支点Bには、相互に向き
　　　合う方向で、同じ大きさの水平
　　　反力(Hとする)が作用する(1)。
　　　したがって、節点C及び節点E
　　　には、向きが逆で同じ大きさの
　　　曲げモーメント($H \times h$)が柱頭
　　　に生じる。

よって、肢3が正しい。

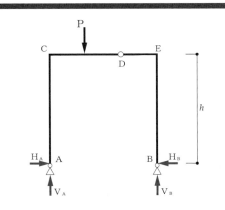

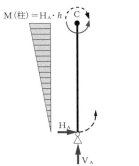

R05−08 C　　　　　　　　　　　　　　　　　　　CHECK ☐☐☐☐☐

【問題　31】　図に示す柱ABの図心Gに鉛直荷重Pと水平荷重Qが作用したとき、底部における引張縁応力度の値の大きさとして、**正しいもの**はどれか。

ただし、柱の自重は考慮しないものとする。

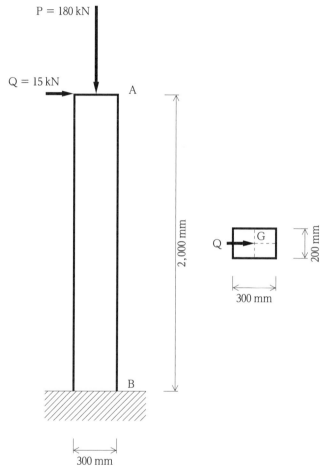

1.　　3 N／mm²
2.　　7 N／mm²
3.　　10N／mm²
4.　　13N／mm²

解説

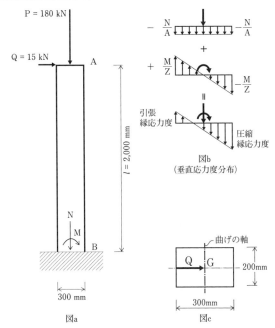

図a

図b
（垂直応力度分布）

図c

底部B断面における引張縁応力度は、次式で表される。図a、b参照。

$$\sigma = -\frac{N}{A} + \frac{M}{Z}$$

N：圧縮力→P＝180kN＝180,000N

A：断面積→200mm×300mm＝60,000mm²

M：曲げモーメント→Q×l＝15kN×2,000mm＝15,000N×2,000mm
　　　　　　　　　　＝30,000,000N・mm

Z：断面係数→bh²/6＝200mm×300mm×300mm/6
　　　　　　　　　＝3,000,000mm³

（断面係数の曲げの軸は、図cに示す軸である。）

$$\frac{N}{A} = 180,000\text{N}/60,000\text{mm}^2 = 3\,\text{N}/\text{mm}^2$$

$$\frac{M}{Z} = 30,000,000\text{N}\cdot\text{mm}/3,000,000\text{mm}^3 = 10\text{N}/\text{mm}^2$$

$$\sigma = -\frac{N}{A} + \frac{M}{Z} = -3\,\text{N}/\text{mm}^2 + 10\text{N}/\text{mm}^2 = 7\,\text{N}/\text{mm}^2$$

正答　2

R03-08 A 　　　　　　　　　　　　　　　CHECK ☐☐☐☐☐

【問題　32】　図に示す断面のX－X軸に対する断面二次モーメントの値として、正しいものはどれか。

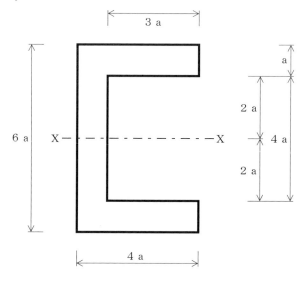

1. $56a^3$
2. $56a^4$
3. $72a^3$
4. $72a^4$

─── **解説** ━━━━━━━━━━━━━━━━━━━━━━━━━━━━━━━━━━━

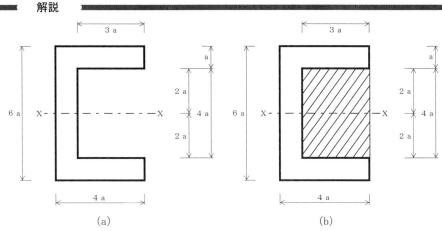

(a)   (b)

　H形断面のX－X軸に関する断面二次モーメントI_xは、図(b)において斜線部分を含んだ長方形断面の断面二次モーメントから斜線部分の長方形断面の断面二次モーメントを差し引いて求める。

$$I_x = \frac{4a \times (6a)^3}{12} - \frac{3a \times (4a)^3}{12}$$

$$= \frac{864a^4}{12} - \frac{192a^4}{12} = \frac{864a^4 - 192a^4}{12}$$

$$= \frac{672a^4}{12}$$

$$= 56a^4$$

正答　2

R01−08 B
CHECK ☐☐☐☐☐

【問題　33】　図に示す長方形断面部材の図心軸(X軸)に対する許容曲げモーメントの値として、正しいものはどれか。

ただし、許容曲げ応力度f_bは9.46N/mm²とする。

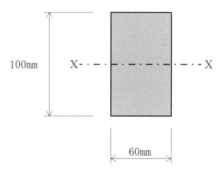

100mm

X−·−·−·−·−·−·−·−·−X

60mm

1.　9.46×10^5 N・mm
2.　5.68×10^5 N・mm
3.　4.73×10^5 N・mm
4.　2.84×10^5 N・mm

━━━　解説　━━━━━━━━━━━━━━

許容曲げモーメントM_aは次式で求められる。

$$M_a = Z \times f_b \quad \left(f_b = \frac{M_a}{Z} \right)$$

Z：断面係数

$$Z = \frac{bh^2}{6} = \frac{60\text{mm} \times (100\text{mm})^2}{6} = 1.0 \times 10^5 \text{mm}^3$$

f_b：許容曲げ応力度

題意より、f_b=9.46N/mm²

∴M_a＝$Z \times f_b$＝1.0×10^5mm³×9.46N/mm²＝9.46×10^5N・mm

正答　1

建
築
学

【問題　34】　建築物に作用する荷重及び外力に関する記述として、**最も不適当なもの**はどれか。

1.　風圧力を求めるために用いる風力係数は、建築物の外圧係数と内圧係数の積により算出する。

2.　雪下ろしを行う慣習のある地方において、垂直積雪量が１ｍを超える場合、積雪荷重は、雪下ろしの実況に応じ垂直積雪量を１ｍまで減らして計算することができる。

3.　劇場、映画館等の客席の単位床面積当たりの積載荷重は、実況に応じて計算しない場合、固定席のほうが固定されていない場合より小さくすることができる。

4.　速度圧の計算に用いる基準風速は、原則として、その地方の再現期間50年の10分間平均風速値に相当する。

■■■ 解説 ■■■

1.　**風力係数**＝閉鎖型及び開放型の建築物の**外圧係数**(Cpe)−閉鎖型及び開放型の建築物の**内圧係数**(Cpi)で算出されるので、積ではなく差である。

2.　**雪下ろし**を行う慣習のある地方においては、垂直積雪量が１ｍを超える場合において、積雪荷重は、雪下ろしの実況に応じて垂直積雪量を１ｍまで減らして計算することができる。

3.　設問のとおり。例えば、床の構造計算をする場合、固定席の場合、$2,900N/m^2$、その他の場合(客席が固定されていない)、$3,500N/m^2$とされている。

構造計算の対象		I	II	III
室の種類		床	大ばり・柱・基礎	地震力
劇場・映画館・演芸場・観覧場・公会堂・集会場・その他これらの用途に供する建築物の客席または集会室	固定席	2,900	2,600	1,600
	その他	3,500	3,200	2,000

4.　**基準風速**V_0は、地方の過去の台風の記録に基づく風害の程度その他の性状に応じて30〜46m/sの範囲で定められたもので、再現期間50年間の**10分間平均風速値**に相当する。

R02-08 A

【問題　35】　床の構造計算をする場合の積載荷重として、**最も不適当なもの**はどれか。

1. 店舗の売り場の積載荷重は、2,900N/m²とすることができる。
2. 集会場の客席が固定席である集会室の積載荷重は、2,900N/m²とすることができる。
3. 倉庫業を営む倉庫の積載荷重は、2,900N/m²とすることができる。
4. 百貨店の屋上広場の積載荷重は、2,900N/m²とすることができる。

解説

1.2.4.　店舗の売り場の積載荷重、集会場の客席が固定席である集会室の積載荷重、百貨店の屋上広場の積載荷重は、2,900N/m²とすることができる。

構造計算の対象 室の種類		I 床	II 大ばり・ 柱・基礎	III 地震力
④ 百貨店または**店舗の売り場**		**2,900**	2,400	1,300
⑤ 劇場・映画館・演芸場・観覧場・公会堂・**集会場**、その他これらに類する用途に供する建築物の客席または集会室	固定席	**2,900**	2,600	1,600
	その他	3,500	3,200	2,100
⑥ **屋上広場**またはバルコニー		①の数値による。ただし、学校または**百貨店**の用途に供する建築物にあっては，**④の数値**による。		

3.　**倉庫業を営む倉庫**における床の積載荷重は、実況に応じて計算した数値が3,900N/m²未満の場合においても、3,900N/m²としなければならない。

H30－08 Ａ

【問題 36】 荷重及び外力に関する記述として、**最も不適当なもの**はどれか。

1. 教室に連絡する廊下と階段の床の構造計算用の積載荷重は、実況に応じて計算しない場合、教室と同じ積載荷重の2,300N/m²とすることができる。

2. 保有水平耐力計算において、多雪区域の積雪時における長期応力度計算に用いる荷重は、固定荷重と積載荷重の和に、積雪荷重に0.7を乗じた値を加えたものとする。

3. 必要保有水平耐力の計算に用いる標準せん断力係数は、1.0以上としなければならない。

4. 速度圧の計算に用いる基準風速V_0は、その地方の再現期間50年の10分間平均風速値に相当する。

■■■ 解説 ■■■

1. 教室に連絡する廊下や階段の床の積載荷重は、実況に応じて計算しない場合、下表より劇場、集会場などの積載荷重の「その他」の数値による。したがって、教室の床の積載荷重を2,300N/m²とすることはできない。3,500N/m²としなければならない。廊下や階段は、避難時に人が集中するため、一般に、積載荷重は大きくなる。

構造計算の対象 室の種類		Ⅰ 床	Ⅱ 大ばり・柱・基礎	Ⅲ 地震力
③	**教室**	2,300	2,100	1,100
⑤	劇場・映画館・演芸場・観覧場・公会堂・集会場、その他これらに類する用途に供する建築物の客席または集会室　固定席	2,900	2,600	1,600
	その他	3,500	3,200	2,100
⑦	廊下・玄関または階段	③から⑤まで掲げる室に連絡するものにあっては、⑤の「その他」の場合の数値による。		

2. 保有水平耐力計算において、多雪区域の積雪時における長期応力度計算に用いる荷重は固定荷重と積載荷重の和に、積雪荷重に0.7を乗じた値を加えたものとする。

3. 標準せん断力係数は、原則として、0.2以上としなければならない。ただし、必要保有水平耐力を計算する場合においては、1.0以上としなければならない。

4. 基準風速V_0は、地方の過去の台風の記録に基づく風害の程度その他の性状に応じて30〜46m/sの範囲で定められたもので、再現期間50年間の10分間平均風速値に相当する。

正答 1

R05−04 A

【問題　37】　免震構造に関する一般的な記述として、**最も不適当なもの**はどれか。

1. アイソレータは、上部構造の重量を支持しつつ水平変形に追従し、適切な復元力を持つ。
2. 免震部材の配置を調整し、上部構造の重心と免震層の剛心を合わせることで、ねじれ応答を低減できる。
3. 地下部分に免震層を設ける場合は、上部構造と周囲の地盤との間にクリアランスが必要である。
4. ダンパーは、上部構造の垂直方向の変位を抑制する役割を持つ。

● **解説** ━━━━━━━━━━━━━━━━━━━━━━━━━━━━━

1. 免震構造において地盤と建築物を絶縁するための部材を**アイソレータ**といい、建築物の鉛直荷重を支持しかつ水平方向に大きく変形できる柔らかいバネの性状を示すものや、水平方向に滑らせるものがあり、いずれも水平方向の復元力を持つ。
2. 上部構造全体の重心と免震部材全体の剛心のずれは、免震構造全体の捩れを生じ、免震層端部の免震部材に大きな水平変形が発生するので、**重心**と**剛心**のずれを小さくする。
3. 地下部分に免震層を設ける場合は、上部構造には数十cm程度の相対変位が生じるため、十分な**クリアランス**を確保し、ドライエリアや周辺地盤との接触や衝突を防ぐ。
4. 免震構造における**ダンパー**(減衰機構)の役割は、免震層の過大な変形(水平方向)を抑制し、地震時の応答を安定化させる目的で使用される。

R03-04 A　　　　　　　　　　　　　　　　　CHECK ☐☐☐☐☐

【問題　38】　積層ゴムを用いた免震構造の建築物に関する記述として、**最も不適当なもの**はどれか。

1. 免震構造とした建築物は、免震構造としない場合に比べ、固有周期が短くなる。
2. 免震部材の配置を調整し、上部構造の重心と免震層の剛心を合せることで、ねじれ応答を低減できる。
3. 免震層を中間階に設置する場合、火災に対して積層ゴムを保護する必要がある。
4. 免震構造は、建築物を鉛直方向に支える機構、水平方向に復元力を発揮する機構及び建築物に作用するエネルギーを吸収する機構から構成される。

━━━　解説　━━━

1. **免震構造**は、軟らかい積層ゴムやローラー等を挟み込むことによって、固有周期を地震動の影響の少ない長周期化することで、地震力を大きく低減している。したがって、免震構造としない場合に比べ**固有周期**は長くなる。
2. 上部構造全体の重心と免震部材全体の剛心のずれは、免震構造全体のねじれを生じ、免震層端部の免震部材に大きな水平変形が発生するので、**重心と剛心のずれを小さく**する。
3. 耐火建築物にあっては、ゴムは可燃物であるので、耐火性について考慮する必要がある。免震部材を最下層のスラブ下に設置する場合は、火災による火炎に直接さらされる危険性がほとんどないので特別な配慮は必要ないが、免震部材を基礎部以外に設置する場合には、**耐火被覆**等の対策が必要である。
4. 免震構造は、建築物を鉛直方向に支える機構、水平方向に復元力を発揮する機構及び建築物に作用するエネルギーを吸収する機構から構成される。そのため、**鉛直方向**に強く**高い耐圧力**を持ち、**水平方向**の力に対しては**ゴムのせん断剛性**が軟らかく大きな変形能力を持つ。

正答　1

R01−04 B

【問題　39】　積層ゴムを用いた免震構造の建築物に関する記述として、**最も不適当なもの**はどれか。

1. 水平方向の応答加速度を大きく低減することができるが、上下方向の応答加速度を低減する効果は期待できない。

2. 軟弱な地盤に比べ強固な地盤では大地震時の地盤の周期が短くなるため、応答加速度を低減する効果が低下する。

3. 免震部材の配置を調整し、上部構造の重心と免震層の剛心を合せることで、ねじれ応答を低減できる。

4. 免震層を中間階に設置する場合は、火災に対して積層ゴムを保護する必要がある。

解説

1. **積層ゴム支承**(積層ゴムアイソレータ)とは、ゴムと鋼板を相互に積層させたもので、鉛直方向に堅く、水平方向に柔らかいため、建築物の重量を支えつつ、地震による**水平方向の揺れ**を**吸収**できる

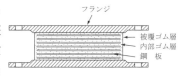

装置である。したがって、積層ゴムは水平方向の応答加速度は大きく低減することができるが、鉛直方向の応答加速度は低減することはできない。

2. 軟弱地盤では、地盤−基礎系の固有周期が長いため、上部構造への入力地震動が長周期化する。したがって、免震建物の周期と共振しやすくなり、**免震層の応答**は**硬質地盤**よりも**大きな値**となる。一般的には、軟弱地盤での耐震構造に対する免震構造の応答加速度比は増加傾向となり、免震効果が発揮しづらくなる。

3. 上部構造全体の重心と免震部材全体の剛心のずれは、免震構造全体のねじれを生じ、免震層端部の免震部材に大きな水平変形が発生するので、**重心**と**剛心**のずれを**小さく**する。

4. 耐火建築物にあっては、ゴムは可燃物であるので、耐火性について考慮する必要がある。免震部材を最下層のスラブ下に設置する場合は、火災による火炎に直接さらされる危険性がほとんどないので特別な配慮は必要ないが、免震部材を基礎部以外に設置する場合には、**耐火被覆等の対策**が必要である。

建築学

R04-07 B   CHECK ☐☐☐☐☐

【問題　40】　地盤及び基礎構造に関する記述として、**最も不適当なもの**はどれか。

1.　圧密沈下の許容値は、独立基礎のほうがべた基礎に比べて大きい。

2.　粘性土地盤の圧密沈下は、地中の応力の増加により長時間かかって土中の水が絞り出され、間隙が減少するために生じる。

3.　直接基礎の滑動抵抗は、基礎底面の摩擦抵抗が主体となるが、基礎の根入れを深くすることで基礎側面の受動土圧も期待できる。

4.　地盤の液状化は、地下水面下の緩い砂地盤が地震時に繰り返しせん断を受けることにより間隙水圧が上昇し、水中に砂粒子が浮遊状態となる現象である。

■■■■　解説　■■■■

1.　圧密沈下の許容値は、独立基礎の場合5cm、べた基礎の場合15cmとされており、**独立基礎**の方がべた基礎より**小さい**。

2.　**圧密沈下**は、地中の応力の増加に伴い、長時間かかって土中の間隙水が徐々に絞り出され、間隙が減少することにより起こる。

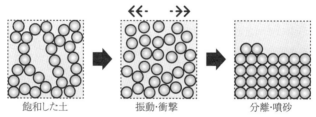

飽和した土　　　　振動・衝撃　　　　分離・噴砂

＊3.　**直接基礎**の**滑動抵抗**は、基礎底面の摩擦抵抗が主体となり、基礎の**根入れを深くする**ことで、地盤面からより深くなり、基礎側面の受動土圧も期待できる。

4.　地盤の**液状化**は、水で飽和した砂が、振動・衝撃などによる**間隙水圧の上昇**のためにせん断抵抗を失う現象である。地震時に、水分を含んだ砂地盤が液状化すると、噴砂現象(砂や水が地表に噴出する現象)を生じることがある。

R02-07 A　　　　　　　　　　　　　　　　CHECK ☐☐☐☐☐

【問題　41】　地盤及び基礎構造に関する記述として、**最も不適当なもの**はどれか。

1. 直接基礎における地盤の許容応力度は、基礎荷重面の面積が同一ならば、その形状が異なっても同じ値となる。

2. 直接基礎下における粘性土地盤の圧密沈下は、地中の応力の増加により長時間かかって土中の水が絞り出され、間隙が減少するために生じる。

3. 圧密による許容沈下量は、独立基礎のほうがべた基礎に比べて小さい。

4. 基礎梁の剛性を大きくすることにより、基礎の沈下量を平均化できる。

━━━■　　解説　━━━━━━━━━

1. **地盤の許容応力度**は、所定の算定式により求めることができるが、基礎底面の形状が正方形と長方形では、**形状係数**が異なるので、許容応力度も**異なる**。

2. **圧密沈下**は、地中の応力の増加に伴い、長時間かかって土中の間隙水が徐々に絞り出され、間隙が減少することにより起こる。

3. 圧密沈下の許容値は、独立基礎の場合5cm、べた基礎の場合15cmとされており、**独立基礎**の方がべた基礎より**小さい**。

4. 圧密沈下が生じる可能性がある地盤では、不同沈下のおそれがある。独立フーチング基礎の**基礎梁**を剛強にすることは、建築物の不同沈下を防ぐ上で効果的である。

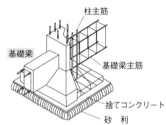

基礎梁

柱主筋
基礎梁主筋
捨てコンクリート
砂　利

正答　1

建
築
学

H30−07 B　　　　　　　　　　　　　CHECK ☐☐☐☐☐

【問題　42】　基礎構造に関する記述として、**最も不適当なもの**はどれか。

1. 直接基礎の底面の面積が同じであれば、底面形状が正方形や長方形のように異なっていても、地盤の許容支持力は同じ値となる。

2. フローティング基礎は、建物重量と基礎等の構築による排土重量をつり合わせ、地盤中の応力が増加しないようにする基礎形式である。

3. 基礎梁の剛性を大きくすることにより、基礎フーチングの沈下を平均化できる。

4. 地盤の液状化は、地下水面下の緩い砂地盤が地震時に繰り返しせん断を受けることにより間隙水圧が上昇し、水中に砂粒子が浮遊状態となる現象である。

━━━　解説　━━━━━━━━━━━━━━━━━━━━━━━━━━━━━━━━━

1. 地盤の許容応力度は、所定の算定式により求めることができるが、基礎底面の形状が正方形と長方形では、形状係数が異なるので、許容応力度も異なる。

2. フローティング基礎は、建物重量と基礎等の構築による排土重量をつり合わせ、地盤中の応力が増加しないようにする基礎形式であり、排土重量によって建物の沈下を軽減させるので、軟弱地盤対策として有効である。

3. 基礎梁の**剛性**を**大きく**すると不同沈下に対して隣接する基礎へ荷重を再分配する効果が期待でき、沈下が平均化できる。

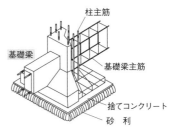

4. 地盤の**液状化**は、水で飽和した砂が、振動・衝撃などによる**間隙水圧**の**上昇**のためにせん断抵抗を失う現象である。地震時に、水分を含んだ砂地盤が液状化すると、噴砂現象(砂や水が地表に噴出する現象)を生じることがある。

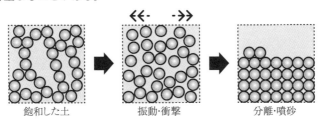

飽和した土　　　　振動・衝撃　　　　分離・噴砂

正答　1

R05-07 A

【問題　43】　杭基礎に関する記述として、**最も不適当なもの**はどれか。

1. 杭の周辺地盤に沈下が生じたときに杭に作用する負の摩擦力は、支持杭より摩擦杭のほうが大きい。

2. 杭と杭の中心間隔は、杭径が同一の場合、埋込み杭のほうが打込み杭より小さくすることができる。

3. 杭の極限鉛直支持力は、極限先端支持力と極限周面摩擦力との和で表す。

4. 杭の引抜き抵抗力に杭の自重を加える場合、地下水位以下の部分の浮力を考慮する。

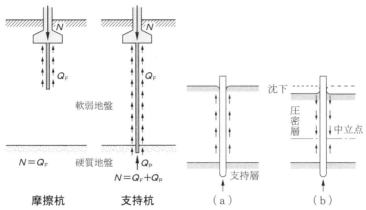

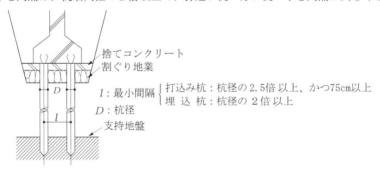

解説

1. **支持杭**は先端支持力が大きいので、杭周囲の地盤が沈下すると、摩擦杭より**大きな負の摩擦力**(ネガティブフリクション)が生じる。

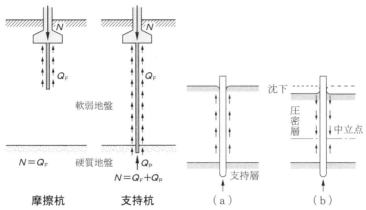

2. **打込み杭の中心間隔**は、**杭頭部の径の2.5倍以上**、かつ、**75cm以上**であり、埋込み杭の中心間隔は、杭最大径の2倍以上で、打込み杭の方が杭の中心間隔は大きくなる。

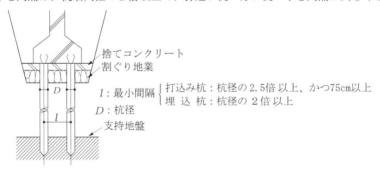

3. **杭の極限鉛直支持力**は、**極限先端支持力**と**極限周面摩擦力**の**和**である。また、極限周面摩擦力は、砂質土部分の極限周面摩擦力と粘性土部分の極限周面摩擦力の和とする。

4. 単杭の引抜き抵抗力を算定式から評価する場合、杭の周辺摩擦力に地下水位以下の部分の**浮力**を**減じた杭の自重**を加えた値とすることができる。

R03-07 B

【問題　44】　杭基礎に関する記述として、**最も不適当なもの**はどれか。

1. 杭の先端の地盤の許容応力度は、セメントミルク工法による埋込み杭の場合より、アースドリル工法による場所打ちコンクリート杭の方が大きい。

2. 杭の極限鉛直支持力は、極限先端支持力と極限周面摩擦力との和で表す。

3. 地盤から求める杭の引抜き抵抗力に杭の自重を加える場合、地下水位以下の部分の浮力を考慮する。

4. 杭の周辺地盤に沈下が生じたときに杭に作用する負の摩擦力は、一般に摩擦杭の場合より支持杭の方が大きい。

解説

1. 打込み杭・場所打ちコンクリート杭や埋込み杭の極限先端支持力度の算定式より、粘性土の場合は、どれも同じであるが、砂質土の場合は、施工法による影響により、「**打込み杭**」＞「**埋込み杭**」＞「**場所打ちコンクリート杭**」という大小関係となる。

2. **杭の極限鉛直支持力**は、**極限先端支持力**と**極限周面摩擦力**の**和**である。また、極限周面摩擦力は、砂質土部分の極限周面摩擦力と粘性土部分の極限周面摩擦力の和とする。

3. 単杭の引抜き抵抗力を算定式から評価する場合、杭の周辺摩擦力に地下水位以下の部分の**浮力**を**減じた杭の自重**を加えた値とすることができる。

4. **支持杭**は先端支持力が大きいので、杭周囲の地盤が沈下すると、摩擦杭より大きな**負の摩擦力**が生じる。

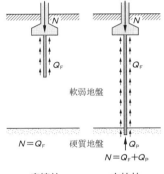

摩擦杭　　　　　　支持杭

R01−07 B

【問題　45】　杭基礎に関する記述として、**最も不適当なもの**はどれか。

1. 基礎杭の周辺地盤に沈下が生じたときに杭に作用する負の摩擦力は、一般に摩擦杭の場合より支持杭の方が大きい。

2. 杭と杭との中心間隔の最小値は、埋込み杭の場合、杭径の1.5倍とする。

3. 基礎杭の先端の地盤の許容応力度は、アースドリル工法による場所打ちコンクリート杭の場合よりセメントミルク工法による埋込み杭の方が大きい。

4. 外殻鋼管付きコンクリート杭の鋼管の腐食代は、有効な防錆措置を行わない場合、1 mm以上とする。

■ 解説

1. **支持杭**は先端支持力が大きいので、杭周囲の地盤が沈下すると、摩擦杭より**大きな負の摩擦力**が生じる。

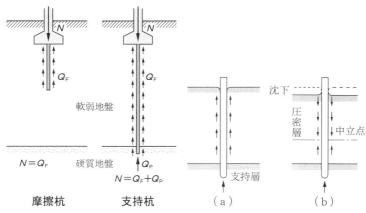

摩擦杭　　　支持杭　　　（a）　　　（b）

2. **埋込み杭の中心間隔は杭径の２倍以上**で、1.5倍ではない。なお、打込み杭の中心間隔は杭頭部の径の2.5倍以上、かつ、75cm以上であり、打込み杭の方が杭の中心間隔は大きくなる。

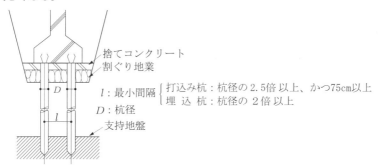

3. 打込み杭・場所打ちコンクリート杭や埋込み杭の極限先端支持力度の算定式より、粘性土の場合は、どれも同じであるが、砂質土の場合は、施工法による影響により、「**打込み杭**」＞「**埋込み杭**」＞「**場所打ちコンクリート杭**」という大小関係となる。

4. 鋼杭の腐食対策としては、肉厚を厚くする方法と、表面塗装として保護被膜を施す方法とがあり、これらのうちで一番簡単に行えるのは、腐食分を見込んで肉厚を増す方法で、**腐食代**としては、１mm程度を取れば十分とされている。

正答　2

【問題　46】　鉄筋コンクリート構造の建築物の構造計画に関する一般的な記述として、**最も不適当なもの**はどれか。

1. 普通コンクリートを使用する場合の柱の最小径は、その構造耐力上主要な支点間の距離の$\frac{1}{15}$以上とする。

2. 耐震壁とする壁板のせん断補強筋比は、直交する各方向に関して、それぞれ0.25%以上とする。

3. 床スラブの配筋は、各方向の全幅について、コンクリート全断面積に対する鉄筋全断面積の割合を0.1%以上とする。

4. 梁貫通孔は、梁端部への配置を避け、孔径を梁せいの$\frac{1}{3}$以下とする。

■ **解説** ■

1. **柱の小径**は、その構造耐力上主要な支点間の距離の1／15(軽量コンクリートでは1／10)**以上**としなければならない。

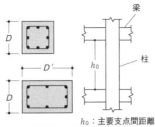

h_0：主要支点間距離

- ●普通コンクリート：$D \geqq \dfrac{h_0}{15}$
- ●軽量コンクリート：$D \geqq \dfrac{h_0}{10}$

2. **壁板のせん断補強筋比**は、直交する各方向に関し、それぞれ0.25%**以上**とする。

3. スラブのひび割れに対して配慮する場合、**スラブの鉄筋比**(鉄筋全断面積のコンクリート全断面積に対する割合)は0.2%**以上**とする。

4. 梁に貫通孔を設けた場合の耐力の低下の割合は、一般に曲げ耐力よりせん断耐力のほうが著しい。**貫通孔**を設ける場合は、**スパンの中央付近**、かつ、**梁せいの中央付近**に設ける。**孔径**は、**梁せいの1／3以下**とする。**孔の中心間隔は孔径の3倍以上**とすることが望ましい。

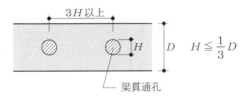

R04−04 B　　　　　　　　　　　　　CHECK ☐☐☐☐☐

【問題　47】　鉄筋コンクリート造の建築物の構造計画に関する記述として、**最も不適当な**ものはどれか。

1.　ねじれ剛性は、耐震壁等の耐震要素を、平面上の中心部に配置するよりも外側に均一に配置したほうが高まる。

2.　壁に換気口等の小開口がある場合でも、その壁を耐震壁として扱うことができる。

3.　平面形状が極めて長い建築物には、コンクリートの乾燥収縮や不同沈下等による問題が生じやすいため、エキスパンションジョイントを設ける。

4.　柱は、地震時の脆性破壊の危険を避けるため、軸方向圧縮応力度が大きくなるようにする。

━━━　解説　━━━━━━━━━━━━━━━━━━━━━━━━━━━━━━━━━

1.　耐震壁等の耐震要素を、可能な限り各階での剛性をできるだけ均一化する。平面上では、**耐震壁**等をバランスよく配置する。平面上の中心部に集中して配置するよりも**外側**に**均一**に配置したほうが耐震要素は高まる。

2.　壁に小さな開口がある場合でも、**開口補強筋**により補強することで、耐震壁として扱うことができる。

3.　平面的に長くなる建物には、コンクリートの乾燥収縮、不同沈下、地震時の応力集中等を防ぐために、**エキスパンションジョイント**を設ける。

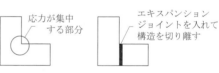

応力が集中する部分

エキスパンションジョイントを入れて構造を切り離す

4.　**柱**の**軸方向圧縮応力度**が**大きい**場合、地震力に対して変形能力が小さくなり、脆性破壊の危険性が高くなるため、**軸方向圧縮応力度**を**小さく**して、柱の**じん性**を高める。

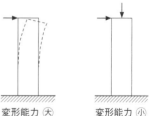

変形能力 大　　　　変形能力 小

正答　4

R03-05 C　　　　　　　　　　　　　　CHECK ☐☐☐☐☐

【問題　48】　鉄筋コンクリート構造に関する記述として、**最も不適当なもの**はどれか。

1. 柱の主筋はD13以上の異形鉄筋とし、その断面積の和は、柱のコンクリート全断面積の0.8％以上とする。

2. 柱のせん断補強筋の間隔は、柱の上下端から柱の最大径の1.5倍又は最小径の2倍のいずれか大きい方の範囲内を150mm以下とする。

3. 梁の主筋はD13以上の異形鉄筋とし、その配置は、特別な場合を除き2段以下とする。

4. 梁のせん断補強筋にD10の異形鉄筋を用いる場合、その間隔は梁せいの1／2以下、かつ、250mm以下とする。

━━━　解説　━━━

1. **柱の主筋**の断面積の和は、コンクリート断面積の**0.8％以上**としなければならない。

2. **帯筋の間隔**は**100mm以下**とする。ただし、柱の上下端より柱の最大径の1.5倍または最小径の2倍のいずれか大きいほうの範囲以外では、1.5倍（150mm）まで増大することができる。

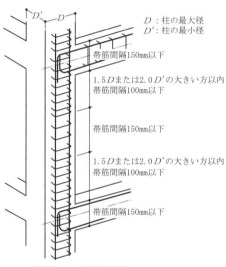

D ：柱の最大径
D' ：柱の最小径
帯筋間隔150mm以下
1.5*D*または2.0*D'*の大きい方以内
帯筋間隔100mm以下
帯筋間隔150mm以下
1.5*D*または2.0*D'*の大きい方以内
帯筋間隔100mm以下
帯筋間隔150mm以下

ＲＣ基準による帯筋間隔

3. **梁の主筋**はD13以上の異形鉄筋とし、その配置は、特別な場合を除き**2段以下**とする。主筋のあきは、25mm以上、かつ、異形鉄筋の径の1.5倍以上とする。

4. **梁のあばら筋**の**間隔**は、直径9mmの丸鋼又はD10の異形鉄筋を用いる場合、**梁せいの1／2以下**、かつ、**250mm以下**とする。

正答　2

R02-05 B

【問題　49】　鉄筋コンクリート構造に関する記述として、**最も不適当なもの**はどれか。

1. 床スラブは、地震力に対し同一階の水平変位を等しく保つ役割を有する。

2. 柱のじん性を確保するため、短期軸方向力を柱のコンクリート全断面積で除した値は、コンクリートの設計基準強度の1／2以下とする。

3. 壁板のせん断補強筋比は、直交する各方向に関して、それぞれ0.25％以上とする。

4. 梁に貫通孔を設けた場合、構造耐力の低下は、曲げ耐力よりせん断耐力のほうが著しい。

解説

1. 床スラブは、常時の自重・積載荷重の鉛直荷重を支えるとともに、地震時に発生する水平力を柱や耐震壁へ伝達し、さらに架構の一体性を確保する役割がある。また、地震力に対し同一階の水平変位を等しく保つ役割を担っており、面内剛性と耐力の検討が必要である。**面内剛性**が高いほどよい。

2. **柱のじん性**を確保するためには、軸方向力による圧縮応力度が低くなるように設計する。地震時、曲げモーメントが特に増大するおそれのある柱では、短期軸方向力を柱の全断面積で除した値は、コンクリートの**設計基準強度**の1／3**以下**とすることが望ましい。

3. 壁板の**せん断補強筋比**は、直交する各方向に関し、それぞれ0.25%**以上**とする。

4. 梁に**貫通孔**を設けると、コンクリートの有効断面積が減少し、曲げ耐力より**せん断耐力の低下**の方が著しい。

【問題　50】　鉄筋コンクリート構造に関する記述として、**最も不適当なもの**はどれか。

1. 柱のせん断補強筋の間隔は、柱の上下端から柱の最大径の1.5倍又は最小径の2倍のいずれか大きい範囲を100mm以下とする。

2. 柱及び梁のせん断補強筋は、直径9mm以上の丸鋼又はD10以上の異形鉄筋とし、せん断補強筋比は0.2％以上とする。

3. 一般の梁で、長期許容応力度で梁の引張鉄筋の断面積が決まる場合、原則として引張鉄筋の断面積はコンクリート断面積の0.2％以上とする。

4. 貫通孔の中心間隔は、梁に2個以上の円形の貫通孔を設ける場合、両孔径の平均値の3倍以上とする。

解説

1. **帯筋の間隔は100mm以下**とする。ただし、柱の上下端より柱の最大径の1.5倍または最小径の2倍のいずれか大きいほうの範囲以外では、1.5倍（150mm）まで増大することができる。

2. 梁のあばら筋や柱の帯筋は、ともにせん断力に抵抗させるために、主筋に直角に配置する。ともに直径**9mm以上の丸鋼**、または**D10以上の異形鉄筋**とする。また、**せん断補強筋比**（あばら筋比もしくは帯筋比）は、**0.2%以上**としなければならない。

3. 長期荷重時に正負最大曲げモーメントを受ける部分の引張鉄筋断面積は、$0.004bd$（0.4%）または存在応力によって必要とする量の4/3倍のうち、小さいほうの値以上とする。

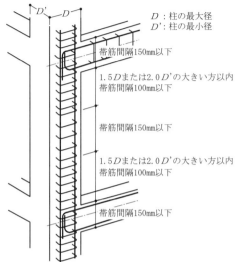

RC基準による帯筋間隔

4. 梁に2個以上の**貫通孔**を設ける場合、孔径は、**梁せいの1/3以下**とし、**孔の中心間隔は孔径の3倍以上**とすることが望ましい。

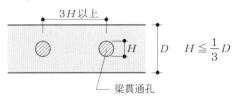

H30−05 B

【問題　51】　鉄筋コンクリート構造に関する記述として、**最も不適当なもの**はどれか。

1. 梁のあばら筋にD10の異形鉄筋を用いる場合、その間隔は梁せいの1／2以下、かつ、250mm以下とする。

2. 梁貫通孔は、梁端部への配置を避け、孔径を梁せいの1／3以下とする。

3. 柱のじん性を確保するため、短期軸方向力を柱のコンクリート全断面積で除した値は、コンクリートの設計基準強度の1／2以下とする。

4. 普通コンクリートを使用する場合の柱の最小径は、原則としてその構造耐力上主要な支点間の距離の1／15以上とする。

■■■ 解説 ■■■■

1. 梁のあばら筋の間隔は、直径9mmの丸鋼又はD10の異形鉄筋を用いる場合、梁せいの**1／2以下**、かつ、**250mm以下**とする。

2. 梁に貫通孔を設けた場合の耐力の低下の割合は、一般に曲げ耐力よりせん断耐力のほうが著しい。貫通孔を設ける場合は、スパンの中央付近、かつ、梁せいの中央付近に設ける。**孔径は、梁のせいの1／3以下**とする。孔の**中心間隔は孔径の3倍以上**とすることが望ましい。

3. 柱の靱性を確保するためには、軸方向力による圧縮応力度が低くなるように設計する。地震時、曲げモーメントが特に増大するおそれのある柱では、**短期軸方向力を柱の全断面積**で除した値は、コンクリートの**設計基準強度の1／3以下**とすることが望ましい。

4. **柱の小径**は、その構造耐力上主要な支点間の距離の**1／15以上**としなければならない。

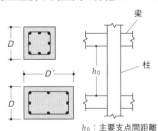

h_0：主要支点間距離

- 普通コンクリート：$D \geqq \dfrac{h_0}{15}$
- 軽量コンクリート：$D \geqq \dfrac{h_0}{10}$

正答 3

R05－06 Ａ

【問題　52】　鉄骨構造に関する記述として、**最も不適当なもの**はどれか。

1. 角形鋼管柱の内ダイアフラムは、せいの異なる梁を1本の柱に取り付ける場合等に用いられる。

2. H形鋼は、フランジやウェブの幅厚比が大きくなると局部座屈を生じにくい。

3. シヤコネクタでコンクリートスラブと結合された鉄骨梁は、上端圧縮となる曲げ応力に対して横座屈を生じにくい。

4. 部材の引張力によってボルト孔周辺に生じる応力集中の度合は、高力ボルト摩擦接合より普通ボルト接合のほうが大きい。

━━　解説　━━

1. **内ダイアフラム**は、柱の板材を挟んで梁のフランジと柱内部のダイアフラムとが取り付くタイプで、梁と柱の相互で曲げ応力を伝達できるように配置する鉄骨プレートである。**梁せいの異なる**ものを**1本の柱**に取り付ける場合等に用いられる。

2. 幅厚比は、板要素の幅と厚さの比(幅B／厚さt)で、**幅厚比**が**大きい**(幅に対して板厚が薄い)と、**局部座屈**が生じやすい。

3. 曲げモーメントを合成断面により抵抗させるため梁の横座屈を考慮する必要はなく、また、床スラブに接するフランジについては局部座屈を考慮する必要はない。

4. 高力ボルト摩擦接合は広い摩擦面で力を伝えるので、部材の引張力によってボルト孔周辺に生じる局部応力の集中がなく、普通ボルトより応力の伝達が円滑に行われる。

建
築
学

正答　2

R04-06 A

【問題　53】　鉄骨構造に関する記述として、**最も不適当なもの**はどれか。

1. 梁の材質をSN400AからSN490Bに変えても、部材断面と荷重条件が同一ならば、構造計算上、梁のたわみは同一である。

2. 節点の水平移動が拘束されているラーメン構造では、柱の座屈長さは、設計上、節点間の距離に等しくとることができる。

3. トラス構造の節点は、構造計算上、すべてピン接合として扱う。

4. 柱脚に高い回転拘束力をもたせるためには、根巻き形式ではなく露出形式とする。

解説

1. 梁のたわみδは、以下の式で求められる。

$$\delta = C \times \frac{Pl^3}{EI}$$

　　C：支点と荷重の状況によって定まる定数　　P：荷重　　l：スパン長さ

　　E：ヤング係数　　I：断面二次モーメント

梁の材質をSN400からSN490に変える（高強度の鋼材を用いる）と強度は異なるが、たわみなどの**弾性変形を小さくする効果はない**。したがって、部材断面と荷重条件が同一の場合、**梁のたわみは同一**である。

2. 水平移動が拘束されているラーメンの柱材の座屈長さは、支点間距離より長くはならないので、移動を止められている節点間の距離に等しくとることができる。

3. **トラス構造**は、一般に、各節点が**ピン**で接合され、各部材が三角形を構成する構造である。

4. 鉄骨造の柱脚の形式には、露出形式、根巻き形式、埋込み形式があり、構造計算上、露出形式はピン支点、根巻き形式は半固定支点、埋込み形式は固定支点としている。柱脚に高い**拘束力**があるのは、**埋込み形式**である。

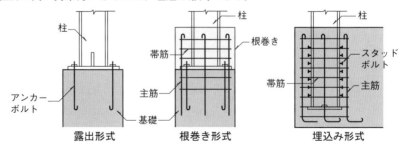

露出形式　　　根巻き形式　　　埋込み形式

正答　4

【問題　54】　鉄骨構造に関する記述として、**最も不適当なもの**はどれか。

1.　H形鋼は、フランジ及びウェブの幅厚比が大きくなると局部座屈を生じやすい。

2.　部材の引張力によってボルト孔周辺に生じる応力集中の度合は、普通ボルト接合より高力ボルト摩擦接合の方が大きい。

3.　シヤコネクタでコンクリートスラブと結合された鋼製梁は、上端圧縮となる曲げ応力に対して横座屈が生じにくい。

4.　H形鋼における、局部座屈の影響を考慮しなくてもよい幅厚比については、柱のウェブプレートより梁のウェブプレートの方が大きい。

■■■■　解説　■■■■■■■■■■■■■■■■■■■■■■■■■■■■■■

1.　**幅厚比**は、板要素の**幅**と**厚さ**の比(幅B／厚さt)で、幅厚比が**大きい**(幅に対して板厚が薄い)と、**局部座屈が生じやすい**。

2.　**高力ボルト摩擦接合**は広い摩擦面で力を伝えるので、部材の引張力によってボルト孔周辺に生じる局部応力の集中がなく、普通ボルトより応力の伝達が円滑に行われる。

3.　曲げモーメントを合成断面により抵抗させるため梁の**横座屈**を考慮する必要はなく、また、床スラブに接するフランジについては**局部座屈を考慮する必要はない**。

4.　骨組の塑性変形能力を確保するために定められているH形鋼(炭素鋼)の梁の幅厚比の上限値は、柱より梁の方が大きい。

R02-06 C

【問題　55】　鉄骨構造に関する記述として、**最も不適当なもの**はどれか。

1.　梁の材質をSN400AからSN490Bに変えても、部材断面と荷重条件が同一ならば、梁のたわみは同一である。

2.　トラス構造は、部材を三角形に組み合わせた骨組で、比較的細い部材で大スパンを構成することができる。

3.　節点の水平移動が拘束されているラーメン構造では、柱の座屈長さは、設計上、節点間の距離に等しくとることができる。

4.　構造耐力上主要な部分である圧縮材については、細長比の下限値が定められている。

■　解説　■

1.　梁のたわみδは、以下の式で求められる。

$$\delta = C \times \frac{Pl^3}{EI}$$

　　C：支点と荷重の状況によって定まる定数　　　P：荷重　　　l：スパン長さ

　　E：ヤング係数　　　I：断面二次モーメント

梁の材質をSN400からSN490に変える（高強度の鋼材を用いる）と強度は異なるが、たわみなどの**弾性変形を小さくする効果はない**。したがって、部材断面と荷重条件が同一の場合、**梁のたわみも同一**である。

2.　**トラス構造**は、各部材が負担する力を軸方向力となるように組んだ構造で、細い断面の部材で大スパンを支えることができる利点がある。

3.　水平移動が拘束されているラーメンの柱材の座屈長さは、支点間距離より長くはならないので、移動を止められている節点間の距離に等しくとることができる。

4.　構造耐力上主要な部分である圧縮材については、**細長比の上限値**が定められている。

R01-06 C

CHECK ☐☐☐☐☐

【問題　56】　鉄骨構造に関する記述として、**最も不適当なもの**はどれか。

1. H形鋼は、フランジ及びウェブの幅厚比が大きくなると局部座屈を生じやすい。

2. 角形鋼管柱の内ダイアフラムは、せいの異なる梁を1本の柱に取り付ける場合等に用いられる。

3. 部材の引張力によってボルト孔周辺に生じる応力集中の度合は、高力ボルト摩擦接合の場合より普通ボルト接合の方が大きい。

4. H形鋼梁は、荷重や外力に対し、せん断力をフランジが負担するものとして扱う。

■■■■　解説　■■

1. 幅厚比は、板要素の幅と厚さの比(幅B／厚さt)で、**幅厚比が大きい**(幅に対して板厚が薄い)と、**局部座屈**が生じやすい。

$$幅厚比 = \frac{板幅\ (b)}{板厚\ (t)}$$

2. **内ダイアフラム**は、柱の板材を挟んで梁のフランジと柱内部のダイアフラムとが取り付くタイプで、梁と柱の相互で曲げ応力を伝達できるように配置する鉄骨プレートである。**梁せいの異なるものを1本の柱**に取り付ける場合等に用いられる。

3. 高力ボルト摩擦接合は広い摩擦面で力を伝えるので、部材の引張力によってボルト孔周辺に生じる局部応力の集中がなく、普通ボルトより応力の伝達が円滑に行われる。

4. **フランジは曲げモーメント**に抵抗する。**ウェブ**、ラチス梁の斜材、トラス梁の斜材は**せん断力**に抵抗する。断面の検討において、せん断応力度が許容せん断応力度以下となるようにウェブの断面積を決める。

正答　4

H30-06 B　　　　　　　　　　　　　CHECK ☐☐☐☐☐

【問題　57】　鉄骨構造に関する記述として、**最も不適当なもの**はどれか。

1. 梁の材質を、SN400AからSN490Bに変えても、断面と荷重条件が同一ならば、梁のたわみは同一である。

2. 鉄骨造におけるトラス構造の節点は、構造計算上、すべてピン接合として扱う。

3. 材端の移動が拘束され材長が同じ場合、両端固定材の座屈長さは、両端ピン支持材の座屈長さより短い。

4. 柱脚に高い回転拘束力をもたせるためには、根巻き形式ではなく露出形式とする。

解説

1. 梁のたわみδは、以下の式で求められる。

$$\delta = C \times \frac{Pl^3}{EI}$$

　C：支点と荷重の状況によって定まる定数　　P：荷重　　l：スパン長さ

　E：ヤング係数　　I：断面二次モーメント

梁の材質をSN400からSN490に変える（高強度の鋼材を用いる）と強度は異なるが、梁のたわみは同一である。

2. トラス構造は、一般に、各節点がピンで接合され、各部材が三角形を構成する構造である。

＊3. 柱の座屈長さl_kは、材端の支持条件(水平移動と回転に対する条件)によって、表のように決められている。

l_k：座屈長さ（l：材長）

移動に対する条件	拘　　　束			自　　　由	
回転に対する条件	両端自由	両端拘束	1端拘束他端自由	両端拘束	1端拘束他端自由
座屈形					
l_k　理論値	l	$0.5l$	$0.7l$	l	$2l$

●両端ピン、水平移動拘束：$l_k=l$
●両端固定、水平移動拘束：$l_k=0.5l$
　したがって、両端固定材の座屈長さは、両端ピン支持材の座屈長さより短い。

4. 鉄骨造の柱脚の形式には、露出形式、根巻き形式、埋込み形式があり、構造計算上、露出形式はピン支点、根巻き形式は半固定支点、埋込み形式は固定支点としている。柱脚に高い**拘束力**があるのは、**埋込み形式**である。

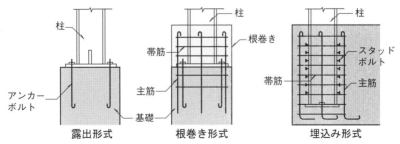

露出形式　　　　根巻き形式　　　　埋込み形式

R04−05 C

【問題　58】　木質構造に関する記述として、**最も不適当なもの**はどれか。

1. 同一の接合部にボルトと釘を併用する場合の許容耐力は、両者を加算することができる。

2. 2階建ての建築物における隅柱は、接合部を通し柱と同等以上の耐力を有するように補強した場合、通し柱としなくてもよい。

3. 燃えしろ設計は、木質材料の断面から所定の燃えしろ寸法を除いた断面に、長期荷重により生じる応力度が、短期の許容応力度を超えないことを検証するものである。

4. 直交集成板（CLT）の弾性係数、基準強度は、強軸方向であっても、一般的な製材、集成材等の繊維方向の値と比べて小さくなっている。

■■■■　解説　■■■■

1. 同一の接合部に**ボルト**と釘を**併用**する場合、一方の**許容耐力**とし、両者を加算することは**できない**。

2. 階数が2以上の建築物におけるすみ柱又はこれに準ずる柱は、**通し柱**としなければならない。ただし、接合部を通し柱と同等以上の耐力を有するように補強した場合は、通し柱としないことができる。

* 3. 構造用集成材等を用いた防火被覆を設けない柱や梁の断面は、火災時の**燃えしろ**を十分に見込んだ大きさとする。この燃えしろ設計では、燃えしろを除いた残りの断面に生じる長期応力度が短期許容応力度を超えないことを確認する。

4. **直交集成板**という名称は、日本農林規格（JAS）の名称である。直交集成板（CLT）は、**挽板（ひき）**又は**小角材**をその繊維を互いにほぼ**並行**にして幅方向に並べ又は接着したもので、その繊維をほぼ直角にして積層接着し**3層以上**の構造を持たせたもので、床版、壁等の面材として用いられる積層パネルである。弾性係数、基準強度は、強軸方向であっても、一般的な製材、集成材等の繊維方向の値と比べて小さくなっている。

正答　1

建
築
学

R02-04 B　　　　　　　　　　　　　　CHECK ▢▢▢▢▢

【問題　59】　木質構造に関する記述として、**最も不適当なもの**はどれか。

1. 枠組壁工法は、木材を使用した枠組に構造用合板その他これに類するものを打ち付けることにより、壁及び床を設ける工法で、枠組壁は水平力と鉛直力を同時に負担することはできない。

2. 2階建の建築物における隅柱は、接合部を通し柱と同等以上の耐力を有するように補強した場合、通し柱としなくてもよい。

3. 燃えしろ設計は、木質材料の断面から所定の燃えしろ寸法を除いた断面に長期荷重により生じる応力度が、短期の許容応力度を超えないことを検証するものである。

4. 構造耐力上主要な部分である柱を基礎に緊結した場合、当該柱の下部に土台を設けなくてもよい。

■　解説　■

1. **枠組壁工法**とは、木材を使用した枠組に構造用合板その他これに類するものを打ち付けることにより、壁及び床版を設ける工法をいう。耐力壁（枠組壁）は、建築物に作用する水平力及び鉛直力に対して安全であるように、釣合い良く配置しなければならない。

2. 階数が2以上の建築物におけるすみ柱又はこれに準ずる柱は、通し柱としなければならない。ただし、接合部を通し柱と同等以上の耐力を有するように補強した場合は、通し柱としないことができる。

＊3. 構造用集成材等を用いた防火被覆を設けない柱や梁の断面は、火災時の**燃えしろ**を十分に見込んだ大きさとする。この燃えしろ設計では、燃えしろを除いた残りの断面に生じる長期応力度が短期許容応力度を超えないことを確認する。

4. 構造耐力上主要な部分である柱で最下階に使用するものの下部には、原則として、**土台**を設けなければならないが、柱を基礎に緊結した場合等は土台を設けなくてもよい。

正答　1

H30−04 B

【問題　60】　木質構造に関する記述として、**最も不適当なもの**はどれか。

1. 構造用集成材は、ひき板(ラミナ)又は小角材を繊維方向がほぼ同じ方向に集成接着したものであり、弾性係数、基準強度は一般的な製材と比べ同等以上となっている。

2. 枠組壁工法は、木材を使用した枠組に構造用合板その他これに類するものを打ち付けることにより、壁及び床を設ける工法で、枠組壁は水平力と鉛直力を同時に負担することはできない。

3. 燃えしろ設計は、木質材料の断面から所定の燃えしろ寸法を除いた断面に長期荷重により生じる応力度が、短期の許容応力度を超えないことを検証するものである。

4. 直交集成板(CLT)は、ひき板(ラミナ)を幅方向に並べたものを、その繊維方向が直交するように積層接着した木質系材料であり、弾性係数、基準強度は一般的な製材の繊維方向の値と比べ小さくなっている。

解説

1. **集成材**は、木材を切削してひき板や小角材等にし、欠点を削除した後に、再びそれらの繊維を**平行**にそろえて多数重ね、接着・成形したもので、構造用梁や角材、内法材等に用いる。樹種が同じ場合、構造用集成材の繊維方向の許容応力度は、普通の木材の繊維方向の許容応力度より大きい。

2. **枠組壁工法**とは、木材を使用した枠組に構造用合板その他これに類するものを打ち付けることにより、壁及び床版を設ける工法をいう。耐力壁(枠組壁)は、建築物に作用する**水平力**及び**鉛直力**に対して安全であるように、釣合い良く配置しなければならない。

3. 構造用集成材等を用いた防火被覆を設けない柱や梁の断面は、火災時の燃えしろを十分に見込んだ大きさとする。この燃えしろ設計では、燃えしろを除いた残りの断面に生じる長期応力度が短期許容応力度を超えないことを確認する。

4. **直交集成板**という名称は、日本農林規格(JAS)の名称である。直交集成板(CLT)は、**挽板**又は**小角材**をその繊維を**互い**にほぼ**並行**にして幅方向に並べ又は接着したもので、その繊維をほぼ直角にして積層接着し**3層以上**の構造を持たせたもので、床版、壁等の面材として用いられる積層パネルである。

正答　2

R05-11 C

【問題　61】　コンクリート材料の特性に関する記述として、**最も不適当なもの**はどれか。

1. 減水剤は、コンクリートの耐凍害性を向上させることができる。

2. 流動化剤は、工事現場で添加することで、レディーミクストコンクリートの流動性を増すことができる。

3. 早強ポルトランドセメントを用いたコンクリートは、普通ポルトランドセメントを用いた場合より硬化初期の水和発熱量が大きく、冬期の工事に適している。

4. 高炉セメントB種を用いたコンクリートは、普通ポルトランドセメントを用いた場合より耐海水性や化学抵抗性が大きく、地下構造物に適している。

■■■　解説　■■■

1. **減水剤**は、所定の流動性を得るのに必要な**単位水量**を**減少**させ、コンクリートの**ワーカビリティー**などを**向上**させるための混和剤。

2. **流動化剤**とは、あらかじめ練り混ぜられたコンクリートに工事現場にて添加し、撹拌することにより、**流動性**を増大させることができる。

3. **早強ポルトランドセメント**は、普通ポルトランドセメントよりも**短期間**で**強度発現**し、低温環境でも強度発現することから、工期の短い工事や冬季の工事に用いられる。

4. **高炉セメントB種**を用いたコンクリートは、普通ポルトランドセメントを用いたものに比べると、**耐海水性**や**化学抵抗性**が大きく、アルカリ骨材反応の抑制等に効果がある。

R04−11 B

【問題　62】　鋼材に関する一般的な記述として、**最も不適当なもの**はどれか。

1.　ある特定の温度以上まで加熱した後、急冷する焼入れ処理により、鋼は硬くなり、強度が増加する。

2.　鋼は、炭素量が多くなると、引張強さは増加し、靱性は低下する。

3.　SN490BやSN490Cは、炭素当量等の上限を規定して溶接性を改善した鋼材である。

4.　低降伏点鋼は、モリブデン等の元素を添加することで、強度を低くし延性を高めた鋼材である。

■■■■　　解説　　■■■■

1.　鋼材の材質を変化させるための**熱処理**には、**焼入れ、焼戻し、焼ならし、焼なまし**などの方法がある。急冷する**焼入れ処理**は、鋼が硬くなり、**強度が増加**する。

2.　鋼材は、**炭素量を増す**と**引張強度**と**硬度**は**増加**するが、**じん性**や**伸び**は低下する。

3.　**B種及びC種**は、**溶接接合**することを目的に改善されたもので、**炭素当量の上限が規定**されている。

4.　**低降伏点鋼**は、**添加元素を極力低減した純鉄**に近いものであり、従来の軟鋼に比べ**強度**が低く、**延性**が極めて高い鋼材である。

R02−11 B

【問題　63】　鋼材に関する記述として、**最も不適当なもの**はどれか。

1. TMCP鋼は、熱加工制御により製造された鋼材で、高じん性であり溶接性に優れた鋼材である。

2. 低降伏点鋼は、モリブデン等の元素を添加することで、強度を低くし延性を高めた鋼材である。

3. 鋼材の溶接性に関する数値として、炭素当量(C_{eq})や溶接割れ感受性組成(P_{CM})がある。

4. 鋼材の材質を変化させるための熱処理には、焼入れ、焼戻し、焼ならしなどの方法がある。

■■■■　解説　■■■■

1. **建築構造用TMCP鋼**は、水冷型熱加工制御(TMCP)を適用して製造され、厚さが40mmを超え、100mm以下の厚鋼板である。従来の厚鋼板に比較して、**優れた溶接性**を有している。

2. **低降伏点鋼**は、**添加元素を極力低減した純鉄**に近いものであり、従来の軟鋼に比べ**強度が低く、延性**が極めて高い鋼材である。

＊3. 鋼材の溶接性に関する数値として、炭素当量(C_{eq})、溶接割れ感受性組成(P_{CM})は、溶接の難易度や溶接の割れ易さの予測、予熱管理のための数値である。

4. 鋼材の材質を変化させるための熱処理には、**焼入れ、焼戻し、焼ならし、焼なまし**などの方法がある。

正答　2

H30−11 B

【問題　64】　鋼材に関する記述として、**最も不適当なもの**はどれか。

1. SN490BやSN490Cは、炭素当量などの上限を規定して溶接性を改善した鋼材である。

2. TMCP鋼は、熱加工制御により製造された、溶接性は劣るが高じん性の鋼材である。

3. 耐火鋼(FR鋼)は、モリブデン等を添加して耐火性を高めた鋼材である。

4. 低降伏点鋼は、添加元素を極力低減した純鉄に近い鋼で、強度が低く延性が高い鋼材である。

■━━ 解説 ━━━━━━━━━━━━━━━━━━━━━━━━━━━━

1. **B種及びC種**は、**溶接接合**することを目的に改善されたもので、**炭素当量の上限が規定**されている。

2. **建築構造用TMCP鋼**は、水冷型熱加工制御(TMCP)を適用して製造され、厚さが40mmを超え、100mm以下の厚鋼板である。従来の厚鋼板に比較して、優れた**溶接性**を有している。

3. **耐火鋼(FR鋼)**は、**耐熱性**を高めるためにモリブデン、バナジウム等の合金を添加することで高温強度を向上させ、耐火被覆を軽減もしくは無被覆にできる鋼材である。

4. **低降伏点鋼**は、添加元素を極力低減した**純鉄**に近いものであり、従来の軟鋼に比べ**強度が低く**、**延性**が極めて**高い**鋼材である。

正答　2

R05-12 A　　　　　　　　　　　　　　　　CHECK ☐☐☐☐☐

【問題　65】　建築に用いられる金属材料に関する記述として、**最も不適当なもの**はどれか。

1. ステンレス鋼は、ニッケルやクロムを含み、炭素量が少ないものほど耐食性が良い。

2. 銅は、熱や電気の伝導率が高く、湿気中では緑青を生じ耐食性が増す。

3. 鉛は、X線遮断効果が大きく、酸その他の薬液に対する抵抗性や耐アルカリ性にも優れている。

4. チタンは、鋼材に比べ密度が小さく、耐食性に優れている。

■■■■　解説　■■■■

1. **ステンレス鋼**は、ニッケル、クロムを含む耐食性の大きい特殊鋼で、炭素量が増すと鋼の強度が増すが耐食性が低下するため、**耐食性**を増すためには**炭素を少なく**する。

2. **銅**は常温で**展延性**に富み加工しやすく、熱及び電気の伝導率は工業用金属のなかで最も大きい特徴を有する金属である。大気中のCO_2やSO_2等のガスや水分によって表面に緑青の保護膜を生じるが内部への侵食は少なく、屋根葺き材等に用いられる。

3. **鉛**は、表面に炭酸鉛の薄膜により、塩酸・硫酸などには侵されないが、水酸化カルシウム・水酸化ナトリウム等の**アルカリ**には侵される。また、X線やガンマ線などの波長の短い電磁波の吸収能力が高いため、X線の遮へい材としても使用される。

4. **チタン**は比重(密度)が4.5と鋼材(比重7.85)と比べ軽く、**耐食性**に優れている。また、チタン合金は鋼材と比べて**引張強度**が大きい。

R03-11 Ａ

【問題　66】　金属材料に関する一般的な記述として、**最も不適当なもの**はどれか。

1.　黄銅(真ちゅう)は、銅と亜鉛の合金であり、亜鉛が30〜40％のものである。

2.　鉛は、鋼材に比べ熱伝導率が低く、線膨張係数は大きい。

3.　ステンレス鋼のSUS430は、SUS304に比べ磁性が弱い。

4.　アルミニウムは、鋼材に比べ密度及びヤング係数が約１/３である。

■■■　解説　■■■

1.　**黄銅**(真鍮)は、銅と亜鉛を主成分とする合金で亜鉛の含有量によって光沢や色のほか、諸性質が異なる。機械的性質に優れ、加工しやすく耐食性に富むので建具金物や装飾用などに広く用いる。銅の中に亜鉛は約38％固溶するので、30％亜鉛のものが七三黄銅として利用されている。

2.　**鉛**は、鋼材に比べ熱伝導率が低く、線膨張係数は大きいが、アルカリに弱い。

3.　**ステンレス鋼**のSUS430は、**磁性**があり磁石に付く性質がある。また、SUS304は、耐食性、耐熱性に優れ、加工性、溶接性ともに良好であるが、**磁性がない**。

4.　**アルミニウム**の**密度**($2.70\mathrm{g/cm^3}$)と**ヤング係数**($0.68\times10^5\mathrm{N/mm^2}$)は、鋼($7.85\mathrm{g/cm^3}$及び$2.05\times10^5\mathrm{N/mm^2}$)の約１/３である。

建
築
学

R01−11 B

【問題　67】　建築に用いられる金属材料に関する一般的な記述として、**最も不適当なもの**はどれか。

1.　黄銅(真ちゅう)は、銅と亜鉛の合金であり、亜鉛が30〜40％のものである。

2.　ステンレス鋼のSUS304は、SUS430に比べ磁性が弱い。

3.　銅の熱伝導率は、鋼に比べ著しく高い。

4.　アルミニウムの線膨張係数は、鋼の約4倍である。

■■■　　解説　　■■■

1.　**黄銅**(真鍮)は、銅と亜鉛を主成分とする合金で亜鉛の含有量によって光沢や色のほか、諸性質が異なる。機械的性質に優れ、加工しやすく耐食性に富むので建具金物や装飾用などに広く用いる。銅の中に亜鉛は約38％固溶するので、30％亜鉛のものが七三黄銅として利用されている。

2.　**ステンレス鋼**のSUS430は、磁性があり磁石に付く性質がある。また、SUS304は、耐食性、耐熱性に優れ、加工性、溶接性ともに良好であるが、磁性がない。

3.　**銅**は常温で展延性に富み加工しやすく、熱及び電気の伝導率は工業用金属のなかで最も大きい特徴を有する金属である。大気中のCO_2やSO_2等のガスや水分によって表面に緑青の保護膜を生じるが内部への侵食は少なく、屋根葺き材等に用いられる。

4.　**アルミニウム合金**の線膨張係数(線膨張率、熱膨張率の一つ)は、2.34×10^{-5}/℃ (20℃〜100℃)である。また、鋼の線膨張係数は、約1×10^{-5}/℃である。したがって、**アルミニウム合金**の**線膨張係数**は、**鋼**の線膨張係数の約**2倍**である。なお、アルミニウム部材は熱膨張が大きいので、取り付けに当たっては十分な逃げ代(しろ)が必要である。

R04−13 B

【問題　68】　建築用板ガラスに関する記述として、**最も不適当なもの**はどれか。

1. フロート板ガラスは、溶融した金属の上に浮かべて製板する透明、かつ、平滑なガラスである。

2. 複層ガラスは、複数枚の板ガラスの間に間隙を設け、大気圧に近い圧力の乾燥気体を満たし、その周辺を密閉したもので、断熱効果のあるガラスである。

3. 熱線吸収板ガラスは、板ガラスの表面に金属皮膜を形成したもので、冷房負荷の軽減の効果が高いガラスである。

4. 倍強度ガラスは、フロート板ガラスを軟化点まで加熱後、両表面から空気を吹き付けて冷却加工するなどにより、強度を約2倍に高めたガラスである。

――― 解説 ―――

1. **フロート板ガラス**は、溶融金属の上にガラス素地を流し、火造りのままで連続製板されたものである。**透明**、かつ、極めて**平滑**なガラスである。

2. **複層ガラス**は、通常は2枚のガラスの間に大気圧に近い清浄な乾燥空気を入れ、その周辺を完全密封したもので、**断熱性**に優れ、結露防止に効果がある。

3. **熱線吸収板ガラス**は、日射の吸収特性に優れたコバルトなどの金属を**ガラス原料**に加え着色したガラスである。冷房負荷を軽減し、直射日光を適度に和らげ、**遮熱効果**が期待できる。設問の記述は、熱線反射板ガラスのことである。

4. **倍強度ガラス**は、フロート板ガラスを軟化点(650〜700℃程度)まで加熱後、両表面から空気を吹付け冷却し、耐風圧強度、熱割れ強度等を約**2倍**に高めたガラスである。

建
築
学

H30-13 B　　　　　　　　　　　　　　　　CHECK ☐☐☐☐☐

【問題　69】　ガラスに関する記述として、**最も不適当なもの**はどれか。

1. 型板ガラスは、ロールアウト方式により、ロールに彫刻された型模様をガラス面に熱間転写して製造された、片面に型模様のある板ガラスである。

2. Low-E複層ガラスは、中空層側のガラス面に特殊金属をコーティングしたもので、日射制御機能と高い断熱性を兼ね備えたガラスである。

3. 強化ガラスは、板ガラスを熱処理してガラス表面付近に強い圧縮応力層を形成したもので、耐衝撃強度が高いガラスである。

4. 熱線反射ガラスは、日射熱の遮蔽を主目的とし、ガラスの両面に熱線反射性の薄膜を形成したガラスである。

━━━　**解説**　━━━

1. 型板ガラスは、2本の水冷ローラーの間に、直接溶解したガラスを通して製板するロールアウト法により生産されるガラスで、下部のローラーで型付けされる。

2. **Low-E**（Low Emissivity：低放射率）**ガラス**とは、遠赤外線（長波長域）の放射率が低く、反射率が高い特殊金属膜をガラス表面にコーティングし、**日射遮蔽性**と**断熱性**を向上させたガラス。可視光線を透過するため、採光及び透明感を確保でき、複層ガラスの材料として使用されることが多い。

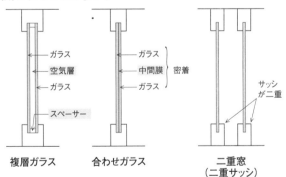

複層ガラス　　合わせガラス　　　二重窓
　　　　　　　　　　　　　　　（二重サッシ）

3. **強化ガラス**は、板ガラスを軟化温度近くまで加熱後、常温の空気を均一に吹付け急冷して表面に圧縮応力層を形成したもので、**耐衝撃性・耐風圧性**等に優れている。

4. **熱線反射ガラス**は、ガラスの**片面**に金属の**反射薄膜**を付け、生産されるガラス。ミラー効果、可視光線を遮り、窓際のまぶしさや局部的な昇温の防止、冷房負荷の軽減効果等がある。

正答　4

R05-14 A

CHECK□□□□□

【問題　70】　日本産業規格(JIS)に規定する防水材料に関する記述として、**不適当なもの**はどれか。

1.　2成分形のウレタンゴム系防水材は、施工直前に主剤、硬化剤の2成分に、必要によって硬化促進剤や充填材等を混合して使用する。

2.　防水工事用アスファルトは、フラースぜい化点の温度が低いものほど低温特性のよいアスファルトである。

3.　ストレッチルーフィング1000の数値1000は、製品の抗張積(引張強さと最大荷重時の伸び率との積)を表している。

4.　改質アスファルトルーフィングシートは、温度特性によりⅠ類とⅡ類に区分され、低温時の耐折り曲げ性がよいものはⅠ類である。

■■■　解説　■■■■■■■■■■■■■■■■■■■■■■■■■■■■■■■■■■

1.　2成分形のウレタンゴム系防水材は、主剤と硬化剤が反応硬化して塗膜を形成するもので、必要により硬化促進剤、充填材などを混合する。

2.　フラースぜい化点とは、アスファルトの低温時のぜい化温度を示し、その値が低いものほど低温特性の良いアスファルトである。

3.　**ストレッチルーフィング1000**の数値1000は、製品の**抗張積**(引張強さと最大荷重時の伸び率との積：N・%／cm)を表す。

4.　**改質アスファルトルーフィングシート**には、温度特性によるⅠ類とⅡ類の区別があり、Ⅱ類の方が**低温時の耐折り曲げ性**がよい。

正答　4

R03-14 A

【問題　71】　アスファルト防水材料に関する記述として、**最も不適当なもの**はどれか。

1. エマルションタイプのアスファルトプライマーは、アスファルトを水中に乳化分散させたものである。

2. 砂付ストレッチルーフィング800の数値800は、製品の抗張積の呼びを表している。

3. 防水工事用アスファルトは、フラースぜい化点の温度が低いものほど低温特性のよいアスファルトである。

4. アスファルトルーフィング1500の数値1500は、製品の単位面積当たりのアスファルト含浸量を表している。

■■■■■　解説　■■■■■■■■■■■■

1. エマルションタイプの**アスファルトプライマー**は、アスファルトを水中に乳化分散させたもので、引火の危険性がないことや施工環境及び健康上の理由から、特に室内で使用されている。

2. **砂付ストレッチルーフィング800**の数値800は、製品の**抗張積**(引張強さと最大荷重時の伸び率との積)を表す。

3. **フラースぜい化点**とは、アスファルトの低温時のぜい化温度を示し、その値が低いものほど低温特性の良いアスファルトである。

4. **アスファルトルーフィング1500**は、製品の**単位面積質量**が1,500(g/m²)以上のものをいう。

【問題　72】　アスファルト防水材料に関する記述として、**最も不適当なもの**はどれか。

1. 改質アスファルトシートは、合成ゴム又はプラスチックを添加して性質を改良した改質アスファルトを原反に含浸、被覆させたシートである。

2. ストレッチルーフィング1000の数値1000は、製品の抗張積(引張強さと最大荷重時の伸び率との積)を表している。

3. 防水工事用アスファルトは、フラースぜい化点温度が低いものほど低温特性のよいアスファルトである。

4. アスファルトルーフィング1500の数値1500は、製品の単位面積当たりのアスファルト含浸量を表している。

■　解説

1. **改質アスファルト**は、合成ゴムやプラスチック等のポリマーを添加して、温度特性や伸び率等の性質を改良したものである。

2. **ストレッチルーフィング1000**の数値1000は、製品の**抗張積**(引張強さと最大荷重時の伸び率との積：N・%/cm)を表す。

3. フラースぜい化点とは、アスファルトの低温時のぜい化温度を示し、その値が低いものほど低温特性の良いアスファルトである。

4. **アスファルトルーフィング1500**は、製品の**単位面積質量**が1,500(g/m²)**以上**のものをいう。

R04-14 A

建
築
学

【問題　73】　建築用シーリング材に関する記述として、**最も不適当なもの**はどれか。

1. シーリング材のクラスは、目地幅に対する拡大率及び縮小率で区分が設定されている。

2. 1成分形シーリング材の硬化機構には、湿気硬化、乾燥硬化及び非硬化がある。

3. 2面接着とは、シーリング材が相対する2面で被着体と接着している状態をいう。

4. 2成分形シーリング材は、基剤と着色剤の2成分を施工直前に練り混ぜて使用するシーリング材である。

解説

1. シーリング材の**クラス**は、目地幅に対する**拡大率**及び**縮小率**によって区分が設定されている。また、目地幅に対するせん断変形率も示されている。

2. **1成分形シーリング材**の硬化機構の分類には、**湿気硬化、乾燥硬化及び非硬化**がある。

3. **2面接着**とは、目地に充填されたシーリング材が構成材と相対する2面で接着している状態をいい、**ワーキングジョイント**に用いられる。

4. **2成分形シーリング材**とは、**施工直前**に**基剤**と**硬化剤**を調合し、練り混ぜて使用するシーリング材をいう。

正答　4

R02−14 B

【問題　74】　建築用シーリング材に関する記述として、**最も不適当なもの**はどれか。

1.　シリコーン系シーリング材は、表面にほこりが付着しないため、目地周辺に撥水_{はっすい}汚染が生じにくい。

2.　2成分形シーリング材は、施工直前に基剤と硬化剤を調合し、練り混ぜて使用する。

3.　弾性シーリング材は、液状ポリマーを主成分としたもので、施工後は硬化し、ゴム状弾性を発現する。

4.　シーリング材のクラスは、目地幅に対する拡大率及び縮小率で区分が設定されている。

━━━ 解説 ━━━━━━━━━━━━━━━━━━━━━━━━━━━━━━━━━

1.　**シリコーン系シーリング材**は、硬化後ほこりがつきやすく、目地周辺に**撥水汚染**_{はっすい}が生じやすい。

2.　**2成分形シーリング材**とは、施工直前に**基剤**と**硬化剤**を調合し、練り混ぜて使用するシーリング材をいう。

3.　弾性シーリング材は、ポリサルファイド、シリコーン、変成シリコーン、ポリウレタン等の液状ポリマーを主成分としたもので、施工後は硬化し、ゴム状弾性を発現する。

4.　シーリング材の**クラス**は、目地幅に対する**拡大率**及び**縮小率**によって区分が設定されている。また、目地幅に対するせん断変形率も示されている。

H30−14 B

【問題　75】　建築用シーリング材に関する記述として、**最も不適当なもの**はどれか。

1. 弾性シーリング材とは、目地のムーブメントによって生じた応力がひずみにほぼ比例するシーリング材である。

2. 塑性シーリング材とは、目地のムーブメントによって生じた応力がムーブメントの速度にほぼ比例し、ムーブメントが停止すると素早く緩和するシーリング材である。

3. 1成分形高モジュラス形シリコーン系シーリング材は、耐熱性、耐寒性に優れ、防かび剤を添加したものは、浴槽や洗面化粧台などの水まわりの目地に用いられる。

4. 2成分形ポリウレタン系シーリング材は、耐熱性、耐候性に優れ、金属パネルや金属笠木などの目地に用いられる。

解説

1. 弾性シーリング材とは、硬化後、弾性的な性質をもつシーリング材である。すなわち、目地のムーブメントによって生じた応力が、ひずみにほぼ比例するシーリング材である。

2. 塑性シーリング材とは、硬化後、塑性的な性質をもつシーリング材である。すなわち、目地のムーブメントによって生じた応力が素早く緩和するシーリング材である。

3. 防かびタイプの1成分形高モジュラス形シリコーン系シーリング材は、浴室・浴槽、キッチン・キャビネット回り、洗面・化粧台回りなど水回りの目地に用いられる。

4. **2成分形ポリウレタン系シーリング材**は、**耐候性**に劣るので、ALCパネル、GRCパネル、押出成形セメント板などの塗装・吹付けされる目地のみに適用される。**金属パネルや金属笠木**は、温度変化によるムーブメントが大きく、構成材が高温になる目地であり、**耐久性・耐候性**に優れた**2成分形変成シリコーン系シーリング材**を適用する。

R05－13 A

【問題　76】　石材に関する一般的な記述として、**最も不適当なもの**はどれか。

1. 花崗岩は、結晶質で硬く耐摩耗性や耐久性に優れ、壁、床、階段等に多く用いられる。
2. 大理石は、酸には弱いが、緻密であり磨くと光沢が出るため、主に内装用として用いられる。
3. 粘板岩（スレート）は、吸水率が小さく耐久性に優れ、層状に剥がれる性質があり、屋根材や床材として用いられる。
4. 石灰岩は、柔らかく曲げ強度は低いが、耐水性や耐酸性に優れ、主に外装用として用いられる。

■　解説

1. **花崗岩**は、火成岩の一種で、結晶質の石材で硬く、**耐摩耗性**、**耐久性**に富むが、**耐火性**に乏しい。
2. **大理石**は、変成岩の一種で、**緻密**で磨くとつやが出て、模様や色調も美しいが、酸、アルカリに弱く、雨にさらされると、半年から1年でつやを失う。
3. **粘板岩**は、吸水が少なく、**緻密**で**耐久性**に優れる。スレート屋根の材料に用いられる。
4. **石灰岩**は、加工がしやすいが、**耐水性**に**劣る**。コンクリート骨材、セメント材料に用いられる。

岩石名	特　性	用　途
花　崗　岩	圧縮強さ・**耐摩耗性・耐久性大**、質硬く、大材が得やすい。**耐火性小**。	外壁、床、階段　構造用　装飾用
安　山　岩	**強度・耐久・耐火性大**、色調不鮮明。	外装用・敷石用　間知石・割石
凝　灰　岩	軟質軽量、加工性・耐火性・**吸水性大**、**風化しやすい**。	木造基礎・石がき・倉庫建築・室内装飾
砂　岩	耐火性・吸水性・摩耗性大。	基礎・石がき
粘　板　岩	**吸水性小**、質緻密、色調黒、耐久性大。	スレート屋根材
石　灰　岩	加工しやすいが、**耐水性**に劣る。	コンクリート骨材・セメント原料・石灰原料
大　理　石	**ち密、光沢あり、酸・雨水に弱い**。	室内装飾用

R03-12 A　　　　　　　　　CHECK ☐☐☐☐☐

【問題　77】　石材に関する一般的な記述として、**最も不適当なもの**はどれか。

1.　花崗岩は、耐摩耗性、耐久性に優れるが、耐火性に劣る。
2.　安山岩は、光沢があり美観性に優れるが、耐久性、耐火性に劣る。
3.　砂岩は、耐火性に優れるが、吸水率の高いものは耐凍害性に劣る。
4.　凝灰岩は、加工性に優れるが、強度、耐久性に劣る。

■■■■　解説　■■■■

1.　**花崗岩**は、火成岩の一種で、結晶質の石材で硬く、**耐摩耗性**、**耐久性**に富むが、**耐火性**に乏しい。

2.　**安山岩**は、花崗岩とともに代表的な硬石である。**強度**や**耐久性**に優れ、特に**耐火性**が大きく外装用石材として用いられる。しかし磨いてもつやが出ない。

3.　**砂岩**は、堆積岩（水成岩）の一種で、**耐火性**が高く、酸にも強いが、汚れや苔が付きやすい。**吸水性**が大きく耐摩耗性・耐凍害性・耐久性に劣る。

4.　**凝灰岩**は、堆積岩の一種で、軟質で加工がしやすく**耐火性**に優れているが、**耐久性**、**耐摩耗性**に乏しい。

岩石名	特　　性	用　　途
花　崗　岩	圧縮強さ・**耐摩耗性**・**耐久性**大、質硬く、大材が得やすい。**耐火性**小。	外壁、床、階段　構造用　装飾用
安　山　岩	**強度・耐久・耐火性**大、色調不鮮明。	外装用・敷石用　間知石・割石
凝　灰　岩	軟質軽量、加工性・耐火性・**吸水性**大、**風化しやすい。**	木造基礎・石がき・倉庫建築・室内装飾
砂　　岩	耐火性・吸水性・摩耗性大。	基礎・石がき
粘　板　岩	**吸水性**小、質緻密、色調黒、耐久性大。	スレート屋根材
石　灰　岩	加工しやすいが、**耐水性に劣る。**	コンクリート骨材・セメント原料・石灰原料
大　理　石	**ち密、光沢**あり、酸・雨水に弱い。	室内装飾用

正答　2

R01-12 B

【問題　78】　石材に関する一般的な記述として、**最も不適当なもの**はどれか。

1.　花こう岩は、耐摩耗性、耐久性に優れるが、耐火性に劣る。

2.　大理石は、ち密であり、磨くと光沢が出るが、耐酸性、耐火性に劣る。

3.　石灰岩は、耐水性に優れるが、柔らかく、曲げ強度は低い。

4.　砂岩は、耐火性に優れるが、吸水率の高いものは耐凍害性に劣る。

━━　解説

1.　**花こう岩**は、火成岩の一種で、結晶質の石材で硬く、**耐摩耗性**、**耐久性**に富むが、**耐火性**に乏しい。

2.　**大理石**は、変成岩の一種で、**ち密**で磨くと**つや**が出て、模様や色調も美しいが、酸、アルカリに弱く、雨にさらされると、半年から１年でつやを失い、**耐火性**にも**劣る**。

3.　**石灰岩**は、加工がしやすいが、**耐水性**に**劣る**。コンクリート骨材、セメント材料に用いられる。

4.　**砂岩**は、堆積岩(水成岩)の一種で、**耐火性**が高く、**酸**にも強いが、汚れや苔が付きやすい。吸水性が大きく耐摩耗性・耐凍害性・耐久性に劣る。

岩石名	特　性	用　途
花　崗　岩	圧縮強さ・**耐摩耗性**・**耐久性**大、質硬く、大材が得やすい。**耐火性**小。	外壁、床、階段 構造用 装飾用
安　山　岩	**強度・耐久・耐火性**大、色調不鮮明。	外装用・敷石用 間知石・割石
凝　灰　岩	軟質軽量、加工性・耐火性・**吸水性大**、**風化**しやすい。	木造基礎・石がき・倉庫建築・室内装飾
砂　　　岩	耐火性・吸水性・摩耗性大。	基礎・石がき
粘　板　岩	**吸水性小**、質緻密、色調黒、耐久性大。	スレート屋根材
石　灰　岩	加工しやすいが、**耐水性に劣る**。	コンクリート骨材・セメント原料・石灰原料
大　理　石	**ち密**、**光沢**あり、酸・雨水に弱い。	室内装飾用

建築学

R04-12 A　　　　　　　　　　　　　　CHECK ☐☐☐☐☐

【問題　79】　左官材料に関する記述として、**最も不適当なもの**はどれか。

1. しっくいは、消石灰を主たる結合材料とした気硬性を有する材料である。
2. せっこうプラスターは、水硬性であり、主に多湿で通気不良の場所の仕上げで使用される。
3. セルフレベリング材は、せっこう組成物やセメント組成物に骨材や流動化剤等を添加した材料である。
4. ドロマイトプラスターは、保水性が良いため、こて塗りがしやすく作業性に優れる。

解説

1. しっくいは、**消石灰**を主たる結合材料とした**気硬性**材料である。
2. **せっこうプラスター**は、水硬性の左官材料のため、多湿で通風不良の場所、浴室等の壁や天井のように**乾湿**の繰返しを受ける部位では、硬化不良となる。
3. **セルフレベリング材**は、**せっこう組成物**や**セメント組成物**に**骨材**や**流動化剤**を添加し、セルフレベリング性を付与して、これを床面に流し簡単にならすだけで平たん・平滑な精度の高い床下地をつくるものである。
4. **ドロマイトプラスター**は、**保水性**及び**粘性**があるため、こて塗りがしやすく**作業性**に優れる。

種　類	特　性
ドロマイトプラスター	●粘性大で塗りやすい ●**のりを使用しない** ●き裂生じやすい ●吸水性大(耐水性小) ●硬化時間長い ●アルカリ性
せっこうプラスター	●硬化時間短い ●内部までほぼ同じ硬さになる ●乾燥収縮小 ●中性〜弱酸性

正答　2

R02-12 A

【問題　80】　左官材料に関する記述として、**最も不適当なもの**はどれか。

1. せっこうプラスターは、水硬性であり、多湿で通気不良の場所で使用できる。
2. ドロマイトプラスターは、それ自体に粘性があるためのりを必要としない。
3. セメントモルタルの混和材として消石灰を用いると、こて伸びがよく、平滑な面が得られる。
4. しっくい用ののりには、海藻、海藻の加工品、メチルセルロース等がある。

■ 解説 ■

1. **せっこうプラスター**は、水硬性の左官材料のため、多湿で通風不良の場所、浴室等の壁や天井のように**乾湿**の繰返しを受ける部位では、**硬化不良**となる。
2. **ドロマイトプラスター**はそれ自体に粘性があるため、**のりを必要としない**。
3. 混和材としての消石灰は、こて伸びを良くし、平滑な面が得られ、セメントモルタルも貧調合にすることができるため、収縮によるひび割れを少なくすることができる。
4. しっくいに使用される**のり剤**には、**海草**又はその加工品と**水溶性高分子**がある。

正答　1

建築材料　　　　　左官材料

【問題　81】　左官材料に関する記述として、**最も不適当なもの**はどれか。

1. せっこうプラスターは、乾燥が困難な場所や乾湿の繰返しを受ける部位では硬化不良となりやすい。
2. セルフレベリング材は、せっこう組成物やセメント組成物に骨材や流動化剤等を添加した材料である。
3. セメントモルタルの混和材として消石灰を用いると、こて伸びがよく、平滑な面が得られる。
4. ドロマイトプラスターは、それ自体に粘りがないためのりを必要とする。

■■■ 解説 ■■■

1. **せっこうプラスター**は、水硬性の左官材料のため、多湿で通風不良の場所、浴室等の壁や天井のように**乾湿の繰返し**を受ける部位では、**硬化不良**となる。
2. **セルフレベリング材**は、**せっこう組成物**や**セメント組成物**に**骨材**や**流動化剤**を添加し、セルフレベリング性を付与して、これを床面に流し簡単にならすだけで平たん・平滑な精度の高い床下地をつくるものである。
3. 混和材としての**消石灰**は、こて伸びを良くし、**平滑**な面が得られ、セメントモルタルも貧調合にすることができるため、収縮によるひび割れを少なくすることができる。
4. **ドロマイトプラスター**はそれ自体に粘性があるため、**のりを必要としない**。

種　類	特　性
ドロマイトプラスター	●粘性大で塗りやすい ●のりを使用しない ●き裂生じやすい ●吸水性大(耐水性小) ●硬化時間長い ●アルカリ性
せっこうプラスター	●硬化時間短い ●内部までほぼ同じ硬さになる ●乾燥収縮小 ●中性〜弱酸性

R05−15 A

【問題　82】　屋内で使用する塗料に関する記述として、**最も不適当なもの**はどれか。

1. アクリル樹脂系非水分散形塗料は、モルタル面に適しているが、せっこうボード面には適していない。

2. クリヤラッカーは、木部に適しているが、コンクリート面には適していない。

3. つや有合成樹脂エマルションペイントは、鉄鋼面に適しているが、モルタル面には適していない。

4. 2液形ポリウレタンワニスは、木部に適しているが、ALCパネル面には適していない。

■■■ 解説 ■■■■■■■■■■■■■■■■■■■■■■■■■■■■■■■■■■■■■■■

1. **アクリル樹脂系非水分散形塗料塗り**は、**屋内のコンクリート面、モルタル面**等の塗料として用いる。せっこうボード素地には適用しない。

2. **クリヤラッカーは屋内の木部**が適用下地で、主に家具や室内の巾木や建具、木板張りの仕上げなどに用いられる。

3. **つや有合成樹脂エマルションペイント**は、**コンクリート面、モルタル面、プラスター面、せっこうボード面**、その他ボード面等並びに屋内の木部、鉄鋼面及び亜鉛めっき面に適用する。

4. 2液形ポリウレタンワニス塗りは、主として建築内部で透明仕上げの造作材、扉や造り付家具、床面などに用いられる。

正答 3

R03-15 B

CHECK ☐☐☐☐☐

【問題　83】　塗料に関する記述として、**最も不適当なもの**はどれか。

　1.　つや有合成樹脂エマルションペイントは、水分の蒸発とともに樹脂粒子が融着して塗膜を形成する。

　2.　アクリル樹脂系非水分散形塗料は、溶剤の蒸発とともに樹脂粒子が融着して塗膜を形成する。

　3.　クリヤラッカーは、自然乾燥で長時間かけて塗膜を形成する。

　4.　合成樹脂調合ペイントは、溶剤の蒸発とともに油分の酸化重合が進み、乾燥硬化して塗膜を形成する。

■■■■　解説　■■■■

1.　**つや有合成樹脂エマルションペイント**は、水分の蒸発とともに樹脂粒子が融着して塗膜を形成する**コンクリート面**、**モルタル面**、**プラスター面**、**せっこうボード面**、その他ボード面等並びに屋内の木部、鉄鋼面及び亜鉛めっき面に適用する。

2.　**アクリル樹脂系非水分散形塗料**は、溶剤の蒸発とともに樹脂粒子が融着して塗膜を形成する。屋内の**コンクリート面**、**モルタル面**等の塗料として用いる。せっこうボード素地には適用しない。

3.　**クリヤラッカー**は、工業用ニトロセルロースとアルキド樹脂を主要な塗膜形成要素とした液状の揮発乾燥性の塗料。自然乾燥で**短時間**に塗膜を形成する塗料であるため、吹付け塗りとするのが一般的である。

4.　**合成樹脂調合ペイント**は、溶剤の蒸発とともに油分の酸化重合が進み、乾燥硬化して塗膜を形成する。建築物内外部の**木部**及び錆止め塗料を施した**鉄面**や**亜鉛めっき面**等に適用するが、塗膜の耐アルカリ性が劣るため、コンクリート、モルタル、ボード類の素地には適さない。

正答　3

R01-15 C

【問題　84】　塗料に関する記述として、**最も不適当なもの**はどれか。

1.　合成樹脂エマルションペイントは、モルタル面に適しているが、金属面には適していない。

2.　つや有合成樹脂エマルションペイントは、屋内の鉄鋼面に適しているが、モルタル面には適していない。

3.　アクリル樹脂系非水分散形塗料は、モルタル面に適しているが、せっこうボード面には適していない。

4.　合成樹脂調合ペイントは、木部に適しているが、モルタル面には適していない。

■■■■　解説　■■■■

1.　**合成樹脂エマルションペイント塗り**(EP)は、**コンクリート面**、**モルタル面**、**プラスター面**、**せっこうボード面**等に適用し、水による希釈が可能で、加水して塗料に流動性を持たせることができ、臭気が少なく溶剤揮散による大気汚染や中毒の危険性がないので、環境保護や災害防止等から一般的によく使用される。その他木部の着色仕上げには使用可能であるが、金属面には使用できない。

2.　**つや有合成樹脂エマルションペイント**は、**コンクリート面**、**モルタル面**、**プラスター面**、**せっこうボード面**、その他ボード面等並びに屋内の木部、鉄鋼面及び亜鉛めっき面に適用する。

3.　**アクリル樹脂系非水分散形塗料塗り**は、**屋内のコンクリート面**、**モルタル面**等の塗料として用いる。せっこうボード素地には適用しない。

4.　**合成樹脂調合ペイント**(SOP)は、建築物内外部の木部及び錆止め塗料を施した**鉄面**や**亜鉛めっき面**等に適用するが、塗膜の耐アルカリ性が劣るため、コンクリート、モルタル、ボード類の素地には適さない。

R02-13 B

＊【問題　85】　JIS（日本産業規格）のサッシに規定されている性能項目に関する記述として、**不適当なもの**はどれか。

1. スライディングサッシでは、「気密性」が規定されている。
2. スイングサッシでは、「水密性」が規定されている。
3. スライディングサッシでは、「ねじり強さ」が規定されている。
4. スイングサッシでは、「遮音性」が規定されている。

■■■　**解説**　■■■

1.3.　スライディングサッシの性能項目には、開閉力、開閉繰り返し、耐風圧性、気密性、水密性、戸先かまち強さ、遮音性、断熱性が規定されている。ねじり強さは規定されていない。

2.4.　スイングサッシの性能項目には、開閉力、開閉繰り返し、耐風圧性、気密性、水密性、遮音性、断熱性が規定されている。

R03−13 A

【問題　86】　日本産業規格(JIS)のドアセットに規定されている性能項目に関する記述として、**不適当なもの**はどれか。

1.　スライディングドアセットでは、「鉛直荷重強さ」が規定されている。
2.　スライディングドアセットでは、「耐風圧性」が規定されている。
3.　スイングドアセットでは、「耐衝撃性」が規定されている。
4.　スイングドアセットでは、「開閉力」が規定されている。

■◀　解説　▶■

　スライディングドアセットとは、主に枠の面内を戸が移動する開閉形式のドアセットである。スライディングドアセットでは鉛直荷重強さは規定されていない。ドアセットの用途に応じて下表に示す性能項目から必要な項目を選定して適用する。

検　査　項　目

性能項目	スイングドアセット	スライディングドアセット
ねじり強さ	◎	―
鉛直荷重強さ	◎	―
開閉力	◎	◎
開閉繰り返し	◎	◎
耐衝撃性	◎	―
耐風圧性	○	○
気密性	○	○
水密性	○	○
遮音性	○	○
断熱性	○	○
日射熱取得性	○	○
面内変形追随性	○	―

◎：必須の性能項目　　○：用途に応じて必要な等級を適用　　―：適用しない

R01-13 B　　　　　　　　　　　　　CHECK ☐☐☐☐☐

【問題　87】　日本産業規格(JIS)のドアセットに規定されている性能項目に関する記述として、**不適当なもの**はどれか。

1. スイングドアセットでは、「気密性」が規定されている。
2. スイングドアセットでは、「開閉力」が規定されている。
3. スライディングドアセットでは、「鉛直荷重強さ」が規定されている。
4. スライディングドアセットでは、「遮音性」が規定されている。

■■■■■　解説　■■■■■

　スイングドアセットとは、主に枠の面外に戸が移動する開閉形式のドアセットで、スライディングドアセットとは、主に枠の面内を戸が移動する開閉形式のドアセットである。ドアセットの用途に応じて下表に示す性能項目から必要な項目を選定して適用する。

検 査 項 目

性能項目	スイングドアセット	スライディングドアセット
ねじり強さ	◎	―
鉛直荷重強さ	◎	―
開閉力	◎	◎
開閉繰り返し	◎	◎
耐衝撃性	◎	―
耐風圧性	○	○
気密性	○	○
水密性	○	○
遮音性	○	○
断熱性	○	○
日射熱取得性	○	○
面内変形追随性	○	―

◎：必須の性能項目　　○：用途に応じて必要な等級を適用　　―：適用しない

正答　3

R04-15 B

【問題　88】　内装材料に関する記述として、**最も不適当なもの**はどれか。

1. コンポジションビニル床タイルは、単層ビニル床タイルよりバインダー含有率を高くした床タイルである。
2. 段通は、製造法による分類では、織りカーペットの手織りに分類される。
3. ロックウール化粧吸音板は、ロックウールのウールを主材料とし、結合材、混和材を用いて成形し、表面化粧をしたものである。
4. 強化せっこうボードは、せっこうボードの芯に無機質繊維等を混入したもので、性能項目として耐衝撃性や耐火炎性等が規定されている。

■■■　解説　■■■■■■■■■■■■■■■■■■■■■■■■■■■■■■■■

1. **コンポジションビニル床タイル**(バインダー含有率30％未満)は、単層ビニル床タイル(30％以上)より、**バインダー量を少なくしたタイル**である。バインダーは、ビニル樹脂、安定剤などからなる結合材である。
2. **織りカーペット**には、**手織り**と**機械織り**がある。**だんつう**は、**手織り**カーペットであり、麻や綿等の糸にパイル糸を絡ませ、長さを切りそろえながら織ったものである。
3. **ロックウール化粧吸音板**は、ロックウールのウールを主原料とし、結合材・混和材を用いて板状に成形したものを基材とし表面化粧を施したものである。
4. **強化せっこうボード**は、ボードの芯材に**無機質繊維**等を混入し、性能項目として**耐衝撃性**や**耐火炎性**等が規定されている。

建
築
学

R02-15 A　　　　　　　　　　　　　　　　CHECK ☐☐☐☐☐

【問題　89】　内装材料に関する記述として、**最も不適当なもの**はどれか。

1. 構造用せっこうボードは、芯材のせっこうに無機質繊維等を混入したうえ、くぎ側面抵抗を強化したものである。

2. ロックウール化粧吸音板は、ロックウールのウールを主材料として、結合材及び混和材を用いて成形し、表面化粧加工したものである。

3. けい酸カルシウム板は、石灰質原料、けい酸質原料、石綿以外の繊維、混和材料を原料として、成形したものである。

4. 強化せっこうボードは、両面のボード用原紙と芯材のせっこうに防水処理を施したものである。

■■■　解説　■■■

1. **構造用せっこうボード**は、芯材のせっこうに無機質繊維等を混入したうえ、くぎ側面抵抗を強化したもので、側面抵抗によってA種及びB種がある。

2. **ロックウール化粧吸音板**は、ロックウールのウールを主原料とし、結合材・混和材を用いて板状に成形したものを基材とし表面化粧を施したものである。

3. けい酸カルシウム板は、けい酸質原料、石灰質原料及び補強繊維を主原料とした製品で、軽量で加工性に優れ、断熱性能も兼ね備えている。

4. **強化せっこうボード**は、ボードの芯材にガラス繊維を混入し、火災を被ってもひび割れや脱落が生じにくくしたものである。

正答　4

H30-15 B

【問題　90】　内装材料に関する記述として、**最も不適当な**ものはどれか。

1. コンポジションビニル床タイルは、単層ビニル床タイルよりバインダー量を多くした床タイルである。

2. 複層ビニル床タイルは、耐水性、耐薬品性、耐磨耗性に優れているが、熱による伸縮性が大きい。

3. パーティクルボードは、日本産業規格（JIS）で定められたホルムアルデヒド放散量による区分がある。

4. 普通合板は、日本農林規格（JAS）で定められた接着の程度による区分がある。

● **解説** ●

1. **コンポジションビニル床タイル**（バインダー含有率30％未満）は、単層ビニル床タイル（30％以上）より、**バインダー量を少なくした**タイルである。バインダーは、ビニル樹脂、安定剤などからなる結合材である。

2. **複層ビニル床タイル**は、一般に**弾性**、**耐摩耗性**、**耐水性**、**耐薬品性**に優れているが**熱に弱く伸縮性**が大きい。

3. **パーティクルボード**は、木材の小片を乾燥し有機質の接着剤を添加して熱圧成板したもので、下地材や造作材に用いられる。ホルムアルデヒド放出量区分によって、F☆☆～F☆☆☆☆の３種類に区分されている。

4. 日本農林規格の普通合板は、接着の程度により、継続的に湿潤状態の場所に用いる１類と、時々湿潤状態となる場所に用いる２類とがあり、１類の方が耐水性に優れている。

種　類		性　質
普通合板	**1類**	継続的に湿潤状態となる場所に使用されるものが対象
	2類	時々、湿潤状態となる場所に使用されるものが対象

2

施　　工

躯体工事（問題 91 〜問題 164）
●地盤調査／●仮設工事／●土工事・山留め工事／●基礎・地業工事／●鉄筋工事／●型枠工事／●コンクリート工事／●鉄骨工事／●木工事／● ALC パネル工事／●押出成形セメント板工事／●耐震改修工事／●建設機械
※ 10 問出題され、そのうちから 8 問を選択して解答する。

仕上工事（問題 165 〜問題 222）
●防水工事／●屋根工事／●左官工事・吹付け工事／●塗装工事／●張り石工事／●タイル工事／●建具工事／●金属工事／●断熱工事／●内装工事／●その他の仕上工事
※ 10 問出題され、そのうちから 7 問を選択して解答する。
（「施工」以外の分野で出題された問題も含まれています）

R03−22 A

【問題　91】　地盤調査及び土質試験に関する記述として、**最も不適当なもの**はどれか。

1. 常時微動測定により、地盤の卓越周期を推定することができる。

2. 圧密試験により、砂質土の沈下特性を求めることができる。

3. 電気検層(比抵抗検層)により、ボーリング孔近傍の地層の変化を調査することができる。

4. 三軸圧縮試験により、粘性土のせん断強度を求めることができる。

■■■　解説　■■■■■■■■■■■■■■■■■■■■■■■■■■■■■■■■■■■■

1. 建物の規模が大きい場合、地震時の地盤の振動特性を簡便に調べる方法として、**常時微動測定**があり、原因が測定できない振動を測定し、深度方向の地盤の震動増幅特性、卓越周期を把握することができる。

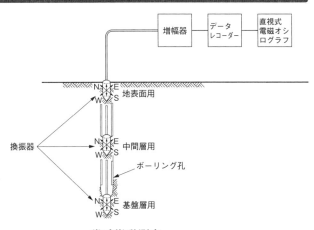

常時微動測定

2. **圧密試験**とは、供試体に荷重を加え、その圧縮状態から土の沈下性状(圧縮指数、圧密係数等)を求める試験である。この試験から求められる圧縮性と圧密速度から、**粘性土地盤の沈下量と沈下時間**の推定に利用される。したがって、砂質土ではなく**粘性土**に用いられる試験である。

3. **電気検層**は、孔壁周辺における地層のみかけ比抵抗と、孔内に発生している自然電位を、深度方向に連続測定するもので、ボーリング孔近傍の地層の変化を知ることができる。

4. **三軸圧縮試験**は、圧密時とせん断時の排水条件及び間隙水圧の測定を組み合わせて、原位置の状態に近い条件で試験を行い、土の強度・変形特性を求める試験である。粘性土のせん断強さを求めることができる。

R01-22 A   CHECK ☐☐☐☐☐

【問題　92】　土質試験に関する記述として、**最も不適当なもの**はどれか。

1.　粒度試験により、細粒分含有率等の粒度特性を求めることができる。

2.　液性限界試験及び塑性限界試験により、土の物理的性質の推定や塑性図を用いた
　　土の分類をすることができる。

3.　三軸圧縮試験により、粘性土のせん断強度を求めることができる。

4.　圧密試験により、砂質土の沈下特性を求めることができる。

■■■■　解説　■■■■

1.　**粒度試験**は、土の粒度組成（土の粒子の大きさや配合）を調べる試験で、砂質土と粘性
　　土の**分類**ができ、細粒分含有率等の粒度特性を求めることができる。

2.　土の**液性限界・塑性限界試験**により、粘性土・非粘性土の分類、粘性土の力学特性や
　　圧縮指数が推定できる。また、試験結果のうち液性限界と塑性指数から塑性図を用い
　　て土の分類を行い、圧縮性・透水性などの工学的性質の概略を推定できる。

3.　**三軸圧縮試験**は、圧密時とせん断時の排水条件
　　及び隙間水圧の測定を組み合わせて、原位置の
　　状態に近い条件で試験を行い、土の強度・変形
　　特性を求める試験である。粘性土のせん断強さ
　　を求めることができる。

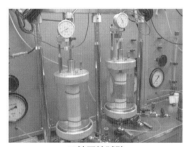

三軸圧縮試験

4.　**圧密試験**とは、供試体に荷重を加え、その圧縮
　　状態から土の沈下性状（圧縮指数、圧密係数等）
　　を求める試験である。この試験から求められる
　　圧縮性と圧密速度から、粘性土地盤の**沈下量**と
　　沈下時間の推定に利用される。

圧密試験

正答　4

R05-21 [A]　　　　　　　　　　　　　　　　　　CHECK ☐☐☐☐☐

【問題　93】　乗入れ構台及び荷受け構台の計画に関する記述として、**最も不適当なもの**は
　　　　どれか。

　　1.　乗入れ構台の支柱の位置は、基礎、柱、梁及び耐力壁を避け、5m間隔とした。

　　2.　乗入れ構台の高さは、大引下端が床スラブ上端より10cm上になるようにした。

　　3.　荷受け構台の作業荷重は、自重と積載荷重の合計の10%とした。

　　4.　荷受け構台への積載荷重の偏りは、構台の全スパンの60%にわたって荷重が分
　　　　布するものとした。

━━━　解説　━━━

1.　乗入れ構台の**支柱**の位置は、基礎梁、柱、梁などの位置と重ならないように配置し、
　　間隔は3〜6m程度とする。

2.　構台の**大引の下端**は、1階床の躯体コンクリート打設時に床の均し作業ができるよう
　　に、コンクリート床上面より20cm〜30cm程度上に設定する。

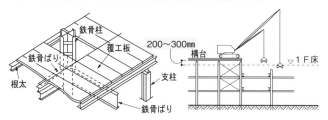

乗入れ構台と鉄骨柱の位置

3.　荷受け構台の**作業荷重**は、**自重**と**積載荷重**の合計の10%とする。

4.　荷受け構台を構成する部材については、積載荷重の偏りを考慮して検討する。通常は、
　　構台の全スパンの60%にわたって、積載荷重が分布するものと仮定して検討する。

正答　2

R04-21 A

【問題　94】　乗入れ構台の計画に関する記述として、**最も不適当なもの**はどれか。

1.　乗入れ構台の支柱と山留めの切梁支柱は、荷重に対する安全性を確認した上で兼用した。

2.　道路から乗入れ構台までの乗込みスロープは、勾配を１／８とした。

3.　乗入れ構台の支柱の位置は、使用する施工機械や車両の配置によって決めた。

4.　乗入れ構台の幅は、車両の通行を２車線とするため、７mとした。

■■■　　解説　　■■■■■■■■■■■■■■■■■■■■■■■■■■■■■■■■

1.　山留めの切梁支柱と構台支柱を**兼用**する場合、切梁から伝達される荷重に乗入れ構台の自重と、その他の積載荷重を合せた荷重の安全性を構造計算で確認し施工する。

2.　乗込みスロープの**勾配**は、急になると工事用機械や車両の出入りに支障を生じるおそれがあるので、１／10〜１／６程度とする。

3.　**構台の支柱の位置**は、地下躯体図等を参考にして、基礎梁、柱、梁等の位置と重ならないように配置する。

4.　構台の**幅員**は、施工機械や乗り入れる車両の大きさ、車両の使用状況や進行頻度等を考慮して、**４〜10m**とするが、幅が狭いときは、車両が曲がるための隅切りを設ける。最小限**１車線**で**４m**、**２車線**で**6m**程度は必要である。最近の大規模掘削では、８mや10mの幅員の乗入れ構台が設けられるようになった。

R03-21 A

【問題　95】　乗入れ構台及び荷受け構台の計画に関する記述として、**最も不適当なもの**は
　　　どれか。

1. クラムシェルが作業する乗入れ構台の幅は、ダンプトラック通過時にクラムシェ
   ルが旋回して対応する計画とし、8mとした。

2. 乗入れ構台の高さは、大引下端が床スラブ上端より30cm上になるようにした。

3. 荷受け構台への積載荷重の偏りは、構台全スパンの60%にわたって荷重が分布
   するものとした。

4. 荷受け構台の作業荷重は、自重と積載荷重の合計の5%とした。

■　解説

1. 乗入れ構台の**幅員**は、建設機械等により決めるが、ダンプトラック通過時にクラムシェ
   ルが旋回して対応する場合、8mは必要である。

2. 構台の**大引の下端**は、1階床の躯体コンクリート打設時に床の均し作業ができるよう
   に、コンクリート床上面より20cm〜30cm程度上に設定する。

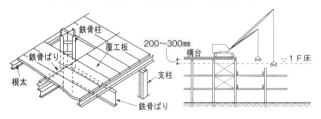

乗入れ構台と鉄骨柱の位置

3. 荷受け構台を構成する部材については、積載荷重の偏りを考慮して検討する。通常は、
   構台の全スパンの**60%**にわたって、積載荷重が分布するものと仮定して検討する。

4. 荷受け構台の**作業荷重**は、**自重**と**積載荷重**の合計の**10%**とする。

R02-21 A　　　　　　　　　　　　　　　CHECK ☐☐☐☐☐

【問題　96】　乗入れ構台の計画に関する記述として、**最も不適当なもの**はどれか。

　　1.　乗入れ構台の支柱と山留めの切梁支柱は、荷重に対する安全性を確認したうえで兼用した。

　　2.　道路から乗入れ構台までの乗込みスロープは、勾配を 1 ／ 8 とした。

　　3.　幅が 6 mの乗入れ構台の交差部は、使用する施工機械や車両の通行の安全性を高めるため、隅切りを設置した。

　　4.　乗入れ構台の支柱は、使用する施工機械や車両の配置によって、位置を決めた。

━━━ 　解説 　━━━━━━━━━━━━━━━━━━━━━━━━━━━━━━━━

1.　山留めの切梁支柱と構台支柱を**兼用**する場合、切梁から伝達される荷重に乗入れ構台の自重と、その他の積載荷重を合せた荷重の安全性を構造計算で確認し施工する。

2.　乗込みスロープの**勾配**は、急になると工事用機械や車両の出入りに支障を生じるおそれがあるので、 1 /10～ 1 ／ 6 程度とする。

3.　**構台の幅員**は、施工機械や乗り入れる車両の大きさ、車両の使用状況や進行頻度等を考慮して、 4 ～10mとするが、幅が狭いときは、車両が曲がるための隅切りを設ける。

隅切り

一般に 4 ～10m

4.　**構台の支柱の位置**は、地下躯体図等を参考にして、基礎梁、柱、梁等の位置と重ならないように配置する。

正答　4

R01-21 A

【問題　97】　乗入れ構台の計画に関する記述として、**最も不適当なもの**はどれか。

1.　乗入れ構台の支柱の位置は、基礎、柱、梁及び耐力壁を避け、5m間隔とした。

2.　乗入れ構台の幅は、車の通行を2車線とするため、5mとした。

3.　垂直ブレース及び水平つなぎの設置は、所定の深さまでの掘削ごとに行うこととした。

4.　垂直ブレースの撤去は、支柱が貫通する部分の床開口部にパッキング材を設けて、支柱を拘束した後に行うこととした。

■■■■　解説　■■■■

1.　乗入れ構台の**支柱**の位置は、基礎梁、柱、梁などの位置と重ならないように配置し、**間隔は3〜6m程度**とする。

2.　構台の**幅員**は、施工機械や乗り入れる車両の大きさ、車両の使用状況や進行頻度等を考慮して、4〜10mとするが、幅が狭いときは、車両が曲がるための隅切りを設ける。最小限1車線で4m、2車線で6m程度は必要である。最近の大規模掘削では、8mや10mの幅員の乗入れ構台が設けられるようになった。

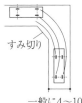

すみ切り

一般に4〜10m

3.　**水平つなぎとブレース**は、横ゆれ防止や支柱の座屈長さを短くするために入れるので、各根切り段階の**終了時**ごとに入れるべきである。

4.　地下立上り部の躯体にブレースが当たる場合、構台の支柱が貫通している各階の床開口部を補強しパッキン等で拘束して固定度を確保できれば、ブレースを撤去できる。

正答　2

H30-21 A

【問題　98】　乗入れ構台の計画に関する記述として、**最も不適当なもの**はどれか。

1.　構台の支柱の位置は、使用する施工機械、車両の配置によって決めた。

2.　道路から構台までの乗込みスロープの勾配は、1／8とした。

3.　1階床面と現状地盤面がほぼ同じ高さなので、構台の床面は1階床面より1.2m
　　高くした。

4.　山留めの切梁支柱と乗入れ構台の支柱は、荷重に対する安全性を確認した上で兼
　　用した。

■■■　解説　■■■

1.　**構台の支柱の位置**は、地下躯体図等を参考にして、**基礎梁**、**柱**、**梁**等の位置と重なら
　　ないように配置する。

2.　乗込みスロープの**勾配**は、急になると工事用機械や車両の出入りに支障を生じるおそ
　　れがあるので、1／10～1／6程度とする。

3.　1階床部の鉄筋コンクリート作業の施工性だけみれば、構台の高さは高いほどよいが、
　　乗入れ部の勾配が急になりすぎると、構台本来の機能が発揮できなくなるので、1
　　FLと現状GLがほぼ等しい場合には、構台の床面は、1FL＋1m程度に設定するのが
　　一般的である。

4.　山留めの切梁支柱と構台支柱を**兼用**する場合、切梁から伝達される荷重に乗入れ構台
　　の自重と、その他の積載荷重を合せた荷重の安全性を**構造計算**で確認し施工する。

正答　1

R04-22 A　　　　　　　　　　　　　　　　CHECK ☐☐☐☐☐

【問題　99】　土工事に関する記述として、**最も不適当なもの**はどれか。

1. 根切り底面下に被圧帯水層があり、盤ぶくれの発生が予測されたため、ディープウェル工法で地下水位を低下させた。

2. 法付けオープンカットの法面保護をモルタル吹付けで行うため、水抜き孔を設けた。

3. 粘性土地盤を法付けオープンカット工法で掘削するため、円弧すべりに対する安定を検討した。

4. ヒービングの発生が予測されたため、ウェルポイントで掘削場内外の地下水位を低下させた。

解説

1. 根切り底面下に**盤ぶくれ**の発生が予想された場合の対策の１つに、被圧水頭を下げる方法があり、**ディープウェル**等の排水工法により行う。

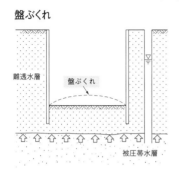

盤ぶくれ

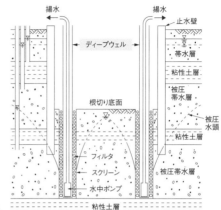

ディープウェル（深井戸）工法

2. **法付けオープンカット工法**は、法面保護のためにモルタル吹付け、シート張り、排水溝・集水溝の設置等を行う。モルタル吹付けの場合は法面に水抜き穴を設ける。

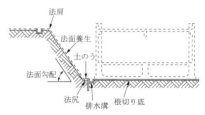

のり付けオープンカット工法

3. 地盤全体の安定の検討には、すべり面の形状が経験的に円形に近いことから、円形すべり面を仮定するのが一般的である。

4. ヒービングは、掘削場内外の地下水位を低下させても、山留め壁の背面土圧にはほとんど影響しないので、ヒービング発生防止の効果は少ない。なお、ボイリング発生防止としては有効である。

R02-22 A

【問題 100】　土工事に関する記述として、**最も不適当なもの**はどれか。

1. ヒービングとは、軟弱な粘性土地盤を掘削する際に、山留め壁の背面土のまわり込みにより掘削底面の土が盛り上がる現象をいう。

2. 盤ぶくれとは、掘削底面付近の砂地盤に上向きの水流が生じ、砂が持ち上げられ、掘削底面が破壊される現象をいう。

3. クイックサンドとは、砂質土のように透水性の大きい地盤で、地下水の上向きの浸透力が砂の水中での有効重量より大きくなり、砂粒子が水中で浮遊する状態をいう。

4. パイピングとは、水位差のある砂質地盤中にパイプ状の水みちができて、砂混じりの水が噴出する現象をいう。

■　解説

1.　**ヒービング**とは、軟弱な**粘性土地盤**を掘削する際に、根切り底面に周囲の地盤が山留め壁を回り込んで盛り上がってくる現象をいう。

2.　問題文は、ボイリング現象である。**ボイリング**現象は、掘削底面付近の**砂質地盤**に上向きの浸透流が生じ、水の圧力で砂粒子が水中で浮遊する状態（クイックサンド）となると、地盤は支持力を失い、沸騰したような状態で付近の地盤が破壊し、山留め壁の安全性を損なうおそれのある現象である。

3.　**砂質地盤**で水頭差が大きい場合、根切り底面付近の上向きの浸透流により、ボイリング現象が生じるが、この砂の粒子が水中で浮遊する状態を**クイックサンド**という。

4.　**パイピング**とは、**砂質土**の地盤で浸透水流によりパイプ状の孔や水みちができる現象をいう。

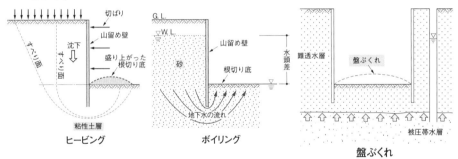

ヒービング　　　ボイリング　　　盤ぶくれ

正答 **2**

H30-22 A

【問題 101】　土工事に関する記述として、**最も不適当なもの**はどれか。

1. 根切り底面下に被圧帯水層があり、盤ぶくれの発生が予測されたので、ディープウェル工法で地下水位を低下させた。

2. ボイリング対策として、周辺井戸の井戸枯れや軟弱層の圧密沈下を検討し、ディープウェル工法で地下水位を低下させた。

3. 床付け地盤が凍結したので、凍結した部分は良質土と置換した。

4. ヒービングの発生が予測されたので、ウェルポイントで掘削場内外の地下水位を低下させた。

解説

1. 根切り底面下に**盤ぶくれ**の発生が予想された場合の対策の1つに、被圧水頭を下げる方法があり、**ディープウェル**等の排水工法により行う。

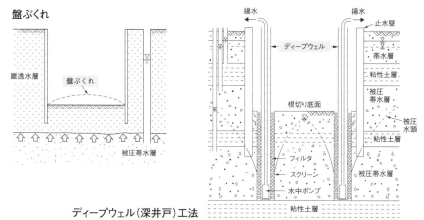

2. **ボイリング**は、砂中を上向きに流れる水の圧力のために砂粒子が根切り場内にわき上がってくる現象で、ボイリングの防止には下記のような対策がある。

①山留め壁の**根入れ長さ**を延長する。

②**ディープウェル**、**ウェルポイント**等により、**地下水位を低下**させる。

3. 床付け地盤は、凍結しないようにし、埋戻し・盛土・地ならしには、凍結している土砂を使用してはならない。凍結させた場合は、**良質土**と**置換**するなどの処置が必要である。

4. **ヒービング**は、掘削場内外の地下水位を低下させても、山留め壁の背面土圧にはほとんど影響しないので、ヒービング発生防止の効果は少ない。なお、ボイリング発生防止としては有効である。

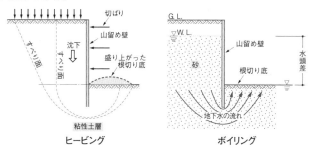

正答 4

R05-22 A

【問題 102】 地下水処理工法に関する記述として、**最も不適当なもの**はどれか。

1. ディープウェル工法は、初期のほうが安定期よりも地下水の排水量が多い。

2. ディープウェル工法は、透水性の低い粘性土地盤の地下水位を低下させる場合に用いられる。

3. ウェルポイント工法は、透水性の高い粗砂層から低いシルト質細砂層までの地盤に用いられる。

4. ウェルポイント工法は、気密保持が重要であり、パイプの接続箇所で漏気が発生しないようにする。

■ 解説

1. ディープウェル工法の排水量は、揚水量の計算により行うが、安定期の定常状態に対して計算したもので、揚水初期の非定常状態では計算値より大量の揚水が必要となる。

2. **ディープウェル**は、井戸掘削機械により、直径400〜1,000mm程度の孔を掘削し、この孔にスクリーンを有する井戸管を挿入し、孔壁と井戸管との隙間にフィルター材を投入して施工した井戸に高揚程の水中ポンプを設置したものである。**砂層**や**砂礫層**などの**透水性**のよい**地盤**の地下水を低下させる場合に用いられる。

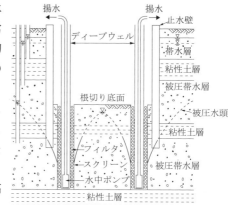

ディープウェル（深井戸）工法

3. **ウェルポイント工法**は、長さ0.7〜1m、径6cm程度の吸水管（ウェルポイント）をライザーパイプにつないで対象層に0.7〜2mピッチで打設し、ヘッダーパイプを通じ真空度をかけて排水する工法である。透水性の高い**砂層**から低い**砂質シルト層**までの地盤に適用可能である。可能水位低下深さはヘッダーパイプ（集水管）より4〜6mである。

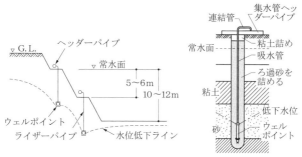

ウェルポイント工法

4. **ウェルポイント工法**は、気密保持が重要であり、パイプの接続箇所で**漏気**が発生しないようにする。

正答 2

【問題 103】　地下水処理工法に関する記述として、**最も不適当なもの**はどれか。

1. 釜場工法は、根切り部への浸透水や雨水を根切り底面に設けた釜場に集め、ポンプで排水する工法である。

2. ウェルポイント工法は、透水性の高い粗砂層から低いシルト質細砂層までの地盤に用いられる。

3. ディープウェル工法は、透水性の低い粘性土地盤の地下水位を低下させる場合に用いられる。

4. 止水工法は、山留め壁や薬液注入などにより、掘削場内への地下水の流入を遮断する工法である。

解説

1. 重力排水工法には、**釜場工法**や**ディープウェル工法**等がある。釜場工法は、根切り部へ浸透・流水してきた水を、釜場と称する根切り底面より、やや深い集水場所に集め、ポンプで排水する最も単純で容易な工法であるが、湧水に対して安定性の**低い地盤**への適用は、ボイリングを発生させ地盤を緩めることになるので好ましくない。

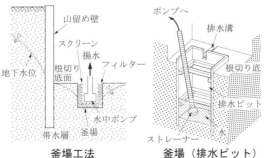

釜場工法　　　　　　　　釜場（排水ピット）

2. **ウェルポイント工法**は、長さ0.7〜1m、径6cm程度の吸水管（ウェルポイント）をライザーパイプにつないで対象層に0.7〜2mピッチで打設し、ヘッダーパイプを通じ真空度をかけて排水する工法である。透水性の高い**砂層**から低い**砂質シルト層**までの地盤に適用可能である。可能水位低下深さはヘッダーパイプ（集水管）より4〜6mである。

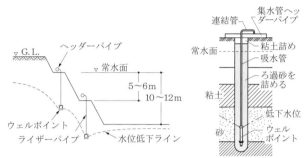

ウェルポイント工法

3. **ディープウェル**は、井戸掘削機械により、直径400〜1,000mm程度の孔を掘削し、この孔にスクリーンを有する井戸管を挿入し、孔壁と井戸管との隙間にフィルター材を投入して施工した井戸に高揚程の水中ポンプを設置したものである。**砂層**や**砂礫層**などの**透水性**のよい**地盤**の地下水を低下させる場合に用いられる。

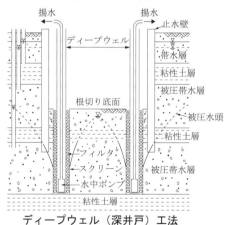

ディープウェル（深井戸）工法

4. 地下水処理の方法としては、**釜場排水**、**ウェルポイント工法**、**ディープウェル工法**などに代表される排水工法、止水性の山留め壁、薬液注入工法などにより地下水の流れを止めて掘削場内に地下水が流れないようにする止水工法、空気圧あるいは水圧により掘削場内と外部の水圧を均衡させる抗水圧工法がある。

正答 3

R04−23 A

【問題 104】　山留め工事の管理に関する記述として、**最も不適当なもの**はどれか。

1. 傾斜計を用いて山留め壁の変形を計測する場合には、山留め壁下端の変位量に注意する。

2. 山留め壁周辺の地盤の沈下を計測するための基準点は、工事の影響を受けない付近の構造物に設置する。

3. 山留め壁は、変形の管理基準値を定め、その計測値が管理基準値に近づいた場合の具体的な措置をあらかじめ計画する。

4. 盤圧計は、切梁と火打材との交点付近を避け、切梁の中央部に設置する。

■■■ 解説 ■■■

1. **挿入式傾斜計**を用いた計測の場合、山留め壁の根入れ部分の変位が大きくなるような軟弱な沖積粘性土地盤のケースでは、別の方法で頭部の変位を測定したものと合わせて判断する必要がある。

2. 山留め壁周辺の**地盤の沈下**を計測するための**基準点**は、**工事の影響を受けない**付近の**複数**の**構造物**に設ける。

3. 山留め壁は、**変形の管理基準値**を定めておき、その計測値が管理基準値に近づいた場合は、具体的な措置をどのように行うか、あらかじめ計画する必要がある。

4. **油圧式荷重計**（**盤圧計**）は、切梁にかかる全荷重を測定するため、切梁の中央部を避け、**火打梁**との**交点**に近い位置に設置する。

腹起しと切ばりの接合部

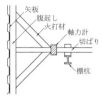

火打材の基部

正答 4

R02−23 A

【問題 105】　ソイルセメント柱列山留め壁に関する記述として、**最も不適当なものはどれ**か。

1.　多軸のオーガーで施工する場合、大径の玉石や礫が混在する地盤では、先行削孔併用方式を採用する。

2.　掘削土が粘性土の場合、砂質土に比べて掘削撹拌速度を速くする。

3.　H形鋼や鋼矢板などの応力材は、付着した泥土を落とし、建込み用の定規を使用して建て込む。

4.　ソイルセメントの硬化不良部分は、モルタル充填や背面地盤への薬液注入などの処置を行う。

■ 解説 ■

1. 設問のとおり。なお、**先行削孔併用方式**とは、始めに単軸機で一定間隔に先行掘削し、その後多軸機により先行部分とオーバーラップさせて施工する方式をいう。

2. **ソイルセメント山留め壁**は、掘削攪拌機や回転チェーンカッター機により、原位置土とセメント系懸濁液を混合かく拌してソイルセメントを造成する止水性のある山留め壁で、ソイルセメントだけで造る場合と、その中にH形鋼・鋼管などの応力材を挿入する場合がある。掘削・攪拌を行うための通りやレベルの確認はガイド定規を敷設して行う。標準の掘削・かく拌速度は表のとおりである。

標準掘削・攪拌速度

土質	掘削・撹拌速度(m/min)	引き上げ撹拌速度(m/min)
粘性土	0.5～1.0	
砂質土	1.0～1.5	
砂礫土		1～2
粘 土 および 特殊土	現場状況による	

3. H形鋼や鋼矢板などの応力材は、これらに付着した泥土やごみを建込み前に落とし、建込み用の定規を使用して建て込む。

4. 根切り時にソイルセメントの硬化不良部分を発見した場合、不良部分へのモルタル充填や薬液注入、背面地盤への薬液注入等の処置を速やかに行う。

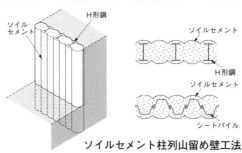

ソイルセメント柱列山留め壁工法

H30-23 A

【問題 106】　ソイルセメント柱列山留め壁に関する記述として、**最も不適当なもの**はどれか。

1. 山留め壁の構築部に残っている既存建物の基礎を貫通するためのロックオーガーの径は、ソイルセメント施工径より小さくする。

2. ソイルセメントの硬化不良部分は、モルタル充填や背面地盤への薬液注入などの処置を行う。

3. セメント系注入液と混合撹拌する原位置土が粗粒土になるほど、ソイルセメントの一軸圧縮強度が大きくなる。

4. ソイルセメントの中に挿入する心材としては、H形鋼などが用いられる。

● ━━ 解説 ━━━━━━━━━━━━━━━━━━

1. 山留め壁の構築部に残っている既存建物を先行解体する場合、施工精度を上げるため、施工に先立ちソイルセメント施工径より**大きな径の**ロックオーガー機等を用いて行う。

2. 根切り時にソイルセメントの硬化不良部分を発見した場合、不良部分へのモルタル充填や薬液注入、**背面地盤**への薬液注入等の処置を**速やかに**行う。

3. ソイルセメントの一軸圧縮試験による圧縮強度は、土全体の粗粒分が大きいほど大きくなる。

4. ソイルセメントの応力材の心材として、H形鋼、I形鋼、鋼管等が用いられる。

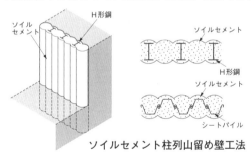

ソイルセメント柱列山留め壁工法

R05-23 A

【問題 107】 既製コンクリート杭の施工に関する記述として、**最も不適当なもの**はどれか。

1. 荷降ろしのため杭を吊り上げる場合、安定するように杭の両端から杭長の$\frac{1}{10}$の2点を支持して吊り上げる。

2. 杭に現場溶接継手を設ける際には、原則として、アーク溶接とする。

3. 継ぎ杭で、下杭の上に杭を建て込む際には、接合中に下杭が動くことがないように、保持装置に固定する。

4. PHC杭の頭部を切断した場合、切断面から350mm程度まではプレストレスが減少しているため、補強を行う必要がある。

■ 解説

1. 杭には**曲げモーメント**が**最小**となる支持点位置がある（2点支持の場合は杭の両端から杭長の１／５の点）。積込み・荷卸し（荷降ろし）は、支持点近くの**2点**で支持し、注意して取り扱う。

2. 杭に現場溶接継手を設ける場合、原則として、**アーク溶接**とし、その溶接方法・溶接材料・溶接技能者・溶接作業および溶接部の検査は特記による。

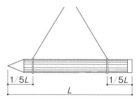

積込み・荷卸し

3. 杭の建込み時および継手施工時（機械式継手時、溶接継手時）は、杭打ち機、クレーン、もしくは固定治具などにより杭を確実に保持し、掘削孔中に落下させることないように注意し、上下の杭の**軸心**を**一致**させ、所定の**鉛直精度**を確保する。

4. **プレストレス杭**（PHC杭）の頭部を**切断**した場合は、切断面から**350mm**程度プレストレスが減少している。したがって、その部分は、RC杭などと同様になると考えられるので補強が必要である。

正答　1

R03−23 A

【問題 108】 既製コンクリート杭の施工に関する記述として、**最も不適当なもの**はどれか。

1. 砂質地盤における中掘り工法の場合、先掘り長さを杭径よりも大きくする。

2. 現場溶接継手を設ける場合、原則としてアーク溶接とする。

3. 現場溶接継手を設ける場合、許容できるルート間隔を 4 mm以下とする。

4. PHC杭の頭部を切断した場合、切断面から350mm程度まではプレストレスが減少しているため、補強を行う必要がある。

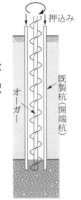

解説

1. **中掘り工法**では、砂質地盤の場合、掘削中、必要以上に先掘りすると、緩みがはげしいので先掘り長さを少なくし、**杭径以内**に調整することが望ましい。

2. 杭に現場溶接継手を設ける場合、原則として**アーク溶接**とし、その溶接方法・溶接材料・溶接技能者・溶接作業および溶接部の検査は特記による。

3. 杭の溶接継手の開先の**食違い量**は2mm以下、許容できる**ルート間隔の最大値**は4mm以下とする。

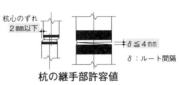

杭の継手部許容値

中掘り工法

4. **プレストレス杭**(PHC杭)の頭部を**切断**した場合は、切断面から350mm程度プレストレスが減少している。したがって、その部分は、RC杭などと同様になると考えられるので補強が必要である。

R01−24 A

【問題 109】 既製コンクリート杭の施工に関する記述として、**最も不適当なもの**はどれか。

1. 中掘り工法では、砂質地盤の場合、先掘り長さを杭径よりも大きくする。

2. PHC杭の頭部を切断した場合、切断面から350mm程度まではプレストレスが減少しているため、補強を行う必要がある。

3. セメントミルク工法では、アースオーガーは掘削時及び引上げ時とも正回転とする。

4. 杭の施工精度は、傾斜を 1 /100以内とし、杭心ずれ量は杭径の 1 / 4 、かつ、100mm以下とする。

解説

1. **中掘り工法**では、砂質地盤の場合、掘削中、必要以上に先掘りすると、緩みがはげしいので先掘り長さを**少なくし**、**杭径**以内に調整することが望ましい。

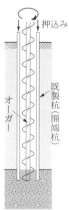

押込み

既製杭（開端杭）

オーガー

中掘り工法

2. プレストレス杭(PHC杭)の頭部を**切断**した場合は、切断面から**350mm**程度プレストレスが減少している。したがって、その部分は、RC杭などと同様になると考えられるので補強が必要である。

3. **オーガー**を引上げる際、地盤へのくい込みがよい掘削機器ほど、また引上げ速度の速いほど底面に吸引力を生じ、掘削面以下の土砂を吸上げかく乱する結果となる。また、逆回転させるとこれに付着した土砂が孔底に落下するので、**逆回転**させてはならない。

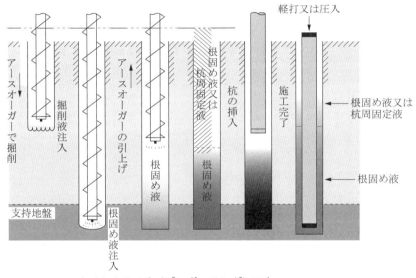

セメントミルク（プレボーリング）工法

4. 設置された既製杭の施工精度は、**鉛直精度１/100以内**、水平方向の**心ずれ量**は**杭径**の１/４、かつ、**100mm以下**が一般的な目安とされている。

R04−24 C

【問題 110】　場所打ちコンクリート杭地業に関する記述として、**最も不適当なもの**はどれか。

1. コンクリートの打込みにおいて、トレミー管のコンクリート中への挿入長さが長すぎると、コンクリートの流出が悪くなるため、最長でも9m程度とした。

2. アースドリル工法における鉄筋かごのスペーサーは、孔壁を損傷させないよう、平鋼を加工したものを用いた。

3. オールケーシング工法における孔底処理は、孔内水がない場合やわずかな場合にはハンマーグラブにより掘りくずを除去した。

4. リバース工法における孔内水位は、地下水位より1m程度高く保った。

━━ 解説 ━━

1. **トレミー管の先端**は、コンクリートの中に常に**2m以上**
入っているようにする。ただし、トレミー管のコンクリー
ト中への挿入長さが長すぎると、コンクリートの流出抵抗
が大きくなりすぎるので、最長9m程度にするのがよい。

2. アースドリル工法における鉄筋かごのスペーサーは、ケー
シングチューブを用いないので、孔壁を損傷しないように
鉄筋ではなく鋼板(平鋼)4.5×38mmあるいは4.5×50mm
程度の帯鋼板を用いる。

3. **オールケーシング工法**の**スライム処理**は、孔内水がない場
合や少ない場合は、掘りくずや沈殿物が少ないので、掘削
完了後にハンマークラブで静かに孔底をさらう。

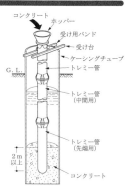

トレミー管の接続 (フランジ式)

4. **リバース工法**は、孔内に水を満たし、常に地下水位より**2m以上**の孔内水頭を保ち、
掘孔壁面を内側から圧して外水圧および土圧を均衡させることにより孔壁面を安定さ
せる。

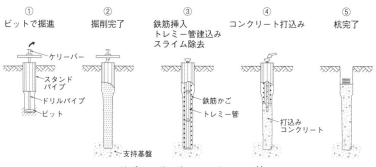

リバースサーキュレーション工法

R02−24 A　　　　　　　　　　　　　　　　　　　CHECK ☐☐☐☐☐

【問題 111】 場所打ちコンクリート杭地業に関する記述として、**最も不適当なもの**はどれか。

1. リバース工法における2次孔底処理は、一般にトレミー管とサクションポンプを連結し、スライムを吸い上げて排出する。

2. オールケーシング工法における孔底処理は、孔内水がない場合やわずかな場合にはハンマーグラブにより掘りくずを除去する。

3. 杭頭部の余盛り高さは、孔内水がない場合は50cm以上、孔内水がある場合は80〜100cm程度とする。

4. アースドリル工法における鉄筋かごのスペーサーは、D10以上の鉄筋を用いる。

━━━ 解説 ━━━

1. **リバース工法の2次スライム処理**は、一般的には、トレミー管と**サクションポンプ**を連結してスライムを吸い上げて排出する方法か、**水中ポンプ**による方法がある。

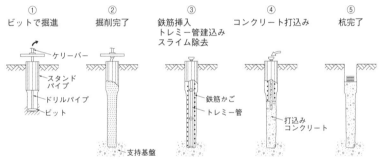

① ビットで掘進　② 掘削完了　③ 鉄筋挿入 トレミー管建込み スライム除去　④ コンクリート打込み　⑤ 杭完了

ケリーバー
スタンドパイプ
ドリルパイプ
ビット
鉄筋かご
トレミー管
打込みコンクリート
支持基盤

リバースサーキュレーション工法

2. **オールケーシング工法のスライム処理**は、孔内水がない場合や少ない場合は、掘りくずや沈殿物が少ないので、掘削完了後に**ハンマークラブ**で静かに孔底をさらう。

3. 杭頭部の**余盛り**の高さは、孔内水が多い場合には**800mm以上**、少ない場合には**500mm以上**とする。

4. **アースドリル工法**における鉄筋かごの**スペーサー**は、ケーシングチューブを用いないので、孔壁を損傷しないように鉄筋ではなく**鋼板4.5×38mm**あるいは4.5×50mm程度の**帯鋼板**を用いる。

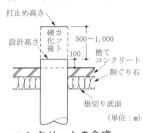

コンクリートの余盛

正答 4

H30-24 A

【問題 112】　アースドリル工法による場所打ちコンクリート杭地業に関する記述として、**最も不適当なもの**はどれか。

1.　掘削終了後、鉄筋かごを建て込む前に１次孔底処理を行い、有害なスライムが残留している場合には、コンクリートの打込み直前に２次孔底処理を行う。

2.　安定液は、必要な造壁性があり、できるだけ高粘度、高比重のものを用いる。

3.　掘削深さの確認は、検測器具を用いて孔底の４か所以上で検測する。

4.　地下水がなく孔壁が自立する地盤では、安定液を使用しないことができる。

■■■■　**解説**　■■■■

1.　アースドリル工法の**スライム処理**は、**一次処理**として底ざらいバケットにより行う。バケットは杭径より10cm小さいものを用い、バケットの昇降によって孔壁が崩壊することのないよう緩やかに行う。また、鉄筋かご建込みの際の孔壁の欠損によるスライムは、**二次処理**として**水中ポンプ式**又は**サクションポンプ方式**等により除去する。

2.　アースドリル工法における**安定液の配合**は、必要な造壁性があるうえで、コンクリートとの置換を考慮して、できるだけ**低粘性・低比重**のものとするのがよい。

3.　アースドリル工法の**掘削深さ**は、**検測テープ**により深度を検測する。その場合、孔底の**４箇所以上**で行う。

4.　表層ケーシング以深の孔壁の保護は、**安定液**により行う。ただし、地下水が無く、孔壁が自立する地盤では安定液を使用しない。

R01−25 A

【問題 113】　鉄筋コンクリート構造の配筋に関する記述として、**最も不適当なもの**はどれ
　　　か。

1.　径の異なる鉄筋を重ね継手とする場合、重ね継手長さは細い方の径により算定す
　　る。

2.　壁縦筋の配筋間隔が下階と異なる場合、重ね継手は鉄筋を折り曲げずにあき重ね
　　継手とすることができる。

3.　180°フック付き重ね継手とする場合、重ね継手の長さはフックの折曲げ開始点
　　間の距離とする。

4.　梁主筋を柱にフック付き定着とする場合、定着長さは鉄筋末端のフックを含めた
　　長さとする。

　　　解説

1.　主筋等の継手の**重ね長さ**は、径の異なる主筋等を継ぐ場合、細い方の径を用いて算定
　　する。

2.　壁縦筋の配筋において、下階からの縦筋の位置がずれているときは、無理に曲げると
　　耐力が低下するので、折り曲げずに**あき重ね継手**とする。

3.　180°に限らず、フック付き重ね継手の長さは、
　　鉄筋の折曲げ開始点間の距離とし、折曲げ開始
　　点以降の**フック部**は継手長さに**含まない**。

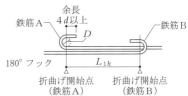

フック付き重ね継手の長さL_{1h}

4.　梁筋を外柱に定着させる部分では、通常は、90°フック付き定着とし、原則として、
　　柱せいの3／4倍以上のみ込ませて、定着長さを確保する。なお、フック付き鉄筋の
　　定着長さは、定着起点から鉄筋の折曲げ開始点までの距離とし、以降のフック部は定
　　着長さに含まない。

R02-25 Ⓐ　　　　　　　　　　　　　　CHECK ☐☐☐☐☐

【問題 114】　異形鉄筋の継手及び定着に関する記述として、**最も不適当なもの**はどれか。

1. 梁の主筋を柱内に折曲げ定着とする場合、仕口面からの投影定着長さは、柱せいの3／4倍以上とする。
2. D35以上の鉄筋には、原則として、重ね継手を用いない。
3. 大梁主筋にSD390を用いる場合のフック付定着の長さは、同径のSD345を用いる場合と同じである。
4. 腹筋に継手を設ける場合の継手長さは、150mm程度とする。

解説

1. 梁筋を外柱に定着させる部分では、通常は、90°フック付き定着とし、原則として、**柱せいの3／4倍以上のみ込ませて、定着長さ**を確保する。

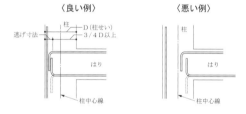

〈良い例〉　　　　　　　〈悪い例〉

逃げ寸法　柱　D（柱せい）　3／4D以上　はり　柱　はり
柱中心線　　　　　柱中心線

はりの主筋の定着

2. 太径の異形鉄筋の重ね継手は、かぶり部分のコンクリートの割裂を伴いやすいので、**D35以上の異形鉄筋には原則として重ね継手**を設けてはならない。
3. 定着長さは表のとおり。鉄筋の種類による**定着長さ**は、数値（降伏点の下限値）が**大きいほど長い。**また、**コンクリートの設計基準強度**が大きいほど**定着長さは短く**なる。

定着長さ（フックなしの場合）

設計基準強度 （コンクリート）	一　　般	
	SD345	SD390
21N／mm²	35d	40d
24〜27N／mm²	35d	40d
30〜36N／mm²	30d	35d

4. 梁の腹筋は、鉄筋コンクリートの梁の主筋と同じ方向に配置する鉄筋で、応力を負担せず、あばら筋のはらみ止めの役割を果たす補助鉄筋をいう。腹筋の継手長さは150mm程度とする。

H30−25 B

【問題 115】　異形鉄筋の定着等に関する記述として、**最も不適当なもの**はどれか。

　　ただし、dは異形鉄筋の呼び名の数値とする。

1. 大梁主筋にSD345を用いる場合の直線定着の長さは、コンクリート強度が同じならば、同径のSD390を用いる場合と同じである。

2. 梁下端筋の柱梁接合部への定着は、原則として、梁下端筋を曲げ上げる形状で定着させる。

3. 梁端の上端筋をカットオフする場合には、梁の端部から当該梁の内法長さの1／4となる点を起点とし、15d以上の余長を確保する。

4. 梁の主筋を柱内に折曲げ定着とする場合には、仕口面からの投影定着長さを柱せいの3／4倍以上とする。

━━ 解説 ━━

1. 定着長さは表のとおり。鉄筋の種類による**定着長さ**は、数値(降伏点の下限値)が**大き**いほど長い。また、**コンクリートの設計基準強度**が大きいほど**定着長さは短くなる**。

定着長さ(フックなしの場合)

設計基準強度 (コンクリート)	一般	
	SD345	SD390
21N/mm²	35d	40d
24〜27N/mm²	35d	40d
30〜36N/mm²	30d	35d

2. 梁下端筋の柱梁接合部への定着は、柱と梁・スラブの分割打設が可能である梁下端筋を**曲げ上げ定着**とするのがよい。

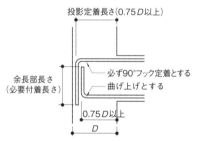

3. 梁端の上端筋をカットオフする場合には、梁の端部から当該梁の内法長さの1/4となる点を起点とし、15d以上の余長を確保する。

4. 梁筋を外柱に定着させる部分では、通常は、90°フック付き定着とし、原則として、**柱せいの3/4倍以上**のみ込ませて、**定着長さ**を確保する。

R05-24 A

【問題 116】　鉄筋の機械式継手に関する記述として、**最も不適当なもの**はどれか。

1. トルク方式のねじ節継手とは、カップラーを用いて鉄筋を接合する工法で、ロックナットを締め付けることで鉄筋とカップラーとの間の緩みを解消する。

2. グラウト方式のねじ節継手とは、カップラーを用いて鉄筋を接合する工法で、鉄筋とカップラーの節との空隙にグラウトを注入することで緩みを解消する。

3. 充填継手とは、異形鉄筋の端部に鋼管（スリーブ）をかぶせた後、外側から加圧して鉄筋表面の節にスリーブを食い込ませて接合する工法である。

4. 端部ねじ継手とは、端部をねじ加工した異形鉄筋、あるいは加工したねじ部を端部に圧接した異形鉄筋を使用し、雌ねじ加工されたカップラーを用いて接合する工法である。

■■■　解説　■■■

1.2.　**ねじ節継手**とは、鉄筋表面の節がねじ状に熱間成形されたねじ節鉄筋を使用し、雌ねじ加工されたカップラーを用いて鉄筋間を接合する工法で、カップラーの両端からロックナットを締め付けるトルク方式と、カップラーと鉄筋のすき間にモルタル又は樹脂を注入するグラウト方式がある。

3.　**充填継手**とは、内面に凹凸のついた比較的径の大きい鋼管（スリーブ）に異形鉄筋の端部を挿入した後、鋼管内に高強度の無収縮モルタルを充填して鉄筋を接合する方法で、鉄筋とスリーブの間のすき間が大きいためプレキャスト部材などの固定された鉄筋相互の接合に適している。

4.　**端部ねじ継手**とは、端部をねじ加工した異形鉄筋、あるいは加工したねじ部を端部に圧接した異形鉄筋を使用し、雌ねじ加工されたカップラーを用いて鉄筋間を接合する工法で、ねじが機械加工されているためカップラーとのゆるみが少なくグラウト注入を必要としない。

R02−26 A　　　　　　　　　　　　　　　　　CHECK ☐☐☐☐☐

【問題 117】　鉄筋の機械式継手に関する記述として、**最も不適当なもの**はどれか。

1. ねじ節継手とは、鉄筋表面の節がねじ状に熱間成形されたねじ節鉄筋を使用し、雌ねじ加工されたカップラーを用いて接合する工法である。

2. 充填継手とは、異形鉄筋の端部に鋼管（スリーブ）をかぶせた後、外側から加圧して鉄筋表面の節にスリーブを食い込ませて接合する工法である。

3. 端部ねじ継手とは、端部をねじ加工した異形鉄筋、あるいは加工したねじ部を端部に圧接した異形鉄筋を使用し、雌ねじ加工されたカップラーを用いて接合する工法である。

4. 併用継手とは、2種類の機械式継手を組み合わせることでそれぞれの長所を取り入れ、施工性を改良した工法である。

― **解説** ―

1. **ねじ節継手**とは、鉄筋表面の節がねじ状に熱間成形されたねじ節鉄筋を使用し、雌ねじ加工されたカップラーを用いて鉄筋間を接合する工法で、カップラーの両端からロックナットを締め付けるトルク方式と、カップラーと鉄筋のすき間にモルタル又は樹脂を注入するグラウト方式がある。

2. **充填継手**とは、内面に凹凸のついた比較的径の大きい鋼管（スリーブ）に異形鉄筋の端部を挿入した後、鋼管内に高強度の無収縮モルタルを充填して鉄筋を接合する方法で、鉄筋とスリーブの間のすき間が大きいためプレキャスト部材などの固定された鉄筋相互の接合に適している。

3. **端部ねじ継手**とは、端部をねじ加工した異形鉄筋、あるいは加工したねじ部を端部に圧接した異形鉄筋を使用し、雌ねじ加工されたカップラーを用いて鉄筋間を接合する工法で、ねじが機械加工されているためカップラーとのゆるみが少なくグラウト注入を必要としない。

4. **併用継手**は、ねじ節と充填を併用した継手、圧着と端部ねじ又は充填を併用した継手などがある。

正答　2

H30-26 C

【問題 118】　鉄筋の機械式継手に関する記述として、**最も不適当なもの**はどれか。

1. ねじ節継手とは、熱間形成されたねじ節鉄筋の端部に鋼管（スリーブ）をかぶせた後、外側から加圧して鉄筋表面の節にスリーブを食い込ませて接合する工法である。

2. 充填継手とは、内面に凹凸のついた比較的径の大きい鋼管（スリーブ）に異形鉄筋の端部を挿入した後、スリーブ内に高強度の無収縮モルタル等を充填して接合する工法である。

3. 端部ねじ継手とは、端部をねじ加工した異形鉄筋、あるいは加工したねじ部を端部に圧接した異形鉄筋を使用し、雌ねじ加工されたカップラーを用いて接合する工法である。

4. 併用継手は、2種類の機械式継手を組み合わせることでそれぞれの長所を取り入れ、施工性を改良したものである。

　　　解説

1. **ねじ節継手**とは、鉄筋表面の節がねじ状に熱間成形されたねじ節鉄筋を使用し、雌ねじ加工されたカップラーを用いて鉄筋間を接合する工法で、カップラーの両端からロックナットを締め付けるトルク方式と、カップラーと鉄筋のすき間にモルタル又は樹脂を注入するグラウト方式がある。設問はスリーブ圧着継手の記述である。

2. **充填継手**とは、内面に凹凸のついた比較的径の大きい鋼管（スリーブ）に異形鉄筋の端部を挿入した後、鋼管内に高強度の無収縮モルタルを充填して鉄筋を接合する方法で、鉄筋とスリーブの間のすき間が大きいためプレキャスト部材などの固定された鉄筋相互の接合に適している。

3. **端部ねじ継手**とは、端部をねじ加工した異形鉄筋、あるいは加工したねじ部を端部に圧接した異形鉄筋を使用し、雌ねじ加工されたカップラーを用いて鉄筋間を接合する工法で、ねじが機械加工されているためカップラーとのゆるみが少なくグラウト注入を必要としない。

4. **併用継手**は、ねじ節と充填を併用した継手、圧着と端部ねじ又は充填を併用した継手などがある。

R04−25 B

【問題 119】　鉄筋のガス圧接に関する記述として、**最も不適当なもの**はどれか。

　　　ただし、鉄筋は、SD345のD29とする。

1.　隣り合うガス圧接継手の位置は、300mm程度ずらした。

2.　圧接部のふくらみの長さは、鉄筋径の1.1倍以上とした。

3.　柱主筋のガス圧接継手位置は、2階の梁上端から500mm以上かつ、柱の内法高さの3／4以下とした。

4.　鉄筋の中心軸の偏心量は、5mm以下とした。

解説

1.　**ガス圧接継手**を設ける場合、隣り合う**継手の位置**は**400mm以上交互**にずらす。

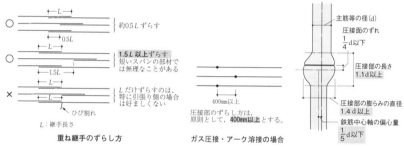

重ね継手のずらし方　　　　　ガス圧接・アーク溶接の場合

2.　圧接部の**膨らみの長さ**は鉄筋径（径の異なる場合は、細い方の鉄筋径）の**1.1倍以上**とする。

3.　柱主筋の**ガス圧接継手**の**中心位置**は、1階の梁上端より**柱せい以上**、2階の梁上端より**500mm以上**、かつ、**柱の内法の高さの3／4以内**の範囲に設ける。

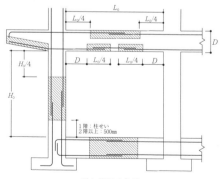

重ね継手の位置

4.　鉄筋中心軸の**偏心量**は1／5d以下、圧接面のずれは1／4d以下とする。したがって、SD345、D29の鉄筋中心軸の偏心量の許容範囲は、29÷5＝5.8mmとなり、設問の5mm以下は許容範囲内である。

正答　1

R03-24 B

【問題 120】　鉄筋のガス圧接に関する記述として、**最も不適当なもの**はどれか。

1. SD345のD29を手動ガス圧接で接合するために必要となる資格は、日本産業規格 (JIS)に基づく技量資格1種である。

2. 径の異なる鉄筋のガス圧接部のふくらみの直径は、細い方の径の1.4倍以上とする。

3. SD490の圧接に用いる加圧器は、上限圧及び下限圧を設定できる機能を有するものとする。

4. 圧接継手において考慮する鉄筋の長さ方向の縮み量は、鉄筋径の1.0～1.5倍である。

━━ 解説 ━━

1. SD345、D29の鉄筋を手動ガス圧接で接合する場合、日本産業規格(JIS)に基づく**2種以上**の技量を有する者によって行う。

圧接技量資格者の圧接作業可能範囲		
技量資格種別	作 業 可 能 範 囲	
	鉄 筋 の 材 質	鉄 筋 径
1種	S R 235　S R 295 S D 295 S D 345　S D 390	径 25 mm 以下 呼び名 D 25 以下
2種		径 32 mm 以下 **呼び名 D 32 以下**
3種	S D 490 （3・4 種のみ）	径 38 mm 以下 呼び名 D 38 以下
4種		径 50 mm 以下 呼び名 D 51 以下

2. 圧接部の**膨らみの直径**は、鉄筋径(径の異なる場合は、細い方の鉄筋径)の**1.4倍以上**、膨らみの**長さ**はその径の**1.1倍以上**とする。

3. **加圧器**は、鉄筋断面に対し所定の加圧能力を有するものとする。SD490の場合は、上限圧及び下限圧を設定できる機能を有するものとする。

4. 圧接継手の1箇所当たりの**セットアップ**(縮み)は、鉄筋径の**1～1.5倍程度**で、縮み代を見込んで加工する。

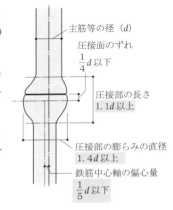

主筋等の径（d）

圧接面のずれ $\frac{1}{4}d$ 以下

圧接部の長さ 1.1d 以上

圧接部の膨らみの直径 1.4d 以上

鉄筋中心軸の偏心量 $\frac{1}{5}d$ 以下

【問題 121】　鉄筋のガス圧接に関する記述として、**最も不適当なもの**はどれか。

　　　ただし、鉄筋の種類はSD490を除くものとする。

　　1.　同一径の鉄筋の圧接部のふくらみの長さは、鉄筋径の1.1倍以上とする。

　　2.　同一径の鉄筋の圧接部のふくらみの直径は、鉄筋径の1.4倍以上とする。

　　3.　圧接端面の加工を圧接作業の当日より前に行う場合には、端面保護剤を使用する。

　　4.　鉄筋の圧接部の加熱は、圧接端面が密着するまでは中性炎で行い、その後は還元炎で行う。

● 解説

1.2.　同一径の圧接部の**膨らみの直径**は、その径の**1.4倍以上**、**膨らみの長さ**はその径の**1.1倍以上**とする。

3.　圧接作業が研削作業を行った日の翌日以後になる場合、圧接部の保護のために日本圧接協会が認定した**端面保護剤**を使用することができる。

4.　鉄筋の圧接には、酸素及びアセチレンガスの混合ガスによる酸素・アセチレン炎が用いられる。このガス炎は、それぞれのガスの供給量の割合に応じて**中性炎**（標準炎）、**還元炎**（アセチレン過剰炎）、**酸化炎**（酸素過剰炎）に分類される。圧接の初期加熱時には圧接端面間の隙間が閉じるまでは加熱中における圧

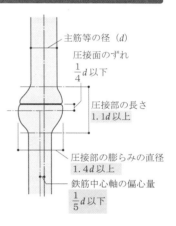

接端面の酸化を防ぐために鉄筋の中心まで届くフェザー長さの還元炎で端面を完全に覆うようにして加熱し、端面相互が密着したあとは、火力の強い**中性炎**で圧接面を中心としてバーナーを左右に揺動しながら加熱する。

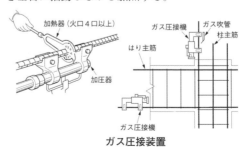

ガス圧接装置

正答　4

施

工

CHECK ☐☐☐☐☐

【問題 122】　型枠の設計に関する記述として、**最も不適当なもの**はどれか。

1. 支保工以外の材料の許容応力度は、長期許容応力度と短期許容応力度の平均値とする。

2. コンクリート型枠用合板の曲げヤング係数は、長さ方向スパン用と幅方向スパン用では異なる数値とする。

3. パイプサポートを支保工とするスラブ型枠の場合、打込み時に支保工の上端に作用する水平荷重は、鉛直荷重の5％とする。

4. コンクリート打込み時の側圧に対するせき板の許容たわみ量は、5mmとする。

━━━　解説　━━━━━━━━━━━━━━━━━━━━━━━━━━

1. 型枠の構造計算で、**許容応力度**は、**支保工以外**の材料については、長期許容応力度と短期許容応力度の**平均値**とする。

2. コンクリート型枠用合板の曲げヤング係数は、長さ方向スパン用と幅方向スパン用では異なる数値で、長さ方向スパン用は、厚さにより数値は変わり、幅方向スパン用は同じ数値である。

3. **鋼管枠以外**のものを**支柱**として用いるものであるときは、型枠支保工の上端に、設計荷重の5/100に相当する**水平方向**の荷重が作用しても安全な構造のものとする。

4. コンクリートの側圧や鉛直荷重に対する型枠の各部材は、それぞれの**変形量として3mm程度**を許容値とすることが望ましい。

正答　4

H30-27 C

【問題 123】　型枠の設計に関する記述として、**最も不適当なもの**はどれか。

1. 固定荷重の計算に用いる型枠の重量は、0.4kN / m²とする。
2. 合板せき板のたわみは、単純支持で計算した値と両端固定で計算した値の平均値とする。
3. 型枠に作用する荷重及び外力に対し、型枠を構成する各部材それぞれの許容変形量は、2 mm以下を目安とする。
4. 型枠の構造計算において、支保工以外の材料の許容応力度は、長期と短期の許容応力度の平均値とする。

■ 解説

1. 型枠に作用する鉛直荷重のうち、打込み時の鉄筋、コンクリート及び型枠の自重は固定荷重に相当し、型枠の計算に用いる普通コンクリートの重量は、一般の場合、鉄筋を含んだ単位容積重量を23.5kN / m³と考えてよい。また、鉄筋の単位容積重量は1.0kN / m²、型枠の重量は0.4kN / m²と考えてよい。
2. 型枠架構の**たわみ**の計算条件は、単純支持で計算したものと両端固定で計算したものの平均値とすることを基本とする。ただし、せき板に合板を用いる場合は転用などによる劣化のため、剛性低下を考慮し、安全側となる**単純支持**で計算した値とする。
3. 計算上のたわみ設定は、**2 mm以下**を目安とすることが望ましい。また、許容たわみ量は、3 mm程度とする。
4. 型枠の構造計算で、**許容応力度**は、支保工以外の材料については、**長期許容応力度**と**短期許容応力度**の平均値とする。

正答　2

R05-25 A　　　　　　　　　　　　　　　　CHECK ☐☐☐☐☐

【問題 124】　型枠支保工に関する記述として、最も不適当なものはどれか。

1. 支柱として用いるパイプサポートの高さが3.5mを超える場合、高さ2.5m以内ごとに水平つなぎを2方向に設けなければならない。

2. 支柱として用いる鋼管枠は、最上層及び5層以内ごとに水平つなぎを設けなければならない。

3. 支柱としてパイプサポートを用いる型枠支保工は、上端に作業荷重を含む鉛直荷重の$\dfrac{5}{100}$に相当する水平荷重が作用しても安全な構造でなければならない。

4. 支柱として鋼管枠を用いる型枠支保工は、上端に作業荷重を含む鉛直荷重の$\dfrac{2.5}{100}$に相当する水平荷重が作用しても安全な構造でなければならない。

━━━ 解説 ━━━

1. 支柱に**パイプサポート**を用いる場合、**高さが3.5mを超える**時は、**高さ2m以内**ごとに**水平つなぎを2方向**に設け、かつ、水平つなぎの変位を防止する。

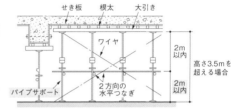

パイプサポート支柱

2. 支柱に**鋼管枠**を用いる場合、水平つなぎを**最上層及び5層以内**ごとに設け、かつ、**水平つなぎの変位**を防止する。

3. **鋼管枠以外**のものを**支柱**として用いるものであるときは、型枠支保工の上端に、設計荷重の5/100に相当する水平方向の荷重が作用しても安全な構造のものとする。

4. **鋼管枠**を**支柱**として用いるものは、当該型枠支保工の上端に設計荷重の2.5/100に相当する水平方向の荷重が作用しても安全な構造のものとすること。設計荷重とは、型枠支保工が支える物の重量に相当する荷重に、型枠1m²当たり**1.5kN**(150kg)以上の荷重を加えた荷重のことである。

正答　1

【問題 125】　型枠支保工に関する記述として、**最も不適当なもの**はどれか。

1.　支柱に使用する鋼材の許容曲げ応力の値は、その鋼材の降伏強さの値又は引張強さの値の３／４の値のうち、いずれか小さい値とする。

2.　スラブ型枠の支保工に軽量型支保梁を使用する場合、支保梁の中間部を支柱で支持してはならない。

3.　支柱に鋼管枠を使用する場合、水平つなぎを設ける位置は、最上層及び５層以内ごととする。

4.　支柱に鋼管枠を使用する型枠支保工の構造計算を行う場合、作業荷重を含む鉛直荷重の2.5／100に相当する水平荷重が作用するものとする。

施

工

■■■■　解説　■■■■■■■■■■■■■■■■■■■■■■■■■■■■■■■■■■■■■■

1.　支柱として用いる鋼材の**許容曲げ応力度**および**許容圧縮応力度**は、その鋼材の**降伏強さの値**又は**引張強さ**の値の３／４の値のうち、**いずれか小さい値**の２／３の値以下とする。

2.　スラブ型枠の支保工に用いられる**鋼製仮設梁**は、ラチス構造であり、トラス弦材には支点がないので、両端の支点以外のところには**支柱を**立ててはならない。

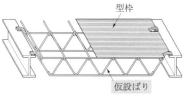

型枠

仮設ばり

仮設梁工法例

3.　支柱に**鋼管枠**を用いる場合、**最上層及び５層以内**ごとに設け、かつ、**水平つなぎ**の変位を防止する。

4.　**鋼管枠**を支柱として用いるものは、当該型枠支保工の上端に設計荷重の2.5／100に相当する**水平方向**の荷重が作用しても安全な構造のものとすること。**設計荷重**とは、型枠支保工が支える物の重量に相当する荷重に、型枠１m²当たり**1.5kN（150kg）**以上の荷重を加えた荷重のことである。

R04-26 B

【問題 126】 コンクリートの調合に関する記述として、**最も不適当なもの**はどれか。

1. 普通コンクリートに再生骨材Hを用いる場合の水セメント比の最大値は、60％とする。

2. コンクリートの調合強度を定める際に使用するコンクリートの圧縮強度の標準偏差は、コンクリート工場に実績がない場合、1.5N/mm²とする。

3. 単位水量は、185kg/m³以下とし、コンクリートの品質が得られる範囲内で、できるだけ小さくする。

4. 高強度コンクリートに含まれる塩化物量は、塩化物イオン量として0.30kg/m³以下とする。

解説

＊1. 普通コンクリートに再生骨材Hを用いる場合の水セメント比の最大値は、60％とする。

2. **調合強度**とは、コンクリートの強度を決める場合に目標とする圧縮強度。品質のばらつきや養生温度などを考慮して、**品質基準強度**に**割増し**したものをいう。

構造体コンクリートの強度管理の材齢が28日の場合、調合強度は、①式及び②式に満足するように定める。

$$F \geqq F_m + 1.73\,\sigma \ (\text{N}/\text{mm}^2) \cdot \cdot \cdot \cdot \cdot ①$$

$$F \geqq 0.85F_m + 3\,\sigma \ (\text{N}/\text{mm}^2) \cdot \cdot \cdot \cdot ②$$

F：コンクリートの調合強度(N/mm^2)

F_m：コンクリートの調合管理強度(N/mm^2)

σ：使用するコンクリートの強度の**標準偏差**(N/mm^2)でレディーミクストコンクリート工場の実績をもとに定める。実績がない場合は、**2.5N/mm²**または$0.1F_m$の大きい方の値とする。

3. **単位水量**は、**185kg/m³以下**とし、単位水量が多いほど、乾燥収縮量が大きくなる(ひび割れが生じやすくなる)ので、コンクリートの品質が得られる範囲内で、できるだけ**小さくする**。

4. **高強度コンクリート**に含まれる**塩化物量**は、**塩化物イオン量**として**0.30kg/m³以下**とする。

R03-25 A

【問題 127】 コンクリートの調合に関する記述として、**最も不適当なもの**はどれか。

1. AE剤、AE減水剤又は高性能AE減水剤を用いる普通コンクリートについては、調合を定める場合の空気量を4.5％とする。

2. 構造体強度補正値は、セメントの種類及びコンクリートの打込みから材齢28日までの期間の予想平均気温の範囲に応じて定める。

3. コンクリートの調合管理強度は、品質基準強度に構造体強度補正値を加えたものである。

4. 単位セメント量が過小のコンクリートは、水密性、耐久性が低下するが、ワーカビリティーはよくなる。

施
工

■ 解説 ■

1. AE剤、AE減水剤又は高性能AE減水剤を用いる普通コンクリートについては、調合を定める場合の**空気量を4.5%**とする。

2. 調合管理強度の算定における構造体強度補正値は、次式による。

　　　調合管理強度＝品質基準強度＋構造体強度補正値

調合管理強度は「標準養生(20℃水中養生)の供試体が持つべき強度」であり、構造体コンクリートが持つ品質基準強度に、構造体強度補正値を加えて求める。構造体強度補正値は、コンクリートの打込みから材齢28日までの期間の**予想平均気温**によって、値が異なる。

構造体強度補正値

	気温8℃以上	気温0℃以上8℃未満
構造体強度補正値 (20℃標準養生と構造体コンクリートとの強度の差)	3 N/mm² (標準養生に近い)	6 N/mm²

3. 調合管理強度は、構造体コンクリートの強度が品質基準強度を満足するようにコンクリートの調合を定める場合、標準養生した供試体が満足しなければならない圧縮強度のことである。**調合管理強度**は、**品質基準強度**に**構造体強度補正値**を加えたものである。

4. **単位セメント量**が過少なコンクリートは、ガサついたコンクリートで、ワーカビリティーが悪くなり、水密性、耐久性の低下の原因となる。このため、単位セメント量の**最小値**を270kg/m³とする。

正答 4

R02-28 Ａ

【問題 128】 構造体コンクリートの調合に関する記述として、**最も不適当なもの**はどれか。

1. アルカリシリカ反応性試験で無害でないものと判定された骨材であっても、コンクリート中のアルカリ総量を3.0kg/m³以下とすれば使用することができる。
2. コンクリートの単位セメント量の最小値は、一般に250kg/m³とする。
3. 細骨材率が大きくなると、所定のスランプを得るのに必要な単位セメント量及び単位水量は大きくなる。
4. 水セメント比を小さくすると、コンクリート表面からの塩化物イオンの浸透に対する抵抗性を高めることができる。

■■■ 解説 ■■■

1. 抑制対策としては、普通ポルトランドセメントを使用したコンクリート1m³中に含まれる**アルカリ総量**は、**3.0kg以下**である。
2. 普通コンクリートの**単位セメント量**は、ひび割れ等の観点から少ない方がよいが、過小すぎるとワーカビリティーが悪くなるため、**最小値は270kg/m³**と定められている。
3. **細骨材率を大きく**すると、所要スランプを得るには単位セメント量及び単位水量を多く必要とする。
4. **水セメント比を低減**すると、ち密なコンクリートとなり塩化物イオンの浸透に対する**抵抗性を高める**効果がある。

普通コンクリートの調合

水セメント比	65%以下
単位水量	185kg/m³以下
単位セメント量	270kg/m³以上
	290kg/m³以上（高性能AE減水剤）
スランプ	18cm以下
	21cm以下（調合管理強度33N/mm²以上）
空気量	4.5%

正答 2

R01-28 B

【問題 129】 コンクリートの調合に関する記述として、**最も不適当なもの**はどれか。

1. 単位水量は、185kg／m³以下とし、コンクリートの品質が得られる範囲内で、できるだけ小さくする。

2. 単位セメント量が過小の場合、ワーカビリティーが悪くなり、水密性や耐久性の低下などを招きやすい。

3. コンクリートの調合管理強度は、品質基準強度に構造体強度補正値を加えたものである。

4. コンクリートの調合強度を定める際に使用するコンクリートの圧縮強度の標準偏差は、コンクリート工場に実績がない場合、1.5N／mm²とする。

■■■ 解説 ■■■

1. **単位水量**は、**185kg／m³以下**とし、単位水量が多いほど、乾燥収縮量が大きくなる(ひび割れが生じやすくなる)ので、コンクリートの品質が得られる範囲内で、できるだけ小さくする。

2. **単位セメント量が過少**なコンクリートは、ガサついたコンクリートで、ワーカビリティーが悪くなり、水密性、耐久性の低下の原因となる。このため、単位セメント量の最小値を**270kg／m³**とする。

3. **調合管理強度**は、構造体コンクリートの強度が品質基準強度を満足するようにコンクリートの調合を定める場合、標準養生した供試体が満足しなければならない圧縮強度のことである。調合管理強度は、品質基準強度に構造体強度補正値を加えたものである。

4. **調合強度**とは、コンクリートの強度を決める場合に目標とする圧縮強度。品質のばらつきや養生温度などを考慮して、**品質基準強度**に**割増し**したものをいう。

   構造体コンクリートの強度管理の材齢が28日の場合、調合強度は、①式及び②式に満足するように定める。

   $F \geqq F_m + 1.73\,\sigma\ (\text{N}／\text{mm}^2)$ ……………①

   $F \geqq 0.85 F_m + 3\,\sigma\ (\text{N}／\text{mm}^2)$ …………②

   F：コンクリートの調合強度($\text{N}／\text{mm}^2$)

   F_m：コンクリートの調合管理強度($\text{N}／\text{mm}^2$)

   σ：使用するコンクリートの強度の**標準偏差**($\text{N}／\text{mm}^2$)でレディーミクストコンクリート工場の実績をもとに定める。実績がない場合は、**2.5N／mm²**または$0.1F_m$の大きい方の値とする。

R05-26 A　　　　　　　　　　　　　　　　CHECK ☐☐☐☐☐

【問題 130】　コンクリートの運搬、打込み及び締固めに関する記述として、**最も不適当な**
ものはどれか。

1.　コンクリートの圧送開始前に圧送するモルタルは、型枠内に打ち込まないが、富
調合のものとした。

2.　圧送するコンクリートの粗骨材の最大寸法が20mmのため、呼び寸法100Aの輸
送管を使用した。

3.　コンクリート棒形振動機の加振は、セメントペーストが浮き上がるまでとした。

4.　外気温が25℃を超えていたため、練混ぜ開始から打込み終了までの時間を120分
以内とした。

解説

1.　コンクリートをポンプ工法により圧送する場合は、圧送に先立ち、**富調合のモルタル**
を圧送して配管内面の潤滑性を付与し、コンクリートの品質変化を防止する。先送り
モルタルは、原則として型枠内に打ち込まない。

2.　コンクリートポンプの**輸送管の呼び寸法**は、
粗骨材の最大寸法が**20mm又は25mm**の場
合で、**100A以上**を使用する。

輸送管の呼び寸法

粗骨材の	20、25	100A以上
最大寸法(mm)	40	125A以上
軽量コンクリート		

3.　**コンクリート内部振動機**(棒形振動機)で締
め固める場合、**加動時間**は、打込まれたコ
ンクリート面がほぼ水平となり、コンク
リート表面にセメントペーストが浮き上が
るときをもって標準とする。1か所**5〜15**
秒の範囲とするのが一般的である。

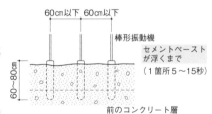

4.　**練混ぜから打込み終了までの時間**の限度は、
外気温が**25℃未満**で120分、**25℃以上**で90
分とする。

練混ぜから打込み終了までの時間

外気温	打込み時間限度
25℃未満	120分以内
25℃以上	90分以内

〈参考〉打重ね時間間隔の限度

外気温	打込み時間限度
25℃未満	150分以内
25℃以上	120分以内

正答　4

R03−26 A

【問題 131】 コンクリートの運搬、打込み及び締固めに関する記述として、**最も不適当な**ものはどれか。

1. 外気温が25℃を超えていたため、練混ぜ開始から打込み終了までの時間を90分以内とした。

2. コンクリートの圧送開始前に圧送するモルタルは、型枠内に打ち込まないが、富調合のものとした。

3. コンクリート内部振動機(棒形振動機)による締固めにおいて、加振時間を1箇所当たり60秒程度とした。

4. 同一区画のコンクリート打込み時における打重ねは、先に打ち込まれたコンクリートの再振動可能時間以内に行った。

━━ 解説 ━━

1. **練混ぜから打込み終了までの時間の限度**は、外気温が25℃未満で120分、25℃以上で90分とする。

2. コンクリートをポンプ工法により圧送する場合は、圧送に先立ち、**富調合のモルタル**を圧送して配管内面の潤滑性を付与し、コンクリートの品質変化を防止する。先送りモルタルは、原則として型枠内に打ち込まない。

3. **コンクリート内部振動機**(棒形振動機)で締め固める場合、過剰加振による材料分離防止上、**加振時間**は、1か所**5〜15秒**の範囲とするのが一般的である。

4. **打重ね時間間隔**は、一律に定めることが難しいが、一般的には、外気温が**25℃未満**の場合は**150分**、25℃以上の場合は**120分**を目安とし、先に打ち込んだコンクリートの再振動可能時間内とする。

〈参考〉練混ぜから打込み終了までの時間

外気温	打込み時間限度
25℃未満	120分以内
25℃以上	90分以内

打重ね時間間隔の限度

外気温	打込み時間限度
25℃未満	150分以内
25℃以上	120分以内

施工

正答　3

R02-29 B

【問題 132】 コンクリートの運搬及び打込みに関する記述として、**最も不適当なもの**はどれか。

1. 高性能AE減水剤を用いた高強度コンクリートの練混ぜから打込み終了までの時間は、原則として、120分を限度とする。

2. 普通コンクリートを圧送する場合、輸送管の呼び寸法は、粗骨材の最大寸法の2倍とする。

3. コンクリート棒形振動機の加振は、セメントペーストが浮き上がるまでとする。

4. 打継ぎ面への打込みは、レイタンスを高圧水洗により取り除き、健全なコンクリートを露出させてから行うものとする。

■ **解説**

1. 高性能AE減水剤を用いた**高強度コンクリート**の練混ぜから打込み終了までの時間は、外気温による影響を考慮しないで、原則として、**120分**を限度とする。

2. コンクリートポンプの輸送管の呼び寸法は、**粗骨材の最大寸法**が20mm又は25mmの場合で、**100A以上**、40mmの場合で、125A以上を使用する。粗骨材の最大寸法の2倍ではない。

輸送管の呼び寸法

粗骨材の最大寸法(mm)	20、25	100A以上
	40	125A以上
軽量コンクリート		

3. **コンクリート内部振動機**(棒形振動機)で締め固める場合、**振動時間**は、打込まれたコンクリート面がほぼ水平となり、コンクリート表面にセメントペーストが浮き上がるときをもって標準とする。1か所**5〜15秒**の範囲とするのが一般的である。

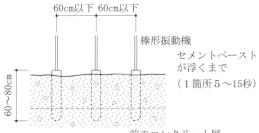

4. 打継ぎ面にある**レイタンス**は、高圧水洗等により取り除く。その際残った水は、コンクリートの**打設前**に取り除くことが必要である。

正答 2

【問題 133】　コンクリートの運搬及び打込みに関する記述として、**最も不適当なもの**はどれか。

1.　暑中コンクリートの荷卸し時のコンクリート温度は、40℃以下とした。
2.　コンクリートの圧送負荷の算定に用いるベント管の水平換算長さは、ベント管の実長の3倍とした。
3.　コンクリート内部振動機(棒形振動機)による締固めにおいて、加振時間を1箇所当たり10秒程度とした。
4.　外気温が25℃を超えていたため、練混ぜ開始から打込み終了までの時間を90分以内とした。

■　解説

1.　**暑中コンクリートの荷卸し時のコンクリートの温度は、35℃以下**とする。コンクリート温度が高くなるにしたがって、コールドジョイントやひび割れが発生しやすくなるので、荷卸し時のコンクリート温度は、できるだけ低い温度にすることが望ましい。
2.　ベント管1箇所当りの長さを1mとみなして、水平換算係数の3を掛けて、**ベント管1箇所当りの水平換算長さを3m**として計算する。したがって、ベント管の水平換算長さは、ベント管の実長の3倍とする。
3.　**コンクリート内部振動機**(棒形振動機)で締め固める場合、過剰加振による材料分離防止上、**加振時間**は、1か所**5～15秒**の範囲とするのが一般的である。

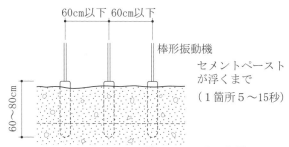

4.　**練混ぜから打込み終了までの時間**の限度は、外気温が**25℃未満で120分、25℃以上で90分**とする。

練混ぜから打込み終了までの時間

外気温	打込み時間限度
25℃未満	120分以内
25℃以上	90分以内

〈参考〉打重ね時間間隔の限度

外気温	打込み時間限度
25℃未満	150分以内
25℃以上	120分以内

H30−28 B

【問題 134】　コンクリートの運搬及び打込みに関する記述として、**最も不適当なもの**はどれか。

1. 粗骨材の最大寸法が25mmの普通コンクリートを圧送する場合の輸送管の呼び寸法は、100A以上とする。

2. コンクリートの圧送に先立ち圧送される先送りモルタルは、品質を低下させるおそれがあるので、型枠内には打ち込まない。

3. マスコンクリートの荷卸し時のコンクリート温度は、原則として、40℃以下となるようにする。

4. 高性能AE減水剤を用いた高強度コンクリートの練混ぜから打込み終了までの時間は、外気温にかかわらず、原則として、120分を限度とする。

■　解説

1. コンクリートポンプの輸送管の**呼び寸法**は、**粗骨材の最大寸法が20mm又は25mmの場合**で、**100A以上**を使用する。

輸送管の呼び寸法

粗骨材の最大寸法(mm)	20、25	100A以上
	40	125A以上
軽量コンクリート		

2. コンクリートの圧送に先立ち、**富調合**のモルタルを圧送して配管内面の潤滑性を付与し、コンクリートの品質変化を防止する。先送りモルタルの品質変化した部分は、型枠内に**打ち込まない**。

3. **マスコンクリートの荷卸し時のコンクリート温度**が高いほど内部温度上昇は速く進み、最高温度も高くなり、温度降下量も大きくなる。また、大量のコンクリートを長時間にわたって打ち込む場合、荷卸し時のコンクリート温度が高いと、セメントの水和熱による温度上昇も加わって凝結が速くなり、コールドジョイントなどの問題が生じやすい。このため、荷卸し時のコンクリート温度の**上限値**は、**35℃以下**とする。

4. 高性能AE減水剤を用いた**高強度コンクリートの練混ぜから打込み終了までの時間**は、外気温による影響を考慮しないで、原則として、**120分**を限度とする。

正答　3

H30−29 B

【問題 135】　コンクリートの養生に関する記述として、**最も不適当なもの**はどれか。

　　ただし、計画供用期間を指定する場合の級は標準とする。

1. 連続的に散水を行って水分を供給する方法による湿潤養生は、コンクリートの凝結が終了した後に行う。

2. 普通ポルトランドセメントを用いたコンクリートの打込み後5日間は、乾燥、振動等によって凝結及び硬化が妨げられないように養生する。

3. 湿潤養生の期間は、早強ポルトランドセメントを用いたコンクリートの場合は、普通ポルトランドセメントを用いた場合より短くすることができる。

4. 普通ポルトランドセメントを用いた厚さ18cm以上のコンクリート部材においては、コンクリートの圧縮強度が $5\,\mathrm{N/mm^2}$ 以上に達したことを確認すれば、以降の湿潤養生を打ち切ることができる。

■■■■　解説　■■■■

1. 打込み後のコンクリートは、日光の直射・風などにより乾燥しやすい。硬化初期の期間中に十分な水分を与えないと、セメントの水和反応に必要な水が不足し、コンクリートの強度発現に支障をきたすので、**湿潤**に保たなければならない。

2. コンクリート打込み中及び打込み後**5日間**は、乾燥、振動等によってコンクリートの凝結及び硬化が妨げられないように養生しなければならない。

3. コンクリートは、**早強ポルトランドセメント**を用いた場合は、普通ポルトランドセメントを用いた場合より湿潤養生の期間を**短く**することができる。

湿潤養生の期間

セメントの種類 ＼ 計画供用期間の級	短期 および 標準	長期 および 超長期
早強ポルトランドセメント	3日以上	5日以上
普通ポルトランドセメント	5日以上	7日以上
中庸熱・低熱・混合B種	7日以上	10日以上

4. 普通ポルトランドセメントを用いた厚さ**18cm以上**のコンクリート部材において、計画供用期間の級が短期及び標準の場合は、コンクリートの圧縮強度が**10N/mm²以上**に達したことを確認すれば、以降の湿潤養生を打ち切ることができる。

湿潤養生を打ち切ることができるコンクリートの圧縮強度

短期 標準	長期 超長期
$10\,\mathrm{N/mm^2}$以上	$15\,\mathrm{N/mm^2}$以上

正答　4

【問題 136】　鉄骨の溶接に関する記述として、**最も不適当なもの**はどれか。

1. 溶接部の表面割れは、割れの範囲を確認したうえで、その両端から50mm以上溶接部を斫り取り、補修溶接した。
2. 完全溶込み溶接の突合せ継手における余盛りの高さが3mmであったため、グラインダ仕上げを行わなかった。
3. 一般に自動溶接と呼ばれているサブマージアーク溶接を行うに当たり、溶接中の状況判断とその対応はオペレータが行った。
4. 溶接作業場所の気温が－5℃を下回っていたため、溶接部より100mmの範囲の母材部分を加熱して作業を行った。

■ 解説

1. 不合格となった溶接部の補修は、監理者と協議して行い、特に指示のない場合、**表面割れ**においては、割れの範囲を確認した上で、その両端から**50mm以上**はつりとって**舟底型**の形状に仕上げ、**補修溶接**する。
2. 過大な余盛りは、削りすぎないように注意しながらグラインダ仕上げを行う。**完全溶込み溶接**の突合せ継手の**余盛り高さ**については、最も厳しい**許容差**が3mm以下で、許容差の範囲内であるため、グラインダ仕上げを行わなくてよい。
3. **サブマージアーク溶接**は、溶接ワイヤが自動送給され、連続的に溶接が進行する自動溶接で、溶接中の状況判断とその対応を**オペレーター**が行う。
4. **気温が－5℃未満の場合**は、溶接を行ってはならない。なお、気温が**－5℃から5℃**においては、接合部より**100mmの範囲**の母材部分を適切に**加熱**すれば溶接することができる。

R01-30 B

【問題 137】 鉄骨工事の溶接に関する記述として、**最も不適当なもの**はどれか。

1. 現場溶接において、風速が5m/sであったため、ガスシールドアーク半自動溶接の防風処置を行わなかった。

2. 490N/mm²級の鋼材の組立て溶接を被覆アーク溶接で行うため、低水素系溶接棒を使用した。

3. 溶接部の表面割れは、割れの範囲を確認したうえで、その両端から50mm以上溶接部をはつり取り、補修溶接した。

4. 完全溶込み溶接の突合せ継手における余盛りの高さが3mmであったため、グラインダー仕上げを行わなかった。

━━━ **解説** ━━━

1. **ガスシールドアーク溶接**は、適切な防風処置を講じた場合を除き、風速が**2m/s以上ある場合**には、溶接を行ってはならない。

2. 400N/mm²級などの軟鋼で**板厚25mm以上**の鋼材、および490N/mm²級以上の**高張力鋼**の組立て溶接を被覆アーク溶接で行う場合には、**低水素系の溶接棒**を使用する。

3. 不合格となった溶接部の補修は、監理者と協議して行い、特に指示のない場合、表面**割れ**においては、割れの範囲を確認した上で、その両端から**50mm以上**はりとって舟底型の形状に仕上げ、補修溶接する。

欠　　　陥	原　因	対　　　策
溶込み不良 溶込み不良	速度の早すぎ。棒径過大、電流過少。開先角度の狭すぎ	アークエアガウジングにより、はつり取って実際の位置を確認し、両端より20mm程度除去し、舟底型の形状に仕上げてから再溶接する
クラック（割れ） クラック	不良溶接棒、過大電流、母材不良	その両端から50mm以上はつり取って舟底型に仕上げ、補修溶接する。低水素系溶接棒。炭素当量の少ない鋼材

4. 過大な余盛りは、削りすぎないように注意しながらグラインダ仕上げを行う。完全溶込み溶接の突合せ継手の**余盛り高さ**については、最も厳しい許容差が3mm以下で、許容差の範囲内であるため、グラインダ仕上げを行わなくてよい。

R05−27 A

【問題 138】　鉄骨の建方に関する記述として、**最も不適当なもの**はどれか。

1. 架構の倒壊防止用に使用するワイヤロープは、建入れ直し用に兼用してもよい。

2. スパンの寸法誤差が工場寸法検査で計測された各部材の寸法誤差の累積値以内となるよう、建入れ直し前にスパン調整を行う。

3. 建方に先立って施工するベースモルタルは、養生期間を 3 日間以上とする。

4. 梁のフランジを溶接接合、ウェブをボルトの配列が 1 列の高力ボルト接合とする混用接合の仮ボルトは、ボルト 1 群に対して $\frac{1}{3}$ 程度、かつ、2 本以上締め付ける。

解説

1. 架構の**倒壊防止用ワイヤロープ**を使用する場合、このワイヤロープを建入れ直し用に**兼用**してよい。

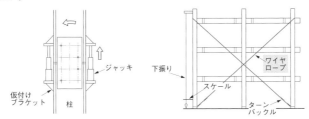

建入れ直し

2. 一般にワイヤによる建入れ直しは、スパン間を押し広げることができないので、ワイヤによる**建入れ直しの前にスパン調整**作業を行う。計測寸法が正規より小さいスパンは、ボルト接合部のクリアランスに矢を打ち込むか、又はジャッキ等を用いて押し広げて、スパンの微調整をする。

3. 鉄骨の建方に先立って行う**ベースモルタル**の施工において、ベースモルタルは、鉄骨建方までに**3日以上**の**養生期間**をとらなければならない。

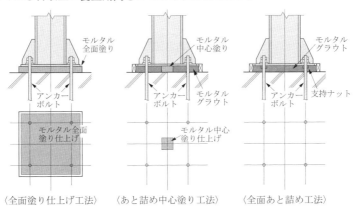

〈全面塗り仕上げ工法〉 〈あと詰め中心塗り工法〉 〈全面あと詰め工法〉

ベースプレート面とモルタル仕上げ工法

4. **混用接合**及び**併用継手**では、**仮ボルトは中ボルト**などを用い、ボルト1群に対して1／2程度かつ**2本以上**をバランスよく配置して締付ける。仮ボルトは、建方作業における部材の組立てに使用し、本締めまたは溶接までの間、予想される外力に対して架構の変形および倒壊を防ぐためのボルトである。

R03-28 A

【問題 139】 鉄骨の建方に関する記述として、**最も不適当なもの**はどれか。

   1.　架構の倒壊防止用に使用するワイヤロープは、建入れ直し用に兼用した。

   2.　建方精度の測定に当たっては、日照による温度の影響を考慮した。

   3.　梁のフランジを溶接接合、ウェブを高力ボルト接合とする工事現場での混用接合は、原則として高力ボルトを先に締め付け、その後溶接を行った。

   4.　柱の溶接継手のエレクションピースに使用する仮ボルトは、普通ボルトを使用し、全数締め付けた。

■■■■　**解説**　■■■■

1.　架構の**倒壊防止用ワイヤロープ**を使用する場合、このワイヤロープを建入れ直し用に**兼用**してよい。

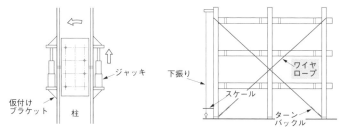

建入れ直し

2.　建方精度の測定は、温度の影響を避けるために、温度による変動の少ない一定時間に行う等の考慮が必要である。

3.　ウェブを高力ボルト接合、フランジを工事現場溶接接合とする等の混用接合は、原則として、**高力ボルトを先に締め付け**、その後溶接を行う。

4.　柱の**溶接継手**のエレクションピースに使用する仮ボルトは、全数締め付けなければならないが、普通ボルトではなく、**高力ボルトを用いる**。

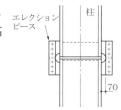

正答　4

R01-31 Ａ

【問題 140】　鉄骨の建方に関する記述として、**最も不適当なもの**はどれか。

 1. スパン間の計測寸法が正規より小さい場合は、ワイヤによる建入れ直しの前に、梁の接合部のクリアランスへのくさびの打込み等により押し広げてスパンを調整する。

 2. 柱の溶接継手のエレクションピースに使用する仮ボルトは、普通ボルトを使用して全数締め付ける。

 3. 梁のフランジを溶接接合、ウェブを高力ボルト接合とする工事現場での混用接合は、原則として高力ボルトを先に締め付け、その後溶接を行う。

 4. 建方時の予期しない外力に備えて、1日の建方終了ごとに所定の補強ワイヤを張る。

■■■■　解説　■■■■

1. 一般にワイヤによる建入れ直しは、スパン間を押し広げることができないので、ワイヤによる**建て入れ直しの前に**スパン調整作業を行う。計測寸法が正規より小さいスパンは、ボルト接合部のクリアランスに矢を打ち込むか、又はジャッキ等を用いて押し広げて、スパンの微調整をする。

2. 柱の**溶接継手のエレクションピース**に使用する仮ボルトは、**全数締め付けなければならないが、普通ボルトではなく、高力ボルト**を用いる。

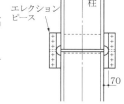

3. ウェブを高力ボルト接合、フランジを工事現場溶接接合とする等の混用接合は、原則として、**高力ボルトを先**に締め付け、その後溶接を行う。

4. 建方途中で強風や突風等の予想外の外力に備えるには、最低限の安全のために1日の建方終了ごとに、所定の補強用ワイヤを張る。

正答　2

R04-28 A

【問題 141】　大空間鉄骨架構の建方に関する記述として、**最も不適当なもの**はどれか。

1. リフトアップ工法は、地組みした所定の大きさのブロックをクレーン等で吊り上げて架構を構築する工法である。

2. 総足場工法は、必要な高さまで足場を組み立てて、作業用の構台を全域にわたり設置し、架構を構築する工法である。

3. 移動構台工法は、移動構台上で所定の部分の屋根鉄骨を組み立てた後、構台を移動させ、順次架構を構築する工法である。

4. スライド工法は、作業構台上で所定の部分の屋根鉄骨を組み立てた後、そのユニットを所定位置まで順次滑動横引きしていき、最終的に架構全体を構築する工法である。

━━━　解説　━━━━━━━━━━━━━━━━━━━━

1. **吊上げ・押上げ方式（リフトアップ・プッシュアップ方式）**とは、大空間の建物等で、あらかじめ地上で組み立てた構造物を、ジャッキなどの装置を用いて鉛直方向に吊り上げ、あるいは押上げで架構する方式である。設問の記述は、ブロック工法についてである。

2. **総足場工法**は、必要な高さまで足場を組み立てて、作業用の構台を全域にわたり設置し、架構を構築する工法である。

3. **移動構台工法**は、移動構台上で所定の部分の屋根鉄骨を組み立てたのち、構台を移動させ、順次架構し構築することで、工期短縮、コストダウン、危険作業の減少などにつながる工法である。

4. **スライド工法**は、地上及び一部分にステージを組み、ステージ上でその範囲内の大きさに屋根鉄骨を組立て、組立てられた屋根鉄骨を軒梁などに沿って移動し、それに接続し後方の屋根鉄骨を組立てる。以後この作業を繰り返し全体のトラス組立てを完了させる。

R02-31 C

【問題 142】　大空間鉄骨架構の建方に関する記述として、**最も不適当なもの**はどれか。

1. スライド工法は、移動構台上で所定の部分の屋根鉄骨を組み立てた後、構台を移動させ、順次架構を構築する工法である。

2. 総足場工法は、必要な高さまで足場を組み立てて、作業用の構台を全域にわたり設置し、架構を構築する工法である。

3. リフトアップ工法は、地上又は構台上で組み立てた屋根架構を、先行して構築した構造体を支えとして、ジャッキ等により引き上げていく工法である。

4. ブロック工法は、地組みした所定の大きさのブロックを、クレーン等で吊り上げて架構を構築する工法である。

■■■ 解説 ■■■

1. **スライド工法**は、地上及び一部分にステージを組み、ステージ上でその範囲内の大きさに屋根鉄骨を組立て、組立てられた屋根鉄骨を軒梁などに沿って移動し、それに接続し後方の屋根鉄骨を組立てる。以後この作業を繰り返し全体のトラス組立てを完了させる。したがって、構台を移動させながら行う工法ではない。

2. **総足場工法**は、必要な高さまで足場を組み立てて、作業用の構台を全域にわたり設置し、架構を構築する工法である。

3. **吊上げ・押上げ方式(リフトアップ・プッシュアップ方式)**とは、大空間の建物等で、あらかじめ地上で組み立てた構造物を、ジャッキなどの装置を用いて鉛直方向に吊り上げ、あるいは押上げで架構する方式である。

4. **ブロック工法**は、地組みした所定の大きさのブロックを、クレーン等で吊り上げて架構を構築する工法である。

正答　1

H30−31 B
CHECK ☐☐☐☐☐

【問題 143】　大空間鉄骨架構の建方に関する記述として、**最も不適当なもの**はどれか。

1.　総足場工法は、必要な高さまで足場を組み立てて、作業用の構台を全域にわたり設置し、架構を構築する工法である。

2.　スライド工法は、作業構台上で所定の部分の屋根鉄骨を組み立てたのち、そのユニットを所定位置まで順次滑動横引きしていき、最終的に架構全体を構築する工法である。

3.　移動構台工法は、移動構台上で所定の部分の屋根鉄骨を組み立てたのち、構台を移動させ、順次架構を構築していく工法である。

4.　リフトアップ工法は、地組みした所定の大きさのブロックをクレーン等で吊り上げて架構を構築する工法である。

● 解説

1.　**総足場工法**は、必要な高さまで足場を組み立てて、作業用の構台を全域にわたり設置し、架構を構築する工法である。

2.　**スライド工法**は、地上及び一部分にステージを組み、ステージ上でその範囲内の大きさに屋根鉄骨を組み立て、組み立てられた屋根鉄骨を軒梁などに沿って移動し、それに接続し後方の屋根鉄骨を組み立てる。以後この作業を繰り返し全体のトラス組立てを完了させる。

3.　**移動構台工法**は、移動構台上で所定の部分の屋根鉄骨を組み立てたのち、構台を移動させ、順次架構し構築することで、工期短縮、コストダウン、危険作業の減少などにつながる工法である。

4.　**吊上げ・押上げ方式(リフトアップ・プッシュアップ方式)**とは、大空間の建物等で、あらかじめ地上で組み立てた構造物を、ジャッキなどの装置を用いて鉛直方向に吊り上げ、あるいは押上げで架構する方式である。

正答　4

R04−27 A

【問題 144】 高力ボルト接合に関する記述として、**最も不適当なもの**はどれか。

1. 締付け後の高力ボルトの余長は、ねじ１山から６山までの範囲であることを確認した。

2. ねじの呼びがM22のトルシア形高力ボルトの長さは、締付け長さに35mmを加えた値を標準とした。

3. 高力ボルトの接合部で肌すきが１mmを超えたため、フィラープレートを入れた。

4. ナット回転法による締付け完了後の検査は、１次締付け後の本締めによるナット回転量が120°±45°の範囲にあるものを合格とした。

■■■ **解説** ■■■

1. 締付け完了後**すべて**のボルトについて、１次締付け後に付けた**マークのずれ**により、**共回りの有無、ナット回転量**及びナットから突き出た**余長**（１～６山）の過不足を**目視検査**し、異常がないものを合格とする。

2. 高力ボルトの長さ（首下長さ）は、締付け長さに表の長さを加えたものを標準とする。M22のトルシア形高力ボルトの長さは、締付け長さに35mmを加えた値を標準とする。

ボルトの呼び径		M12	M16	M20	**M22**	M24	M27	M30
締付け長さに加える長さ（単位：mm）	高力六角ボルト	25	30	35	40	45	50	55
	トルシア形高力ボルト		25	30	**35**	40	45	50

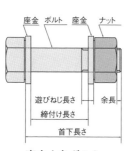

高力六角ボルト

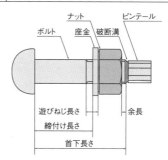

トルシア形高力ボルト

3. 部材接合面に、はだすきが生じた場合、**はだすき量**が１mmを超える場合は、**フィラー**を入れる。１mm以下の場合は処理は不要である。

4. ナット回転法による締付け完了後の検査は、１次締付け後の本締めによる**ナット回転量**が120°±30°の範囲にあるものを合格とする。

正答 **4**

R02-30 B

【問題 145】 高力ボルト接合に関する記述として、**最も不適当なもの**はどれか。

1. 締付け後の高力ボルトの余長は、ねじ1山から6山までの範囲であることを確認した。

2. ねじの呼びがM22の高力ボルトの1次締付けトルク値は、150N・mとした。

3. ねじの呼びがM20のトルシア形高力ボルトの長さは、締付け長さに20mmを加えた値を標準とした。

4. 高力ボルトの接合部で肌すきが1mmを超えたので、フィラープレートを入れた。

━━ **解説** ━━

1. 締付け完了後すべてのボルトについて、1次締付け後に付けた**マークのずれ**により、**共回りの有無、ナット回転量**及びナットから突き出た**余長**（**1～6山**）の過不足を**目視検査**し、異常がないものを合格とする。

2. 高力ボルトの1次締めは、1継手・1群ごとに、本締めボルト挿入後直ちにプレセット形トルクレンチ、電動インパクトレンチを用い、1次締付けのトルク値でナットを回転させて行う。

1次締付けトルク値（単位：N・m）

ボルトの呼び径	1次締付けトルク値
M12	約50
M16	約100
M20、**M22**	**約150**
M24	約200

3. 高力ボルトの長さ（首下長さ）は、締付け長さに表の長さを加えたものを標準とする。M20のトルシア形高力ボルトの長さは、締付け長さに30mmを加えた値を標準とする。

ボルトの呼び径		M12	M16	**M20**	M22	M24	M27	M30
締付け長さに加える長さ（単位：mm）	高力六角ボルト	25	30	35	40	45	50	55
	トルシア形高力ボルト		25	**30**	35	40	45	50

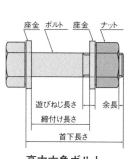
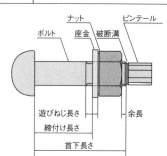

高力六角ボルト　　　　**トルシア形高力ボルト**

4. 部材接合面に、はだすきが生じた場合、**はだすき量**が1mmを超える場合は、フィラーを入れる。1mm以下の場合は処理は不要である。

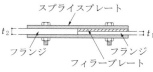

H30—30 A

【問題 146】 高力ボルト接合に関する記述として、**最も不適当なもの**はどれか。

1. ねじの呼びがM22のトルシア形高力ボルトの長さは、締付け長さに35mmを加えた値を標準とした。

2. ナット回転法による締付け完了後の検査は、1次締付け後の本締めによるナット回転量が120°±45°の範囲にあるものを合格とした。

3. 摩擦接合面は、すべり係数0.45以上を確保するため、グラインダー処理後、自然発生した赤錆状態を確認した。

4. ねじの呼びがM22の高力ボルトの1次締付けトルク値は、約150N・mとした。

解説

1. 高力ボルトの長さ（首下長さ）は、締付け長さに表の長さを加えたものを標準とする。
   M22のトルシア形高力ボルトの長さは、締付け長さに35mmを加えた値を標準とする。

ボルトの呼び径		M12	M16	M20	**M22**	M24	M27	M30
締付け長さに加える長さ （単位：mm）	高力六角ボルト	25	30	35	40	45	50	55
	トルシア形高力ボルト		25	30	**35**	40	45	50

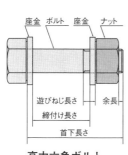

高力六角ボルト

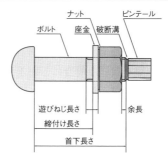

トルシア形高力ボルト

2. ナット回転法による締付け完了後の検査は、1次締付け後の本締めによる**ナット回転量**が120°±30°の範囲にあるものを合格とする。

3. 高力ボルト接合の摩擦面は、**すべり係数が0.45以上**確保できるよう表面に**赤錆**が発生している状態もしくは、**ブラスト処理**をしたものを標準とする。

4. 高力ボルトの1次締めは、1継手・1群ごとに、本締めボルト挿入後直ちにプレセット形トルクレンチ、電動インパクトレンチを用い、1次締付けのトルク値でナットを回転させて行う。

1次締付けトルク値（単位：N・m）

ボルトの呼び径	1次締付けトルク値
M12	約50
M16	約100
M20、**M22**	**約150**
M24	約200

R04−29 Ａ

【問題 147】　木質軸組構法に関する記述として、**最も不適当なもの**はどれか。

1.　1階及び2階の上下同位置に構造用面材の耐力壁を設けるため、胴差部において、構造用面材相互間に、6mmのあきを設けた。

2.　接合に用いるラグスクリューは、先孔にスパナを用いて回しながら締め付けた。

3.　接合金物のボルトの締付けは、座金が木材へ軽くめり込む程度とし、工事中、木材の乾燥収縮により緩んだナットは締め直した。

4.　集成材にあけるボルト孔の間隔は、許容誤差を±5mmとした。

■ **解説**

1.　1階及び2階部の上下同位置に構造用面材の耐力壁を設ける場合は、胴差部において、構造用面材相互間に、原則として、**6mm以上のあき**を設ける。

2.　接合に用いる**ラグスクリュー**の締付けは、その先穴に**スパナレンチ**などで回しながら挿入する。ハンマーなどで打込んではならない。

3.　ボルトの締め付けは、ボルトに適切な引張力が生じるように行い、通常、座金が木材にわずかにめり込む程度とする。なお、工事中、木材の乾燥収縮により緩んだナットは締め直す。

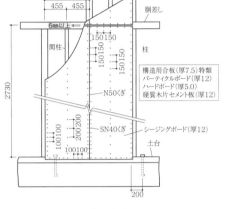

4.　**ボルトの孔の間隔**の許容誤差は、**±2mm**とする。

名　　称	図	許容誤差
穴の間隔ずれ	*e*	−2≦*e*≦2mm

【問題 148】　木質軸組構法に関する記述として、**最も不適当なもの**はどれか。

1. 1階及び2階の上下同位置に構造用面材の耐力壁を設けるため、胴差し部におい て、構造用面材相互間に、6mmのあきを設けた。

2. 接合に用いるラグスクリューの締付けは、先孔をあけ、スパナを用いて回しなが ら行った。

3. 接合金物のボルトの締付けは、座金が木材へ軽くめり込む程度とし、工事中、木 材の乾燥収縮により緩んだナットは締め直した。

4. 接合金物のボルトの孔あけは、ねじの呼びにかかわらず公称軸径に1.5mmを加 えたものとした。

解説

1. 1階及び2階部の上下同位置に構造用 面材の耐力壁を設ける場合は、胴差部 において、構造用面材相互間に、原則 として、**6mm以上のあき**を設ける。

2. 接合に用いるラグスクリューの締付け は、その先孔にレンチなどで回しなが ら挿入する。ハンマーなどで打込んで はならない。

3. ボルトの締め付けは、ボルトに適切な 引張力が生じるように行い、通常、座 金が木材にわずかにめり込む程度とす る。なお、工事中、木材の乾燥収縮により緩んだナットは締め直す。

4. 接合金物のボルトの**孔あけ加工**の大きさについては、ねじの呼びが**M16未満**の場合は、 公称軸径に**1mm**を加えたものとし、**M16以上**の場合は、1.5mmを加えたものとする。

正答　4

R05-28 Ａ

【問題 149】　大断面集成材を用いた木造建築物に関する記述として、**最も不適当なもの**は
どれか。

1. 梁材の曲がりの許容誤差は、長さの $\frac{1}{1,000}$ とした。

2. 集成材にあけるドリフトピンの下孔径は、ドリフトピンの公称軸径に 2 mm を加えたものとした。

3. 集成材にあける標準的なボルト孔の心ずれは、許容誤差を ± 2 mm とした。

4. 接合金物にあけるボルト孔の大きさは、ねじの呼びが M16 未満の場合は公称軸径に 1 mm を、M16 以上の場合は 1.5mm を加えたものとした。

解説

1. **梁材の曲がりの許容誤差は、** 1 / 1,000 とする。

名　　称	図	許容誤差
はりの長さ 柱の長さ		$-3 \leqq e \leqq 3$ mm
はりの曲がり		$e \leqq L / 1,000$ $e \leqq 20$mm
穴の間隔ずれ		$-2 \leqq e \leqq 2$ mm

2. ドリフトピンの公称軸径dに対する集成材の**孔径**は、**ドリフトピン径**と同径とする。孔加工は、原則として製作工場でドリルあけとする。

3. 大断面材に設ける標準的な**ボルト孔の心ずれ**は、**許容誤差を 2 mm 以内**とする。

4. 接合金物のボルトの孔あけ加工の大きさについては、ねじの呼びが M16 未満の場合は、公称軸径に 1 mm を加えたものとし、M16 以上の場合は、1.5mm を加えたものとする。

正答　2

R03-29 B

CHECK ☐☐☐☐☐

【問題 150】　木造建築物に用いる大断面集成材に関する記述として、**最も不適当なもの**は
どれか。

1.　材長4mの柱材の加工長さは、許容誤差を±3mmとした。

2.　集成材にあけるドリフトピンの下孔径は、ドリフトピンの公称軸径に2mmを加
えたものとした。

3.　集成材にあける標準的なボルト孔の心ずれは、許容誤差を±2mmとした。

4.　接合金物にあけるボルト孔の大きさは、ねじの呼びがM16未満の場合は公称軸径
に1mmを、M16以上の場合は1.5mmを加えたものとした。

施工

解説

1.3.　大断面集成材にかかわる許容誤差は下表のとおり。

名　称	図	許容誤差
はりの長さ **柱の長さ**		$-3 \leqq e \leqq 3$mm
はりの曲がり		$e \leqq L/1,000$ $e \leqq 20$mm
穴の間隔ずれ		$-2 \leqq e \leqq 2$mm

2.　ドリフトピンの公称軸径dに対する集成材の**孔径**は、**ドリフトピン径**と同径とする。
孔加工は、原則として製作工場でドリルあけとする。

4.　接合金物のボルトの孔あけ加工の大きさについては、ねじの呼びがM16未満の場合は、
公称軸径に1mmを加えたものとし、M16以上の場合は、1.5mmを加えたものとする。

R01-32 C

【問題 151】　木造建築物に用いる大断面集成材に関する記述として、**最も不適当なもの**は
どれか。

1.　梁材の曲がりの許容誤差は、長さの 1 / 1,000 とした。

2.　ボルトの孔の間隔の許容誤差は、± 2 mm とした。

3.　柱材の長さの許容誤差は、± 3 mm とした。

4.　集成材にあけるドリフトピンの孔の径の許容誤差は、0 mm 〜＋ 2 mm とした。

解説

1. 2. 3.

名　　称	図	許容誤差
はりの長さ 柱の長さ		$-3 \leqq e \leqq 3$ mm
はりの曲がり		$e \leqq L / 1{,}000$ $e \leqq 20$ mm
穴の間隔ずれ		$-2 \leqq e \leqq 2$ mm

4.　ドリフトピンの公称軸径 d に対する集成材の**孔径**は、**ドリフトピン径**と同径とする。
孔加工は、原則として製作工場で**ドリルあけ**とする。

H30－32 B　　　　　　　　　　　　　　　　CHECK ☐☐☐☐☐

【問題 152】　大断面集成材を用いる木造建築物に関する記述として、**最も不適当なもの**は
　　　どれか。

1.　接合金物のボルトの孔あけ加工の大きさについて、ねじの呼びがM16未満の場合
　　は公称軸径に1mmを加えたものとし、M16以上の場合は1.5mmを加えたものと
　　した。

2.　大規模な木造架構であったため、全体の建方が完了してからの建入れ修正ができ
　　なかったので、建方に並行してブロックごとに建入れ直しを行った。

3.　集成材は、現場搬入から建方まで15日以上要したので、雨がかからないように
　　防水シートで覆いをかけて保管した。

4.　大断面材に設ける標準的なボルト孔の心ずれは、許容誤差を5mm以内とした。

━━━ 解説 ━━━

1.　接合金物のボルトの孔あけ加工の大きさについては、ねじの呼びがM16未満の場合は、
　　公称軸径に1mmを加えたものとし、M16以上の場合は、1.5mmを加えたものとする。

2.　大規模な木造架構では、全体の建方が完了してからの建入れ修正ができないので、建
　　方に並行して**ブロックごとに建入れ直し**を行う。

3.　集成材は、現場搬入から建方までの日程が長期間ある場合は、雨がかからないように
　　防水シートで覆いをかけて保管する。

4.　大断面材に設ける標準的な**ボルト孔の心ずれ**は、**許容誤差を2mm以内**とする。

正答　4

R05-38 C

CHECK ☐☐☐☐☐

【問題 153】 ALCパネル工事に関する記述として、**最も不適当なもの**はどれか。

1. 床版敷設筋構法において、床パネルへの設備配管等の孔あけ加工は1枚当たり1か所とし、主筋の位置を避け、直径100mmの大きさとした。

2. 横壁アンカー構法において、地震時等における躯体の変形に追従できるよう、ALCパネル積上げ段数3段ごとに自重受け金物を設けた。

3. 縦壁フットプレート構法において、ALC取付け用間仕切チャンネルをデッキプレート下面の溝方向に取り付ける場合、下地として平鋼をデッキプレート下面にアンカーを用いて取り付けた。

4. 床版敷設筋構法において、建物周辺部、隅角部等で目地鉄筋により床パネルの固定ができない箇所は、ボルトと角座金を用いて取り付けた。

━━━ 解説 ━━━

1. パネルの**孔あけ**において屋根パネル、**床パネル**の加工孔あけ範囲は、**50mm以下**、外壁パネルにおいてはパネル幅の1/6以下とする。

2. **横壁アンカー構法**において、パネルは、**積上げ段数3～5段ごと**に定規アングル等に取り付けた**自重受け鋼材**により支持する。

3. デッキプレート下面への下地鋼材の取付けにおいて、下地鋼材がデッキプレートの溝方向と平行となる場合下地鋼材の取付けに先立ち、下地として平鋼などをデッキプレート下面にアンカーなどにより取付けておく必要がある。

4. 建物周辺部・隅角部、階段室まわりなどで目地鉄筋によりALCパネルの固定ができない箇所は、ボルトと座金(丸座金または角座金・角座金R)を用いて取付を行う。

正答 1

R03-39 A

【問題 154】　ALCパネル工事に関する記述として、**最も不適当なもの**はどれか。

1. パネルの取扱い時に欠けが生じたが、構造耐力上は支障がなかったため、製造業者が指定する補修モルタルで補修して使用した。
2. 外壁パネルと間仕切パネルの取合い部には、幅が10～20mmの伸縮目地を設けた。
3. 外壁の縦壁ロッキング構法の横目地は伸縮目地とし、目地幅は15mmとした。
4. 耐火性能が要求される伸縮目地には、モルタルを充填した。

━━━━ 解説 ━━━━

1. ALCパネルの幅又は全体にわたりひび割れのあるもの、補強筋の露出している欠けのある構造耐力上支障のあるパネルは、補修モルタルで補修しても使用してはならないが、軽微なものは補修して使用できる。
2. 外壁パネルと間仕切りパネルとの取合い部は、パネル同士のすき間を**10～20mmの伸縮目地**とする。
3. 外壁の縦壁ロッキング構法の横目地となるALCパネルの短辺相互の接合部、縦目地となる出入隅部ならびに他部材との取合い部の目地には、10～20mm程度の**伸縮目地**を設ける。
4. 耐火性能が要求される外壁パネルの伸縮目地に充填する**耐火目地材**とする。目地幅より厚めのものを20％程度圧縮して充填した後に、**シーリング**を施工する。

R01-44 [A]

【問題 155】　ALC間仕切壁パネルの縦壁フットプレート構法に関する記述として、**最も不適当なもの**はどれか。

1.　間仕切壁パネルの上部は、面内方向に可動となるように取り付けた。

2.　間仕切壁パネルを一体化するため、パネル長辺側面相互の接合にアクリル樹脂系接着材を用いた。

3.　間仕切壁パネルの上部は、間仕切チャンネルへのかかり代を確保して取り付けた。

4.　外壁パネルと間仕切壁パネルの取合い部は、パネル同士のすき間が生じないように突付けとした。

1. **フットプレート構法**は、間仕切壁専用の構法で、パネル長辺側面に本実目地加工を施したパネルを使用し、パネル上部は、面内方向に可動となるように取り付ける。

2. 間仕切壁パネルの縦壁フットプレート構法などで、パネルの一体化などの目的で、パネルの長辺側面相互の接続に接着材を用いる場合は、パネル製造業者の指定する接着材の種類とする。例としてはシリカ系接着材、セメント系接着材、アクリル樹脂系接着材がある。

3. **間仕切壁パネル**は、パネル自重だけを外力として設計しているが、パネル面外方向の荷重に対してパネルを支持するために、**かかり代**を20mm程度確保するようにする。

4. 外壁パネルと間仕切壁パネルとの取合い部は、パネル同士のすき間を10〜20mmの**伸縮目地**とする。

施工

R04-39 A

【問題 156】　外壁の押出成形セメント板(ECP)張りに関する記述として、**最も不適当な**
　　　ものはどれか。

1. 縦張り工法のパネルは、層間変形に対してロッキングにより追従するため、縦目
　　地を15mm、横目地を8mmとした。

2. 二次的な漏水対策として、室内側にはガスケット、パネル張り最下部には水抜き
　　パイプを設置した。

3. 幅600mmのパネルへの欠込みは、欠込み幅を300mm以下とした。

4. 横張り工法のパネル取付け金物(Zクリップ)は、パネルがスライドできるように
　　し、パネル左右の下地鋼材に堅固に取り付けた。

■■■　**解説**　■■■

1. パネル相互の目地幅は、縦張り工法でも横張り工法でも、短辺の方を大きな目地幅と
　　する。**縦張り工法**の場合は、縦目地幅より**横目地幅**の方を大きくする。

外壁パネル工法

	A種　縦張り工法	B種　横張り工法
工　法	パネル四隅の取付け金物で支持部材に取り付け、躯体の層間変位に対しロッキングにより追随させる工法	パネル四隅の取付け金物で支持部材に取り付け、躯体の層間変位に対しスライドすることにより追随させる工法
荷重受け	各段ごとに荷重受け部材が必要	パネル2〜3段ごとに荷重受けが必要
取付け金物	パネルの上下端部に、ロッキングできるように取り付ける	パネルの左右端部に、スライドできるように取り付ける
目　地	パネル間は伸縮目地とし、**縦目地は8mm以上、横目地は15mm以上**とする	パネル間は伸縮目地とし、縦目地は15mm以上、横目地は8mm以上とする

2. シーリング材に界面剥離など、不具合が生じた場合、**室内側**に**ガスケット**、**水抜きパイプ**を設置するなどの２次的な**漏水対策**を講じる。

3. **パネル幅**の**最小限度**は、原則として、300mmとする。外壁に用いる場合は厚さ60mm、長さ3,500〜4,500mmが一般的に多く用いられる。

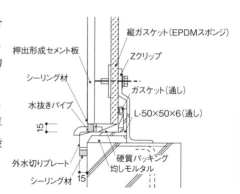

縦ガスケット(EPDMスポンジ)
押出形成セメント板
Zクリップ
シーリング材
ガスケット(通し)
水抜きパイプ
L-50×50×6(通し)
15
外水切りプレート
硬質パッキング
均しモルタル
シーリング材 15

縦張り工法の二次的な漏水対策の例

4. **横張り工法**の取付け金物(**Zクリップ**)は、パネルの左右端部に、**スライド**できるように取り付ける。縦張りロッキング工法の取付け金物(Zクリップ)は、パネルの上下端部に、ロッキングできるように取り付ける。

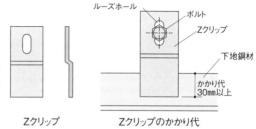

ルーズホール
ボルト
Zクリップ
下地鋼材
かかり代
30mm以上

Zクリップ　　　　　Zクリップのかかり代

R02−44 B　　　　　　　　　　　　　　　CHECK ☐☐☐☐☐

【問題 157】　外壁の押出成形セメント板張りに関する記述として、**最も不適当なもの**はどれか。

1.　パネルの割付けにおいて、使用するパネルの最小幅は300mmとした。

2.　パネル取付け金物（Zクリップ）は、下地鋼材に30mmのかかりしろを確保して取り付けた。

3.　横張り工法のパネルは、積上げ枚数5枚ごとに構造体に固定した自重受け金物で受けた。

4.　縦張り工法のパネルは、層間変形に対してロッキングにより追従するため、縦目地を8mm、横目地を15mmとした。

■ 解説 ■

1. **パネル幅**の**最小限度**は、原則として、300mmとする。外壁に用いる場合は厚さ 60mm、長さ3,500～4,500mmが一般的に多く用いられる。

2. **Zクリップ**は、縦張り、横張りと も下地鋼材に**30mm以上**の**かかり 代**を確保し、取付けボルトがZク リップのルーズホールの中心の位 置になるように取り付ける。

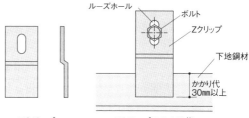

Zクリップ　　　　　　Zクリップのかかり代

3. 4. 横張り工法において、パネルはパネル積上げ枚数**3枚以下**ごとに、自重受け金物で 受け、取付け金物で下地鋼材に取り付ける。パネル相互の目地幅は、縦張り工法でも 横張り工法でも、短辺の方が大きな目地幅とする。

外壁パネル工法

	A種　縦張り工法	B種　横張り工法
工　法	パネル四隅の取付け金物で支持部材に取り付け、躯体の層間変位に対しロッキングにより追随させる工法	パネル四隅の取付け金物で支持部材に取り付け、躯体の層間変位に対しスライドすることにより追随させる工法
荷重受け	各段ごとに荷重受け部材が必要	パネル2～3段ごとに荷重受けが必要
取付け金物	パネルの上下端部に、ロッキングできるように取り付ける	パネルの左右端部に、スライドできるように取り付ける
目　地	パネル間は伸縮目地とし、**縦目地**は**8mm以上**、**横目地**は15mm以上とする	パネル間は伸縮目地とし、縦目地は15mm以上、横目地は8mm以上とする

施工

【問題 158】 鉄筋コンクリート造の耐震改修工事における現場打ち鉄筋コンクリート耐震壁の増設工事に関する記述として、**最も不適当なもの**はどれか。

1. 増設壁上部と既存梁下との間に注入するグラウト材の練上り時の温度は、練り混ぜる水の温度を管理し、10～35℃の範囲とする。

2. あと施工アンカー工事において、接着系アンカーを既存梁下端に上向きで施工する場合、くさび等を打ってアンカー筋の脱落防止の処置を行う。

3. コンクリートポンプ等の圧送力を利用するコンクリート圧入工法は、既存梁下との間に隙間が生じやすいため、採用しない。

4. 増設壁との打継ぎ面となる既存柱や既存梁に施す目荒しの面積の合計は、電動ピック等を用いて、打継ぎ面の15～30％程度となるようにする。

━━ 解説

1. グラウト材の練り上がりの温度は、10～35℃の範囲になるように、練り混ぜに用いる水の温度を10℃以上になるように管理する。

2. 上向き作業の場合は、接着剤の露出防止及び取付けボルト又はアンカー筋の脱落防止の措置を行う。

3. **コンクリート圧入工法**は、既存の梁下の間のすき間が生じないように、コンクリートポンプ等の圧送力を利用して打ち込む工法なので、打継ぎ面の施工には適している。

4. **目荒し**は、既存柱・梁を電動ピック等を用いて、平均深さで2～5mm（最大で5～7mm）程度の凹面を後継が打継面の**15～30％程度**の面積なるようにする。既存壁には打継面の10～15％程度を目安として目荒しを行う。

R05-29 [C]

【問題 159】　建設機械に関する記述として、**最も不適当なもの**はどれか。

1. ブルドーザーは、盛土、押土、整地の作業に適している。

2. ホイールクレーンは、同じ運転室内でクレーンと走行の操作ができ、機動性に優れている。

3. アースドリル掘削機は、一般にリバース掘削機に比べ、より深い掘削能力がある。

4. バックホウは、機械の位置より低い場所の掘削に適し、水中掘削も可能だが、高い山の切取りには適さない。

━━━ 解説 ━━━

1. **ブルドーザー**とは、土砂のかきおこしや盛土、整地に用いり建設機械のことを言う。

2. **ホイールクレーン**は、タイヤ付の車軸で支えられた専用のフレームの上にクレーン装置を設置したもので、1つの運転室で走行とクレーン操作が行えるので機動性がある。

3. 機種と孔径により、掘削深さは異なるが、一般的には**アースドリル掘削機**では**50m程度**、**リバース掘削機**では**70m程度**の掘削能力がある。

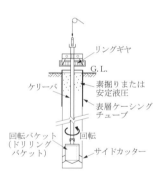

アースドリル工法

アースドリル掘削機

4. **バックホウ**は、バケットを上から下に操作するので、基礎の掘削等、機械の位置より**低い場所の掘削**に適している。

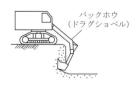

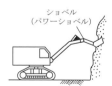

正答 　3

R04-30 A

【問題 160】 揚重運搬機械に関する記述として、**最も不適当なもの**はどれか。

1. 建設用リフトは、土木、建築等の工事の作業で使用されるエレベーターで、人及び荷を運搬する。

2. タワークレーンのブーム等、高さが地表から60m以上となる場合、原則として、航空障害灯を設置する。

3. 移動式クレーンは、旋回範囲内に6,600Vの配電線がある場合、配電線から安全距離を 2 m以上確保する。

4. ロングスパン工事用エレベーターは、安全上支障がない場合、搬器の昇降を知らせるための警報装置を備えないことができる。

1. **建設用リフト**とは、荷のみを運搬することを目的とするエレベーターで、土木、建築等の工事の作業に使用されるものをいう。

2. 地表又は水面から**60m以上**の高さの物件には、**航空障害灯**を設置しなければならない。

3. 建方クレーンの旋回範囲に**高圧配電線(6,600V)**がある場合、**配電線**に対して**離隔距離**を1.2m以上確保する。電力会社の安全距離の**目標値**は、**2m以上**である。

送配電線の最小離隔距離

電路	送電電圧(V)	最小離隔距離(m)
配電線	100,200以下	1.0(2.0)
	6,600以下	**1.2(2.0)**
送電線	22,000以下	2.0(3.0)
	66,000以下	2.2(4.0)

※( )の数値は、電力会社の目標値

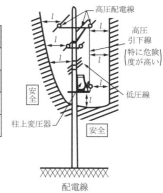

電線からの離隔距離

4. **ロングスパン工事用エレベーター**は、次の安全装置を備えなければならない。

① 搬器の昇降を知らせるための**警報装置**

② 搬器の傾きを容易に矯正できる装置

③ 搬器の傾きが1/10の勾配を超えないうちに動力を自動的に遮断する装置

④ 遮断設備が設けられているものにあっては、遮断設備が閉じていない場合には、搬器を昇降させることができない装置

⑤ 走行式のものにあっては、搬器を最下部に下げた状態でなければ走行させることができない装置

ただし、①については、**安全上支障がない場合**には、備えないことができる。

R03-30 A

【問題 161】　建設機械に関する記述として、**最も不適当なもの**はどれか。

1. 建設用リフトの定格速度とは、搬器に積載荷重に相当する荷重の荷をのせて上昇させる場合の最高の速度をいう。

2. 油圧式トラッククレーンのつり上げ荷重とは、アウトリガーを最大限に張り出し、ジブ長さを最短にし、ジブの傾斜角を最大にした場合のつり上げることができる最大の荷重で示す。

3. 最大混合容量4.5m³のトラックアジテータの最大積載時の総質量は、約20tである。

4. ロングスパン工事用エレベーターは、搬器の傾きが1／8の勾配を超えた場合、動力を自動的に遮断する装置を設ける。

■■ 解説 ■■

1. **建設用リフトの定格速度**は、搬器に積載荷重に相当する荷重の荷をのせて上昇させる場合の**最高**の速度をいう。

2. **油圧式トラッククレーンの性能を示す吊上げ荷重**とは、アウトリガーを最大限に張り出し、**ジブ長さを最短**にして、**ジブの傾斜角を最大**にした時の最大吊上げ荷重のことである。

3. トラックアジテータ(生コン車)に生コンクリートを積み込むドラムの容量及びミキサー車(ドラム容積比容量又は最大混合容量)は下記を上限とする。
   ①最大積載量は車検証による。
   ②ドラム容積比は51.5%以下とする。

車両総重量区分	標準車の 最大積載量区分	ドラム容量 m³	ミキサー容量 m³
20t以上	12t以上	10.2	5.2
18t以上20t未満	**10t以上20t未満**	8.9	4.5※
8t以上18t未満	7.5t以上10t未満	6.3	3.2
	6t以上7.5t未満	5.6	2.8※
	5t以上6t未満	4.4	2.2
8t未満	4t以上5t未満	3.4	1.7※
	3.25t以上4t未満	2.8	1.4

   ※標準タイプ(減トンしていない場合)

4. **ロングスパン工事用エレベーター**は、次の安全装置を備えなければならない。
   ①搬器の昇降を知らせるための警報装置
   ②搬器の傾きを容易に矯正できる装置
   ③搬器の傾きが1/10の**勾配**を超えないうちに動力を自動的に遮断する装置
   ④遮断設備が設けられているものにあっては、遮断設備が閉じていない場合には、搬器を昇降させることができない装置
   ⑤走行式のものにあっては、搬器を最下部に下げた状態でなければ走行させることができない装置

正答 **4**

R02-33 A

【問題 162】　揚重運搬機械に関する記述として、**最も不適当なもの**はどれか。

1. 建設用リフトは、人及び荷を運搬することを目的とするエレベーターで、土木、建築等の工事の作業で使用される。

2. 建設用リフトは、組立て又は解体の作業を行う場合、作業を指揮する者を選任して、その者の指揮のもとで作業を実施する。

3. 移動式クレーンは、10分間の平均風速が10m／s以上の場合、作業を中止する。

4. 移動式クレーンは、旋回範囲内に6,600Vの配電線がある場合、配電線から安全距離を２m以上確保する。

■■■　解説　■■■■■■■■

1. **建設用リフト**とは、**荷のみ**を運搬することを目的とするエレベーターで、土木、建築等の工事の作業に使用されるものをいう。

2. **建設用リフト**は、組立て又は解体の作業を行う場合、**作業を指揮する者**を選任して、その者の指揮のもとで作業を実施させる。

3. **クレーン**については、10分間の平均風速が**10m／s以上**の場合、クレーン作業を**中止**し、転倒防止を図る。

4. 建方クレーンの旋回範囲に**高圧配電線（6,600V）**がある場合、配電線に対して**離隔距離**を1.2m以上確保する。電力会社の安全距離の**目標値**は、２m以上である。

送配電線の最小離隔距離

電路	送電電圧(V)	最小離隔距離(m)
配電線	100,200 以下	1.0 (2.0)
	6,600 以下	1.2 (2.0)
送電線	22,000 以下	2.0 (3.0)
	66,000 以下	2.2 (4.0)

※（　）の数値は、電力会社の目標値

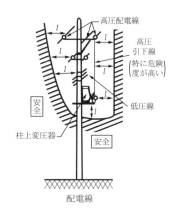

電線からの離隔距離

正答　1

R01-33 B　　　　　　　　　　　　　CHECK ☐☐☐☐☐

【問題 163】 揚重運搬機械に関する記述として、**最も不適当なもの**はどれか。

1. 工事用エレベーターは、定格速度が0.75m/sを超える場合、次第ぎき非常止め装置を設ける。

2. ロングスパン工事用エレベーターは、搬器の傾きが1/8の勾配を超えた場合、動力を自動的に遮断する装置を設ける。

3. ジブクレーンの定格荷重は、負荷させることができる最大の荷重から、フック等のつり具の重量に相当する荷重を控除したものである。

4. 傾斜ジブ式タワークレーンは、重量物のつり上げに用いられ、狭い敷地で作業することができる。

■■■ 解説 ■■■

1. **工事用エレベーター**には、次第ぎき非常止め装置を設けなければならない。ただし、定格速度が0.75毎秒以下のエレベーターにあっては、早ぎき非常止め装置とすることができる。早ぎき非常止め装置は、それぞれの異常を感知すると同時に作動し、ほぼ瞬時にかごを停止させる。ただし高速のエレベーターを瞬時に停止させると、かごへの衝撃が大きいため、この装置は低速エレベーターに限って取り付けられる。高速のエレベーターには、制動力を徐々に高め、一定速度以下に減速させてから制動力を一気に高めて停止させる**次第ぎき非常止め装置**が取り付けられる。

2. **ロングスパン工事用エレベーター**は、次の安全装置を備えなければならない。

   ①搬器の昇降を知らせるための警報装置

   ②搬器の傾きを容易に矯正できる装置

   ③搬器の傾きが1/10の**勾配**を超えないうちに動力を自動的に遮断する装置

   ④遮断設備が設けられているものにあっては、遮断設備が閉じていない場合には、搬器を昇降させることができない装置

   ⑤走行式のものにあっては、搬器を最下部に下げた状態でなければ走行させることができない装置

3. **ジブクレーンの定格荷重**とは、ジブやブームの傾斜角及び長さに応じて負荷させることができる**最大の荷重**からフックやグラブバケット等の**つり具重量**に相当する荷重を**除いた荷重**をいう。

4. **傾斜ジブ式タワークレーン**は、高揚程に適し、水平ジブ式タワークレーンに比べ、重量の大きい荷のつり上げができ、ジブの起状動作により、狭い敷地でも作業が可能である。

正答 2

H30-33 A

【問題 164】　揚重運搬機械に関する記述として、**最も不適当なもの**はどれか。

1.　ロングスパン工事用エレベーターの搬器には、周囲に堅固な手すりを設け、手すりには中さん及び幅木を取り付けなければならない。

2.　ロングスパン工事用エレベーターは、安全上支障がない場合、搬器の昇降を知らせるための警報装置を備えないことができる。

3.　建設用リフトは、土木、建築等の工事の作業に使用され、人及び荷を運搬することを目的とするエレベーターである。

4.　建設用リフトの定格速度とは、搬器に積載荷重に相当する荷重の荷をのせて上昇させる場合の最高の速度をいう。

━━━ 解説 ━━━━

1.　**ロングスパン工事用エレベーター**の搬器は、昇降速度10m／min以下で、数人の人員と長尺物の材料の運搬ができ、設置が簡単である。積載荷重1t前後の機種が多い。周囲に堅固な**手すり**を設け、手すりには**中さん及び幅木**を取り付ける。

2.　**ロングスパン工事用エレベーター**は、次の安全装置を備えなければならない。

①搬器の昇降を知らせるための**警報装置**

②搬器の傾きを容易に矯正できる装置

③搬器の傾きが1／10の勾配を超えないうちに動力を自動的に遮断する装置

④遮断設備が設けられているものにあっては、遮断設備が閉じていない場合には、搬器を昇降させることができない装置

⑤走行式のものにあっては、搬器を最下部に下げた状態でなければ走行させることができない装置

ただし、①については、安全上支障がない場合には、備えないことができる。

3.　建設用リフトとは、荷のみを運搬することを目的とするエレベーターで、土木、建築等の工事の作業に使用されるものをいう。

4.　建設用リフトの定格速度は、搬器に積載荷重に相当する荷重の荷をのせて上昇させる場合の最高の速度をいう。

R05-31 B　　　　　　　　　CHECK ☐☐☐☐☐

【問題 165】　防水工事に関する記述として、**最も不適当なもの**はどれか。

1. アスファルト防水密着工法における平場部のルーフィングの張付けに先立ち、入隅は幅300mm程度のストレッチルーフィングを増張りした。

2. 改質アスファルトシート防水トーチ工法における平場部の改質アスファルトシートの重ね幅は、縦横とも100mm以上とした。

3. アスファルト防水における立上り部のアスファルトルーフィング類は、平場部のアスファルトルーフィングを張り付けた後、150mm以上張り重ねた。

4. 改質アスファルトシート防水絶縁工法におけるALCパネル目地の短辺接合部は、幅50mm程度のストレッチルーフィングを張り付けた。

■■■■　解説　■■■■

1. **出隅・入隅**には、幅300mm以上の**ストレッチルーフィング**を、一般平場のルーフィングの張付けに**先立ち**、最下層に**増張り**する。

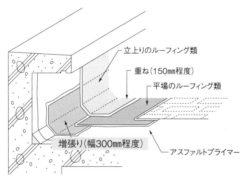

立上りのルーフィング類
重ね(150mm程度)
平場のルーフィング類
増張り(幅300mm程度)
アスファルトプライマー

立上りの一般ルーフィング類

2. **改質アスファルトシート防水トーチ工法**において、シート相互の**重ね幅**は100mm以上とし溶融したアスファルトが重ね部からはみ出す程度とする。

3. **平場**のアスファルトルーフィング類を張り付けた後、その上に**立上がりのアスファルトルーフィング類**を150mm程度重ねて張り付ける。

4. 絶縁仕様で、ALCパネルを下地とする場合、接合部は**絶縁用テープ**で処理をする。絶縁用テープは、紙、合成樹脂等のテープ状のものに粘着材等を付着させたもので、**幅50mm**のものが用いられる。ALCパネル短辺接合部およびプレキャスト鉄筋コンクリート部材目地部など大きな動きが予想される部分に張付け、防水層に直接力が及ばないようにする。

正答　4

【問題 166】　改質アスファルトシート防水トーチ工法に関する記述として、**最も不適当な**ものはどれか。

1. ALCパネル下地のプライマーは、使用量を0.4kg/m²とし、2回に分けて塗布した。

2. コンクリート下地の入隅に、角度45度の成形キャント材を使用した。

3. 絶縁工法によるALCパネル下地の短辺接合部は、あらかじめ幅50mmの絶縁用テープを張り付けた。

4. 密着工法による平場部の張付けにおいて、シートの3枚重ね部は、中間の改質アスファルトシート端部を斜めにカットした。

解説

1. **トーチ工法**において、ALCパネル下地の場合は、**プライマー**の使用量を0.4kg/m²とし、所要量を刷毛等により2回に分けて塗布する。

2. **下地**の出隅・入隅において、防水層のはく離を防ぐためと、防水層を下地へよくなじませるために、**改質アスファルトシート防水工事**、**合成高分子系シート防水工法**及び**塗膜防水工法**の場合の**入隅**は、通りよく**直角**とし、**出隅**は通りよく面取り（45度）とする。

3. 絶縁仕様で、ALCパネルを下地とする場合、接合部は**絶縁用テープ**で処理をする。絶縁用テープは、紙、合成樹脂等のテープ状のものに粘着材等を付着させたもので、**幅50mm**のものが用いられる。ALCパネル短辺接合部及びプレキャスト鉄筋コンクリート部材目地部など大きな動きが予想される部分に張付け、防水層に直接力が及ばないようにする。

4. **改質アスファルトシート**の**3枚重ね部**は、水みちとなりやすいので、中間の改質アスファルトシート端部を**斜め**に**カット**するか、焼いた金ごてを用いて**平滑**にする。

R04-31 B

【問題 167】　合成高分子系ルーフィングシート防水に関する記述として、**最も不適当なもの**はどれか。

1. 加硫ゴム系シート防水の接着工法において、平場部の接合部のシートの重ね幅は100mm以上とし、立上り部と平場部との重ね幅は150mm以上とした。

2. 加硫ゴム系シート防水の接着工法において、出隅角の処理は、シートの張付け前に加硫ゴム系シートで増張りを行った。

3. 塩化ビニル樹脂系シート防水の接着工法において、下地がALCパネルのため、プライマーを塗布した。

4. エチレン酢酸ビニル樹脂系シート防水の密着工法において、接合部のシートの重ね幅は、幅方向、長手方向とも100mm以上とした。

解説

1. 4. シート防水は、合成ゴム系または合成樹脂系シート1層で防水層をつくる工法で、シートの接合幅は、表による。

シート相互の接合幅(mm)

シート種類	平場	平場・立上り
加 硫 ゴ ム 系	100	150
塩 化 ビ ニ ル 樹 脂 系	40	40
エチレン酢酸ビニル樹脂系	100	100

また、原則として**水上側**のシートが水下側のシートの上になるように張り重ねる。

2. **加硫ゴム系シート防水**の場合には、立上り及び平場のシートの張付けに先立ち、出隅角に200mm角及び130mm角程度の**非加硫ゴム系シート**を**増張り**する。

3. **プライマーの塗布**は、下地の表面を清掃したのち、その日に張り付けるルーフィングの範囲に、ローラーばけ又は毛ばけ等を用いて規定量をむらなく塗布する。

正答　2

R02−34 B

【問題 168】 合成高分子系ルーフィングシート防水に関する記述として、**最も不適当なも のはどれか。**

1. 塩化ビニル樹脂系シート防水において、シート相互の接合にクロロプレンゴム系 の接着剤を用いた。

2. 塩化ビニル樹脂系シート防水において、接合部のシートの重ね幅は、幅方向、長 手方向とも40mm以上とした。

3. 加硫ゴム系シート防水接着工法において、防水層立上り端部の処理は、テープ状 シール材を張り付けた後にルーフィングシートを張り付け、末端部は押さえ金物 で固定し、不定形シール材を充填した。

4. 加硫ゴム系シート防水接着工法において、平場の接合部のシートの重ね幅は 100mm以上とし、立上りと平場との重ね幅は150mm以上とした。

■── 解説

1. **塩化ビニル樹脂系シート防水**において、**シート相互の接合部**は、**熱風融着又は溶着剤**により行う。

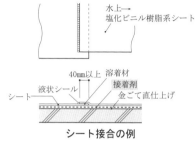

シート接合の例

接着剤の適用

	加硫ゴム系	塩化ビニル樹脂系
下地と シート	クロロプレンゴム系	ニトリルゴム系 エポキシ系 ウレタン系
シート 相互	クロロプレンゴム系 ブチルゴム系	熱風溶着 溶着剤

2.4. シート防水は、合成ゴム系または合成樹脂系シート1層で防水層をつくる工法で、シートの接合幅は、表による。

シート相互の接合幅(mm)

シート種類	平 場	平場・立上り
加　硫　ゴ　ム　系	100	150
塩 化 ビ ニ ル 樹 脂 系	40	40
エチレン酢酸ビニル樹脂系	100	100

また、原則として水上側のシートが水下側のシートの上になるように張り重ねる。

3. 接着仕様の**防水層立上り部**は、テープ状シール材を張り付けたのちに**ルーフィングシート**を張り付け、**末端部**は押え金物で固定した上に、**シール材**を充填する。

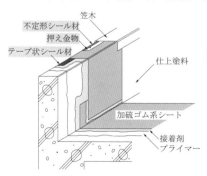

加硫ゴム系シート(接着仕様)

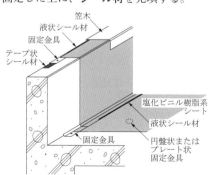

塩化ビニル樹脂系シート(機械的固定仕様)

正答　1

H30-34 B

【問題 169】 合成高分子系ルーフィングシート防水に関する記述として、**最も不適当なも**
のはどれか。

1. 加硫ゴム系シート防水接着工法において、平場のシート相互の接合幅は100mm
   とし、水上側のシートが水下側のシートの上になるように張り重ねた。

2. 塩化ビニル樹脂系シート防水接着工法において、下地とシートの接着には、エポ
   キシ樹脂系の接着剤を用いた。

3. 塩化ビニル樹脂系シート防水の出隅角の処理は、シートの張付け後に成形役物を
   張り付けた。

4. 加硫ゴム系シート防水の出隅角の処理は、シートの張付け前に加硫ゴム系シート
   で増張りを行った。

■■■ 解説 ■■■■■■■■■■■

1. シート防水は、合成ゴム系または合成樹脂系シート1層で防水層をつくる工法で、シー
   トの接合幅は、表による。

シート相互の接合幅　　　　(mm)

シート種類	平　場	平場・立上り
加 硫 ゴ ム 系	100	150
塩 化 ビ ニ ル 樹 脂 系	40	40
エチレン酢酸ビニル樹脂系	100	100

また、原則として**水上側**のシートが水下側のシートの上になるように張り重ねる。

2. **塩化ビニル樹脂系シート防水接着工法**では、下地とシートの接着には、ニトリルゴム
   系、**エポキシ樹脂系**又は**ウレタン系**の接着剤を用いる。

接着剤の適用

	加硫ゴム系	塩化ビニル樹脂系
下地と シート	クロロプレンゴム系	ニトリルゴム系 エポキシ系 ウレタン系
シート 相互	クロロプレンゴム系 ブチルゴム系	熱風溶着 溶着剤

3. **塩化ビニル樹脂系シート**は、出入隅角にはシートに切込みを入れて張り付けるため、
   シートの張付け**後**、その上に**成形役物**を張り付け、水密性を確保する。

4. **加硫ゴム系シート防水**の場合には、立上り及び平場のシートの張付けに先立ち、出隅
   角に200mm角及び130mm角程度の非加硫系ゴムシートを**増張り**する。

正答 4

R03−31 B　　　　　　　　　　　　　　　　CHECK ☐☐☐☐☐

【問題 170】　ウレタンゴム系塗膜防水に関する記述として、**最も不適当なもの**はどれか。

1. 絶縁工法において、立上り部の補強布は、平場部の通気緩衝シートの上に100mm張り掛けて防水材を塗布した。

2. 平場部の防水材の総使用量は、硬化物密度が1.0Mg/m³だったため、3.0kg/m²とした。

3. コンクリートの打継ぎ箇所は、U字形に斫り、シーリング材を充填した上、幅100mmの補強布を用いて補強塗りを行った。

4. 絶縁工法において、防水層の下地からの水蒸気を排出するための脱気装置は、200m²に1箇所の割合で設置した。

施

工

━━━　解説　━━━━━━━━━━━━━━━━━━━━

1. 立上り部における**補強布**は、平場の通気緩衝シートの端部をシールした上に**100mm程度**張り掛けて防水材を塗布する。

2. **ウレタンゴム系防水材**の平場部の総使用量は、硬化物密度（比重）が1.0のものを使用する場合、標準使用量は3.0kg/m²、立上り部では標準使用量は2.0kg/m²とする。

3. コンクリートの**打継ぎ箇所**及び**ひび割れ箇所**等で防水上不具合のある下地は、U字形に斫り、シーリング材を充填した上、**幅100mmの補強布**を用いて補強塗りを行う。

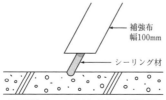

塗膜防水・コンクリート打継ぎ箇所

4. 通気緩衝シートによる下地からの水蒸気の通気を行う**脱気装置**は、**25〜100m²程度**ごとに設置する。

CHECK ☐☐☐☐☐

【問題 171】 塗膜防水に関する記述として、**最も不適当なもの**はどれか。

1. ゴムアスファルト系防水材の室内平場部の総使用量は、固形分60％のものを使用するため、4.5kg/m²とした。

2. ウレタンゴム系絶縁工法において、通気緩衝シートの相互の重ね幅は、50mmとした。

3. ゴムアスファルト系吹付工法において、防水材の塗継ぎの重ね幅は、100mmとした。

4. ウレタンゴム系防水材の立上り部の総使用量は、硬化物密度1.0Mg/m³のものを使用するため、2.0kg/m²とした。

━━━ 解説 ━━━

1. **ゴムアスファルト系**室内仕様の**防水材**の総使用量は、固形分60％(質量)のものを使用し、**4.5kg/m²**とする。

2. **通気緩衝シートの継ぎ目**は突付けとし、突付け部分は50mm以上の幅の接着剤付きポリエステル不織布あるいは織布のテープを張り付ける。

＊3. 吹付け工法用防水材は、防水材製造所の指定する吹付け機を用いて、指定する配合により、混合・吹付けを行う。防水材塗継ぎの重ねは幅を100mm以上、補強布の重ねは幅を50mm以上とする。

4. **ウレタンゴム系防水材**の平場部の総使用量は、硬化物密度(比重)が1.0のものを使用する場合、**標準使用量**は3.0kg/m²、**立上り部**では標準使用量は2.0kg/m²とする。

正答 2

R04-32 B

CHECK ☐☐☐☐☐

【問題 172】　シーリング工事に関する記述として、**最も不適当なもの**はどれか。

1. 外壁ALCパネル張りに取り付けるアルミニウム製建具の周囲の目地シーリングは、3面接着とした。

2. 先打ちしたポリウレタン系シーリング材に、ポリサルファイド系シーリング材を打ち継いだ。

3. シーリング材の打継ぎ箇所は、目地の交差部及びコーナー部を避け、そぎ継ぎとした。

4. コンクリートの水平打継ぎ目地のシーリングは、2成分形変成シリコーン系シーリング材を用いた。

━━ 解説 ━━━━━━━━━━━━━━━━━━━━━━━━━━━━━━━━━━━

1. **外壁ALCパネル**に取り付く**アルミニウム製建具**の周囲の目地シーリングは、**ワーキングジョイント**となるので、**2面接着**とする。

2. **ポリウレタン系シーリング材**に**後打ち**できるシーリング材には、**変成シリコーン系、シリコーン系、アクリルウレタン系、ポリサルファイド系**等がある。

3. 目地へのシーリング材の**打始め**は、原則として、目地の交差部又は**角部**から行い、**打継ぎ位置**は目地の**交差部**及び**角部**を避けて、**そぎ継ぎ**とする。

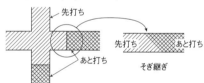

4. コンクリートの**水平打継ぎ目地**の箇所は、目地の変位が全くないか極めて少ないので、**ノンワーキングジョイント**を用い、**3面接着**とする。

　・塗装がない場合は、1・2成分形変成シリコーン系シーリング材、2成分形ポリサルファイド系シーリング材を用いる。

　・塗装がある場合は、1・2成分形ポリウレタン系シーリング材、2成分形アクリルウレタン系シーリング材を用いる。

正答　1

R02−35 A

【問題 173】　シーリング工事に関する記述として、**最も不適当なもの**はどれか。

1. ALCなど表面強度が小さい被着体に、低モジュラスのシーリング材を用いた。

2. ボンドブレーカーは、シリコーン系シーリング材を充填するため、シリコーンコーティングされたテープを用いた。

3. 先打ちしたポリサルファイド系シーリング材の硬化後に、変成シリコーン系シーリング材を打ち継いだ。

4. プライマーの塗布及びシーリング材の充填時に、被着体が5℃以下になるおそれが生じたため、作業を中止した。

■■■　解説　■■■

1. **ALCパネル**は表面強度が小さいため、シーリング材は**低モジュラス**(50％引張応力の値が$0.2N/mm^2$以下)のものを用いる。

2. シリコーン系シーリング材を充填する場合の**ボンドブレーカー**は、ポリエチレンテープとする。

3. **ポリサルファイド系**シーリング材に**後打ち**できるシーリング材には、**変成シリコーン系、シリコーン系、アクリルウレタン系**等がある。

4. **シーリング材**は、施工環境として**気温15〜20℃、湿度80%未満**の無風状態が望ましく、設問の状態で施工すると、結露するおそれがあるので中止する。

H30-35 B

【問題 174】 シーリング工事に関する記述として、**最も不適当なもの**はどれか。

1. ワーキングジョイントに装填する丸形のバックアップ材は、目地幅より20％大きい直径のものとした。

2. 先打ちしたポリウレタン系シーリング材に、ポリサルファイド系シーリング材を打ち継いだ。

3. シリコーン系シーリング材を充填する場合のボンドブレーカーは、シリコーンコーティングされたテープとした。

4. ワーキングジョイントの目地幅が20mmだったので、目地深さは、12mmとした。

施
工

―――― 解説 ――――

1. ワーキングジョイントに装填する丸形のバックアップ材は、目地幅より20～30％大きいものを選定する。

2. **ポリウレタン系**シーリング材に**後打ち**できるシーリング材には、**変成シリコーン系**、**シリコーン系**、**アクリルウレタン系**、**ポリサルファイド系**等がある。

3. シリコーン系シーリング材を充填する場合の**ボンドブレーカー**は、**ポリエチレンテープ**とする。

4. **ワーキングジョイント**の目地幅が20mmの場合、目地深さは10～15mm内に納まるように設定する。なお、ワーキングジョイントとは、比較的、挙動の大きい目地のこと。

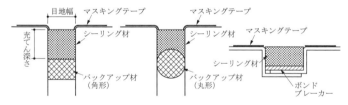

正答 **3**

R04−34 A

CHECK ☐☐☐☐☐

【問題 175】 心木なし瓦棒葺に関する記述として、**最も不適当なもの**はどれか。

1. 水上部分と壁との取合い部に設ける雨押えは、壁際立上りを45mmとした。

2. 通し吊子の鉄骨母屋への取付けは、平座金を付けたドリルねじで、下葺材、野地板を貫通させ母屋に固定した。

3. 棟部の納めは、溝板の水上端部に八千代折とした水返しを設け、棟包みを取り付けた。

4. けらば部の溝板の幅は、瓦棒の働き幅の１／２以下とした。

■ **解説** ■

1. 水上部分と壁との取合い部に設ける**雨押え**は、強風時に雨水が浸入しないように、壁際の立上がり部分は**120mm程度立ち上げる**。

2. **通し吊子**をマーキングに合わせて、平座金を付けたドリリングタッピンねじで、下葺、野地板を貫通させ、**母屋に固定**する。

3. 棟部の納めは、溝板は、先端を八千代折りとして瓦棒の高さまで立ち上げ、水返しを付ける。キャップも底部を八千代折りとして立ち上げ、水返しを付ける。棟覆いは、所定の寸法に折り曲げ加工したものを瓦棒間に切込み、溝板およびキャップの底まで折り下げる。留付けは、**径６mm程度のドリリングねじ**で、パッキン、座金を用いて瓦棒に取付けた固定金具に留め付ける。継手は、はぜ掛けとする。

4. けらば部納めは、溝板端部を唐草に十分つかみ込む。**けらば端部の長さ**は、瓦棒の働き幅の１／２以下とする。

H30-37 C

【問題 176】　心木なし瓦棒葺に関する記述として、**最も不適当なもの**はどれか。

1. けらば納めの端部の長さは、瓦棒の働き幅の2／3とした。
2. 通し吊子の鉄骨母屋への取付けは、平座金を付けたドリルねじで、下葺、野地板を貫通させ母屋に固定した。
3. 棟部の納めに棟包みを用い、棟包みの継手をできるだけ瓦棒に近い位置とした。
4. 水上部分と壁との取合い部に設ける雨押えは、壁際立上がりを120mmとした。

解説

1. けらば部納めは、溝板端部を唐草に十分つかみ込む。**けらば端部の長さ**は、瓦棒の働き幅の**1／2以下**とする。
2. 通し吊子をマーキングに合わせて、平座金を付けたドリリングタッピンねじで、下葺、野地板を貫通させ、母屋に固定する。
3. 棟覆いは、所定の寸法に折り曲げ加工したものを瓦棒間に切込み、溝板およびキャップの底まで折り下げる。留付けは、径6mm程度のドリリングねじで、パッキン、座金を用いて瓦棒に取付けた固定金具に留め付ける。継手は、はぜ掛けとする。また、継手はできるだけ瓦棒に近い位置に設けると、雨漏りに対し有効である。
4. 水上部分と壁との取合い部に設ける**雨押え**は、強風時に雨水が浸入しないように、壁際の立上がり部分は**120mm程度立ち上げる**。

正答　1

R05-33 A

【問題 177】 金属製折板葺屋根工事に関する記述として、**最も不適当なもの**はどれか。

1. 端部用タイトフレームは、けらば包みの下地として、間隔を1,800mmで取り付けた。

2. 重ね形折板の重ね部分の緊結ボルトは、流れ方向の間隔を600mmとした。

3. 軒先の落とし口は、折板の底幅より小さく穿孔し、テーパー付きポンチで押し広げ、10mmの尾垂れを付けた。

4. 軒先のアール曲げ加工は、曲げ半径を450mmとした。

解説

1. **けらば包み**は、１m程度の**間隔**で下地に取付ける。けらば包みの継手の重ねは60mm以上とし、重ね内部にシーリング材を挟み込む。

2. 折板をタイトフレームに結合する方法として、固定ボルトで留める重ね形と固定金具を用いてはぜで結合するはぜ締め形がある。重ね形の折板は、各山ごとにタイトフレームに固定し緊結の**ボルト間隔**は、**600mm**程度とする。

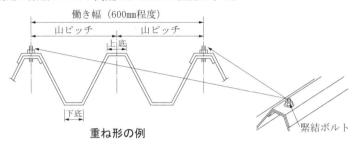

重ね形の例

3. 軒先の落とし口は、折板の底部分に雨水排水を目的で孔をあけ、施工法は底幅より尾垂れ寸法を控えた円孔をあけた後、テーパーの付いたポンチで孔周辺を下方に向けて叩くと、尾垂れが簡単に付けることができる。尾垂れの長さは５～10mm以上が理想的である。

4. 折板葺の軒先アール曲げ加工は、**曲げ半径を450mm以上**とする。

R03-33 C

【問題 178】 金属製折板葺き屋根工事に関する記述として、**最も不適当なもの**はどれか。

1. タイトフレームの割付けは、両端部の納まりが同一となるように建物の桁行き方向の中心から行い、墨出しを通りよく行った。

2. タイトフレームの受梁が大梁で切れる部分の段差には、タイトフレームの板厚と同厚の部材を添え材として用いた。

3. 水上部分の折板と壁との取合い部に設ける雨押えは、壁際の立上りを150mmとし、雨押えの先端に止水面戸を取り付けた。

4. 軒先の落とし口は、折板の底幅より小さく穿孔し、テーパー付きポンチで押し広げ、10mmの尾垂れを付けた。

━━ 解説 ━━

1. **墨出し**は、折板の働き幅寸法を考慮して山ピッチを基準に墨出しを行う。割付けは建物の桁行き方向の**中心**から行い、両端が同じ大きさになるように納める。

2. タイトフレームの受け梁に継手部分があったり、大梁の接合部で切れていたりする場合には、溶接接合ができない。これらの対処には、梁上に添え材（C形鋼）を取付け、タイトフレームを取り付け、溶接を可能にする方法がある。**受け梁の板厚**は、タイトフレームの厚さ**以上**とする。

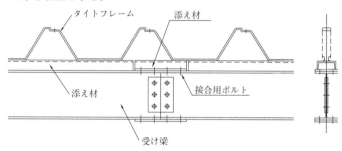

受け梁の継手部分の例

3. 水上の先端部分には、雨水を止めるために、折板材及び面戸に孔をあけないようポンチングを行い、止水面戸を止め付ける。止水面戸は雨押えの先端に取り付けるわけではない。水上部分と壁との取合い部に設ける**雨押え**は、壁際立上りを**150mm以上**とする。

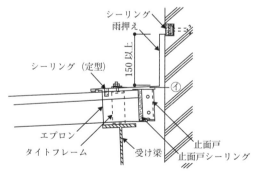

壁際の水上部分（鉄筋コンクリート壁）の納まりの例（単位：mm）

4. 軒先の落とし口は、折板の底部分に雨水排水を目的で孔をあけ、施工法は底幅より尾垂れ寸法を控えた円孔をあけた後、テーパーの付いたポンチで孔周辺を下方に向けて叩くと、尾垂れが簡単に付けることができる。**尾垂れの長さは5～10mm以上**が理想的である。

R02-37 C CHECK ▢▢▢▢▢

【問題 179】 金属板葺屋根工事に関する記述として、**最も不適当なもの**はどれか。

1. 下葺きのルーフィング材は、上下(流れ方向)の重ね幅を100mm、左右(長手方向)の重ね幅を200mmとした。

2. 塗装溶融亜鉛めっき鋼板を用いた金属板葺きの留付け用のドリルねじは、亜鉛めっき製品を使用した。

3. 心木なし瓦棒葺の通し吊子の鉄骨母屋への取付けは、平座金を付けたドリルねじで、下葺、野地板を貫通させ母屋に固定した。

4. 平葺の吊子は、葺板と同種同厚の材とし、幅20mm、長さ50mmとした。

━━ **解説** ━━━━━━━━━━━━━━━━━━━━━━━━━━━━━━━━━━━━━

1. **下葺きのアスファルトルーフィング類**は、シートの**長手方向200mm以上**、**幅方向**(流れ方向)**100mm以上**重ね合わせ、重ね合わせ部分及び要所を座当てくぎ打ちまたはタッカによるステープル留めとし、しわ・緩みなどのないように張上げる。

2. 固定釘は、屋根材の材質に適したものを用い、釘と屋根材との間に異種金属間の電食が極力起こらないようにする。**塗装溶融亜鉛めっき鋼板**を用いた金属板葺きの留付け用くぎ・固定ボルト・ドリリングねじは、**亜鉛めっき製**を使用する。

固定釘の材質

屋根材の種類	釘の材質
溶融亜鉛めっき鋼板 **塗装溶融亜鉛めっき鋼板** 溶融アルミニウムめっく鋼板	**亜鉛めっき釘**
ポリ塩化ビニル被覆金属板 アルミニウム合金板 塗装ステンレス鋼板	ステンレス釘(SUS 304)

3. 通し吊子をマーキングに合わせて、平座金を付けたドリリングタッピンねじで、下葺、野地板を貫通させ、母屋に固定する。

4. **平葺の吊子**は、葺板と同様、同厚の板で、**幅30mm**、**長さ70mm**程度とする。

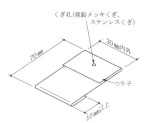

R01−37 B

【問題 180】　金属製折板葺屋根工事に関する記述として、**最も不適当なもの**はどれか。

1. 重ね形折板の重ね部分の緊結ボルトは、流れ方向の間隔を600mmとした。

2. 端部用タイトフレームは、けらば包みの下地として、間隔を1,800mmで取り付けた。

3. けらば包みの継手は、60mm以上重ね合わせ、間に定形シール材を挟み込んで留めた。

4. 軒先の落とし口は、折板の底幅より小さく穿孔し、テーパー付きポンチで押し広げ、5mmの尾垂れを付けた。

━━━ **解説** ━━━━━━━━━━━━━━━━━━━━━━━━━━━━━━━━━━━━

1. **折板**をタイトフレームに結合する方法として、固定ボルトで留める重ね形と固定金具を用いてはぜで結合するはぜ締め形がある。重ね形の折板は、各山ごとにタイトフレームに固定し、緊結の**ボルト間隔**は600mm程度とする。

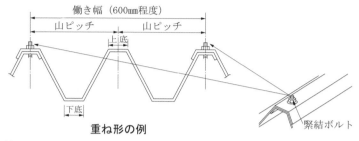

重ね形の例

2. **けらば包み**は、1m程度の間隔で下地に取り付ける。けらば包みの継手の重ねは60mm以上とし、重ね内部にシーリング材を挟み込む。

3. **けらば包み**の**継手**の重ねは60mm以上とし、重ね内部にシーリング材を挟み込む。継手位置は、タイトフレームにできるだけ近いほうがよい。

4. 軒先の落とし口は、折板の底部分に雨水排水を目的で孔をあけ、施工法は底幅より尾垂れ寸法を控えた円孔をあけた後、テーパーの付いたポンチで孔周辺を下方に向けて叩くと、尾垂れが簡単に付けることができる。尾垂れの長さは5～10mm以上が理想的である。

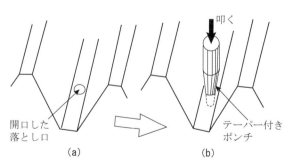

(a)　　　　　　　(b)

落とし口の施工方法

正答 **2**

R05-35 A

【問題 181】　内壁コンクリート下地のセメントモルタル塗りに関する記述として、**最も不適当なもの**はどれか。

1. 下塗りは、吸水調整材の塗布後、乾燥を確認してから行った。

2. 下塗り用モルタルの調合は、容積比でセメント１：砂３とした。

3. 下塗り後の放置期間は、モルタルの硬化が確認できたため、14日間より短縮した。

4. 中塗りや上塗りの塗厚を均一にするため、下塗りの後に、むら直しを行った。

■ 解説 ■

1. モルタル塗りにおける下塗りの塗付けは、吸水調整材塗りを行った場合は乾燥後、ポリマーセメントペースト塗りを行った場合はポリマーセメントペーストが乾燥しないうちに、塗残しのないよう全面に行う。吸水調整材塗布後、下塗りまでの間隔は、一般的には、１時間以上とする。

2. モルタルの調合はセメント対砂の比で表す。床の上塗りの場合、張り物下地の場合は１対３。内壁の場合、**下塗りは１対2.5**、むら直しは１対３、**中塗りは１対３**、上塗りは**１対３**を目安とする。外壁の場合、下塗りは１対2.5、中塗りは１対３、上塗りは１対３を目安とする。

	下塗り ラスこすり	むら直し・中塗り	上塗り
セメント：砂	1：2.5	1：3	1：3

3. 下塗り後の放置期間は、**14日以上放置**させる。ただし気象条件等により、モルタルの接着が確保できる場合には、放置期間を短縮することができる。

4. **むら直し**は、中塗り、上塗りの塗り厚を均一にするため、**下塗りの後に行う。**

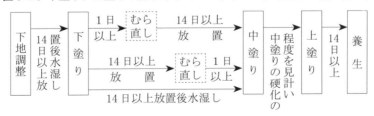

R03−35 B

【問題 182】　内壁コンクリート下地のセメントモルタル塗りに関する記述として、**最も不適当なもの**はどれか。

1. 中塗りや上塗りの塗厚を均一にするため、下塗りの後に、むら直しを行った。
2. モルタルの塗厚は、下塗りから上塗りまでの合計で30mmとした。
3. 下地処理をポリマーセメントペースト塗りとしたため、乾燥しないうちに下塗りを行った。
4. 下塗り用モルタルの調合は、容積比でセメント1：砂2.5とした。

■　解説

1. むら直しは、中塗り、上塗りの塗り厚を均一にするため、下塗りの後に行う。
2. コンクリート下地セメントモルタルの**塗厚**は、壁の場合、**外壁25mm**、**内壁20mm**を目安とする。床の場合**30mm程度**である。
3. セメントペーストを下地処理に用いた場合、はく離防止のため、乾かないうちに追いかけて下塗りモルタルを塗り付ける。セメントペーストは、一度乾くと、はく離しやすくなる。
4. モルタルの調合はセメント対砂の比で表す。床の上塗りの場合、張り物下地の場合は1対3。内壁の場合、下塗りは1対2.5、むら直しは1対3、中塗りは1対3、上塗りは1対3を目安とする。外壁の場合、**下塗り**は**1対2.5**、**中塗り**は**1対3**、**上塗り**は**1対3**を目安とする。

施

工

正答　2

R01−39 B

【問題 183】 内壁コンクリート下地のセメントモルタル塗りに関する記述として、**最も不適当なもの**はどれか。

1. モルタルの塗厚の合計は、20mmを標準とした。
2. 下塗りは、吸水調整材の塗布後、乾燥を確認してから行った。
3. 下塗り用モルタルの調合は、容積比でセメント１：砂３とした。
4. 中塗りや上塗りの塗厚を均一にするため、下塗りの後に、むら直しを行った。

● 解説

1. コンクリート下地セメントモルタルの**塗厚**は、壁の場合、**外壁25mm**、**内壁20mm**を目安とする。床の場合30mm程度である。

2. モルタル塗りにおける下塗りの塗付けは、吸水調整材塗りを行った場合は乾燥後、ポリマーセメントペースト塗りを行った場合はポリマーセメントペーストが乾燥しないうちに、塗残しのないよう全面に行う。吸水調整材塗布後、下塗りまでの間隔は、一般的には、１時間以上とする。

3. モルタルの調合はセメント対砂の比(容積比)で表す。床の上塗りの場合、張り物下地の場合は１対３。内壁の場合、**下塗りは１対2.5**、むら直しは１対３、**中塗りは１対３**、**上塗りは１対３**を目安とする。

	下塗り ラスこすり	むら直し・中塗り	上塗り
セメント：砂	1：2.5	1：3	1：3

4. **むら直し**は、中塗り、上塗りの塗り厚を均一にするため、**下塗り**の後に行う。

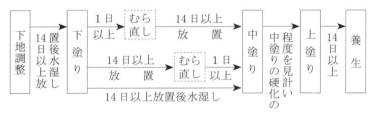

R04-35 A

【問題 184】　防水形合成樹脂エマルション系複層仕上塗材(防水形複層塗材E)仕上げに関する記述として、**最も不適当なもの**はどれか。

1.　上塗材は、0.3kg/m²を2回塗りとした。
2.　主材の基層塗りは、1.7kg/m²を2回塗りとした。
3.　出隅、入隅、目地部、開口部まわり等に行う増塗りは、主材塗りの後に行った。
4.　主材の凹凸状の模様塗りは、見本と同様になるように、吹付け工法により行った。

解説

1.2.4.　防水形複層塗材E(凸部処理、凹凸模様／**吹付け**)

種類	呼び名	仕上げ形状	工法	所要量(kg/m²)	塗り回数
複層 仕上塗材	防水形 複層塗材E	凸部処理 凹凸模様	下塗材	0.1～0.3	1
			増塗材	0.9～1.2	1
			主材基層	**1.7～2.0**	**2**
			主材模様	0.9～1.2	1
			上塗材	**0.25～0.35**	**2**

3.　**増塗り**は、出隅、入隅、目地部、開口部まわり等に、**主材塗り**の前に行い、**はけ**又は**ローラー**により端部に段差がないように塗り付ける。

R02-39 B

【問題 185】　防水形合成樹脂エマルション系複層仕上塗材(防水形複層塗材E)仕上げに関する記述として、**最も不適当なもの**はどれか。

1.　下塗材は、0.2kg/m²を1回塗りで、均一に塗り付けた。

2.　主材の基層塗りは、1.2kg/m²を1回塗りで、下地を覆うように塗り付けた。

3.　主材の模様塗りは、1.0kg/m²を1回塗りで、見本と同様の模様になるように塗り付けた。

4.　上塗材は、0.3kg/m²を2回塗りで、色むらが生じないように塗り付けた。

■　解説

1.　**下塗材**の所要量は、製造所によって相違があるので、試し塗りを行う。一般に、**所要量は0.1〜0.3kg/m²**とする。下塗材は、水又はうすめ液での希釈量が適切でないと、下地や主材との付着力が低下する危険性があるので、水又は専用のうすめ液で指定した範囲内で薄める。

2.3.4.　防水形複層塗材E(凸部処理、凹凸模様／吹付け)

種類	呼び名	仕上げ形状	工法	所要量(kg/m²)	塗り回数
複層仕上塗材	防水形複層塗材E	凸部処理凹凸模様	下塗材	0.1〜0.3	1
			増塗材	0.9〜1.2	1
			主材基層	1.7〜2.0	2
			主材模様	0.9〜1.2	1
			上塗材	0.25〜0.35	2

　　2.の**主材の基層塗り**は、所要量を1.7〜2.0kg/m²とし、**2回塗り**とする。

H30-39 B

【問題 186】　防水形合成樹脂エマルション系複層仕上塗材(防水形複層塗材E)に関する記述として、**最も不適当な**ものはどれか。

1.　下塗材は、所要量を0.2kg/m²とし、専用うすめ液で均一に薄めた。

2.　主材の基層塗りは、所要量を1.7 kg/m²とし、2回塗りとした。

3.　増塗りは、主材塗りの後に行い、出隅、入隅、目地部、開口部まわり等に、ローラーにより行った。

4.　凸部処理は、見本と同様の模様で均一に仕上がるように、ローラーにより行った。

━━ 解説

1.　下塗材の所要量は、製造所によって相違があるので、試し塗りを行う。一般に、**所要量は0.1〜0.3kg/m²**とする。下塗材は、水又はうすめ液での希釈量が適切でないと、下地や主材との付着力が低下する危険性があるので、水又は専用のうすめ液で指定した範囲内で薄める。

2.　**主材の基層塗りは、所要量を1.7〜2.0kg/m²とし、2回塗り**とする。防水形複層塗材E(凸部処理、凹凸模様／吹付け)

種類	呼び名	仕上げ形状	工法	所要量(kg/m²)	塗り回数
複層仕上塗材	防水形複層塗材E	凸部処理凹凸模様	**下塗材**	0.10〜0.3	1
			増塗材	0.9〜1.2	1
			主材基層	1.7〜2.0	2
			主材模様	0.9〜1.2	1
			上塗材	0.25〜0.35	2

3.　**増塗り**は、出隅、入隅、目地部、開口部まわり等に、**主材塗りの前に行い、はけ又はローラー**により端部に段差がないように塗り付ける。

4.　**凸部処理**を行う場合、こて又はローラー押えにより、見本と同様の模様になるように主材の模様塗り後、乾燥状態を踏まえて、所定の模様が得られるように、**1時間以内**に行う。

正答 3

R05-37 A

【問題 187】 塗装工事に関する記述として、**最も不適当なもの**はどれか。

1. アクリル樹脂系非水分散形塗料塗りにおいて、中塗りを行う前に研磨紙P220を用いて研磨した。

2. せっこうボード面の合成樹脂エマルションペイント塗りにおいて、気温が20℃であったため、中塗り後3時間経過してから、次の工程に入った。

3. 屋外の木質系素地面の木材保護塗料塗りにおいて、原液を水で希釈し、よく撹拌して使用した。

4. 亜鉛めっき鋼面の常温乾燥形ふっ素樹脂エナメル塗りにおいて、下塗りに変性エポキシ樹脂プライマーを使用した。

● 解説

1. **アクリル樹脂系非水分散形塗料塗り**では、中塗りの前に**研磨紙P220～240で研磨紙ず**りを行う。

2. 合成樹脂エマルションペイント塗りの工程は、下表のとおりである。

工程		塗装種別		塗装、その他	希釈割合（質量比）	塗付け量（kg/m²）	工程間隔時間（h）
		A種	B種				
1	素地調整	●	●	素地調整による			
2	パテ付け	○	―	合成樹脂エマルションパテ			3 h以上
3	研磨	○	―	研磨紙　P220			
4	下塗り	●	●	合成樹脂エマルションシーラー	製造所指定による	0.07	3 h以上
				水			
5	中塗り	●	●	合成樹脂エマルションペイント	100	0.11	**3 h以上**
				水	5～20		
6	研磨	○	―	研磨紙　P280			
7	上塗り	●	●	中塗りに同じ			(48h以上)

3. **木材保護塗料**は、木材内部に十分浸み込ませることが重要である。また、木材保護塗料は原液で使用することを基本とし、**希釈はしない**。

4. 亜鉛めっき鋼面の**常温乾燥形ふっ素樹脂エナメル塗り**においては、**下塗りに変性エポキシ樹脂プライマー**を使用する。

正答 3

R03−36 A

【問題 188】　塗装工事に関する記述として、**最も不適当なもの**はどれか。

1.　屋外の木質系素地面の木材保護塗料塗りにおいて、原液を水で希釈し、よく撹拌して使用した。

2.　亜鉛めっき鋼面の常温乾燥形ふっ素樹脂エナメル塗りにおいて、下塗りに変性エポキシ樹脂プライマーを使用した。

3.　コンクリート面のアクリル樹脂系非水分散形塗料塗りにおいて、下塗り、中塗り、上塗りともに同一材料を使用し、塗付け量はそれぞれ0.10kg／m²とした。

4.　せっこうボード面の合成樹脂エマルションペイント塗りにおいて、気温が20℃であったため、中塗り後3時間経過してから、次の工程に入った。

━━━　解説　━━━

1.　**木材保護塗料**は、木材内部に十分浸み込ませることが重要である。また、木材保護塗料は原液で使用することを基本とし、**希釈はしない**。

2.　亜鉛めっき鋼面の**常温乾燥形ふっ素樹脂エナメル塗り**においては、**下塗りに変性エポキシ樹脂プライマー**を使用する。

3.　**アクリル樹脂系非水分散形塗料塗り**において、下塗り、中塗り、上塗りは同一材料を使用し、**塗付け量**はそれぞれ**0.10kg／m²**とする。

4.　合成樹脂エマルションペイント塗りの工程は、下表のとおりである。

工程		塗装種別		塗装、その他	希釈割合（質量比）	塗付け量（kg／m²）	工程間隔時間（h）
		A種	B種				
1	素地調整	●	●	素地調整による			
2	パテ付け	○	—	合成樹脂エマルションパテ			3h以上
3	研磨	○	—	研磨紙　P220			
4	下塗り	●	●	合成樹脂エマルションシーラー	製造所指定による	0.07	3h以上
				水			
5	**中塗り**	●	●	合成樹脂エマルションペイント	100	0.11	**3h以上**
				水	5〜20		
6	研磨	○	—	研磨紙　P280			
7	上塗り	●	●	中塗りに同じ			（48h以上）

正答　1

H30-41 Ａ

【問題 189】 塗装工事に関する記述として、**最も不適当な**ものはどれか。

1. 亜鉛めっき鋼面の常温乾燥形ふっ素樹脂エナメル塗りにおいて、下塗りに変性エポキシ樹脂プライマーを使用した。

2. モルタル面のアクリル樹脂系非水分散形塗料塗りにおいて、下塗り、中塗り及び上塗りの塗付け量をそれぞれ同量とした。

3. コンクリート面のアクリルシリコン樹脂エナメル塗りにおいて、下塗りに反応形合成樹脂シーラーを使用した。

4. 屋外の木質系素地面の木材保護塗料塗りにおいて、原液を水で希釈し、よく撹拌（かくはん）して使用した。

解説

1. 常温乾燥形ふっ素樹脂エナメル塗りに用いる材料は、下表のとおりである。

種類	材料名	適用素地	
		鉄鋼	亜鉛めっき鋼
下塗り用塗料	有機ジンクリッチプライマー	○	―
	構造用さび止めペイント	○	―
	変性エポキシ樹脂プライマー	○	○
	エポキシ樹脂雲母状酸化鉄塗料	○	―
中塗り用塗料	建築用耐候性中塗り塗料	○	○
上塗り用塗料	建築用耐候性上塗り塗料	○	○

2. **アクリル樹脂系非水分散形塗料塗り**において、**下塗り**、**中塗り**、**上塗り**は同一材料を使用し、塗付け量はそれぞれ0.10kg/m²とする。

3. 下塗りは素地に十分含浸させることにより、塗膜の付着性向上やぜい弱な素地の強化を目的として使用し、2液形エポキシ樹脂系または2液形ポリウレタン樹脂系の反応形合成樹脂シーラーが用いられる。

4. **木材保護塗料**は、木材内部に十分浸み込ませることが重要である。また、木材保護塗料は原液で使用することを基本とし、**希釈はしない**。木材保護塗料は、塗り回数が多くなることにしたがって、木質系素地への浸透性が低下するので、A種の上塗り（2回目）では塗付け量を0.04kg/m²以上としている。木材保護塗料塗りは、通常、屋外で使用される木質系素地に対して適用される。屋内に使用する場合は、オイルステイン塗りを利用する。

正答　4

R02-41 C

【問題 190】 コンクリート素地面の塗装工事に関する記述として、**最も不適当なものはど**れか。

1. 常温乾燥形ふっ素樹脂エナメル塗りにおいて、塗料を素地に浸透させるため、下塗りはローラーブラシ塗りとした。

2. 合成樹脂エマルションペイント塗りにおいて、屋内の水がかり部分は、塗料の種類を1種とした。

3. アクリル樹脂系非水分散形塗料塗りにおいて、中塗りを行う前に研磨紙P80を用いて研磨した。

4. つや有合成樹脂エマルションペイント塗りにおいて、最終養生時間を48時間とした。

■■■■ 解説 ■■■■

1. **常温乾燥形ふっ素樹脂エナメル塗り**の**下塗り**において、塗装方法は、**はけ塗り、ローラーブラシ塗り**若しくは**吹付け塗り**とする。

2. **合成樹脂エマルションペイントの1種**は主として**建築物外部**や**水掛かり部分**に用い、**2種**は主として**内部**に用いる。

3. **アクリル樹脂系非水分散形塗料塗り**では、中塗りの前に**研磨紙P220～240**で**研磨紙ず**りを行う。

4. **つや有合成樹脂エマルションペイント塗り**において、**最終養生時間を48時間以上と**する。

R01-41 C

【問題 191】　コンクリート素地面の塗装工事に関する記述として、**最も不適当なもの**はどれか。

1. 合成樹脂エマルションペイント塗りにおいて、塗料に流動性をもたせるため、水で希釈して使用した。

2. ２液形ポリウレタンエナメル塗りにおいて、気温が20℃であったため、下塗り及び中塗りの工程間隔時間を３時間とした。

3. アクリル樹脂系非水分散形塗料塗りにおいて、下塗り、中塗り、上塗りともに同一材料を使用し、塗付け量はそれぞれ0.10kg/m²とした。

4. つや有合成樹脂エマルションペイント塗りにおいて、気温が20℃であったため、中塗りの工程間隔時間を５時間とした。

■── 解説 ──■

1. **合成樹脂エマルションペイント塗り**は、水系塗料であり、水による希釈が可能で加水して塗料に流動性をもたせる。

2. **2液形ポリウレタンエナメル中塗り**において、下塗り及び中塗りの**標準工程間隔時間**は、**16時間以上7日以内**である。

3. **アクリル樹脂系非水分散形塗料塗り**において、下塗り、中塗り、上塗りは同一材料を使用し、**塗付け量**はそれぞれ0.10kg/㎡とする。

4. **つや有合成樹脂エマルションペイント塗り**の中塗りの**工程間隔時間**(気温20℃のとき)は、5時間以上とする。

正答 2

R01—36 A

【問題 192】 外壁張り石工事に関する記述として、**最も不適当なもの**はどれか。

1. 湿式工法において、石厚40mmの花こう岩の取付け用引金物は、径4.0mmのものを使用した。

2. 乾式工法のロッキング方式において、ファスナーの通しだぼは、径4.0mmのものを使用した。

3. 湿式工法において、流し筋工法の埋込みアンカーは、設置位置を450mmの間隔とし、縦筋を通り良く設置した。

4. 乾式工法において、コンクリート躯体の表面の精度を±10mmとし、石材の裏面から躯体の表面までの取付け代は、40mmとした。

━━ **解説** ━━

* 1. 外壁湿式工法・内壁空積工法用金物の種類および経は次表による。

(最小寸法・単位：mm)

石厚	引き金物	だぼ	かすがい
40未満	径3.2	径3.2	径3.2
40以上	径4.0	径4.0	径4.0

2. 一般的なだぼ寸法は、通しだぼの場合 φ4×50mm程度のものが使われている。石材のだぼ孔の径は、通常、だぼの寸法より1～3mm大きくする。

3. 流し筋工法での埋込みアンカーの設置位置は、縦筋が設置しやすいように、鉛直方向の通りが出るよう配置する。その際、450mm程度の間隔で縦筋を配置する。

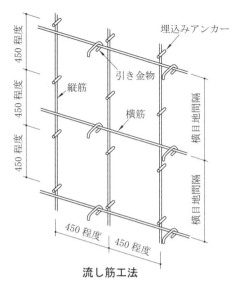

流し筋工法

4. 石材裏面と躯体コンクリート面の**間隔**は、下地となるコンクリート部材の位置の許容差±10mmとダブルファスナーの最小寸法が60mmあるので、**70mm**を標準とする。

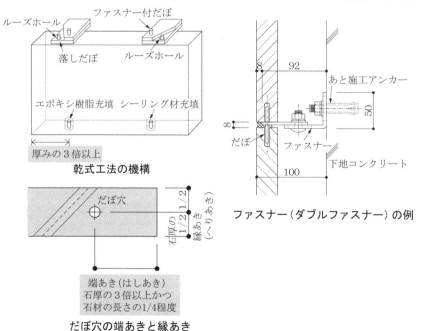

ルーズホール

ファスナー付だぼ

落しだぼ　　ルーズホール

エポキシ樹脂充填　シーリング材充填

厚みの3倍以上

乾式工法の機構

だぼ穴

石厚の1/2　1/2
縁あき（へりあき）

端あき(はしあき)
石厚の3倍以上かつ
石材の長さの1/4程度

だぼ穴の端あきと縁あき

8　92

あと施工アンカー

50

8

だぼ　　ファスナー

100　下地コンクリート

ファスナー（ダブルファスナー）の例

R05-32 A

【問題 193】 乾式工法による外壁の張り石工事に関する記述として、**最も不適当なもの**はどれか。

1. 厚さ30mm、大きさ500mm角の石材のだぼ孔の端あき寸法は、60mmとした。
2. ロッキング方式において、ファスナーの通しだぼは、径4mmのものを使用した。
3. 下地のコンクリート面の精度を考慮し、調整範囲が±10mmのファスナーを使用した。
4. 石材間の目地は、幅を10mmとしてシーリング材を充填した。

■ 解説

1. 厚さ30mm、大きさ500mm角の石材のだぼ穴の**端あき寸法**は、石材両端より辺長の1／4程度の位置に設置するのが一般的である。従って125mmとなる。
2. 一般的なだぼ寸法は、通しだぼの場合φ4×50mm程度のものが使われている。石材のだぼ孔の径は、通常、だぼの寸法より1〜3mm大きくする。
3. 取付け代は、躯体の精度±10mmとファスナー寸法60mmから、石材裏面から躯体表面までの**取付け代は70mm**を標準とする。従って下地面の寸法精度は、±10mm以内である。
4. 石材間の**目地幅**は、地震時の相互の変位を考慮して、**最低8mm**としている。また、目地にシーリング材を充填するのは、防水性の確保と同時に、シーリング材の接着力により脱落の危険を免れる目的もある。

R03-32 Ａ　　　　　　　　　　　　　　CHECK ▢▢▢▢▢

【問題 194】　乾式工法による外壁の張り石工事に関する記述として、**最も不適当なもの**は
　　どれか。

1. 石材の形状は正方形に近い矩形とし、その大きさは石材1枚の面積が0.8m²以下
　　とした。

2. 下地のコンクリート面の寸法精度は、±10mm以内となるようにした。

3. 厚さ30mm、大きさ500mm角の石材のだぼ孔の端あき寸法は、60mmとした。

4. 石材間の目地は、幅を10mmとしてシーリング材を充填した。

施
工

━━━　解説　━━━

1. **石材の形状**は正方形に近い**矩形**とする。また、**石材の寸法**は幅及び**高さ1,200mm以下**、
　　かつ、**面積0.8m²以下**とし、重量は70kg以下とする。

2. 取付け代は、躯体の精度±10mmとファスナー寸法60mmから、石材裏面から躯体表
　　面までの**取付け代は70mm**を標準とする。従って下地面の寸法精度は、±10mm以内
　　である。

3. 厚さ30mm、大きさ500mm角の石材のだぼ穴の**端あき寸法**は、石材両端より辺長の
　　1／4程度の位置に設置するのが一般的である。従って125mmとなる。

4. 石材間の**目地幅**は、地震時の相互の変位を考慮して、**最低8mm**としている。また、
　　目地にシーリング材を充填するのは、防水性の確保と同時に、シーリング材の接着力
　　により脱落の危険を免れる目的もある。

正答　3

R04−33 B

【問題 195】 セメントモルタルによる壁タイル後張り工法に関する記述として、**最も不適当なもの**はどれか。

1. 密着張りの張付けモルタルは2度塗りとし、タイルは、上から下に1段置きに数段張り付けた後、それらの間のタイルを張った。

2. モザイクタイル張りの張付けモルタルは2度塗りとし、1層目はこて圧をかけて塗り付けた。

3. 改良積上げ張りの張付けモルタルは、下地モルタル面に塗り厚4mmで塗り付けた。

4. 改良圧着張りの下地面への張付けモルタルは2度塗りとし、その合計の塗り厚を5mmとした。

● **解説**

1. **密着張り**の張付けモルタルは**2度塗り**とし、タイルは、上から下に**1段置き**に数段張り付けた後、それらの間のタイルを張付ける。

2. **モザイクタイル張り**の張付けモルタルの塗付けは、下地モルタル面の微妙な凹凸にまで、張付けモルタルが食い込むように、いかに薄くとも**2度塗り**とし、1度目は薄く下地面にこすりつけるように圧をかけて塗る。

3. 小口タイルの**改良積上げ張り**の張付けモルタルは、**タイル裏面全面**に**7mm**程度の厚さになるように塗り付ける。

4. **改良圧着張り**の下地面への張付けモルタルは**2度塗り**とし、張付けモルタルを下地面側に**4〜6mm**にむらなく塗り、定規ずりによって**平坦**にならす。

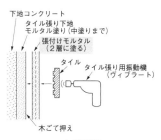

密着張り

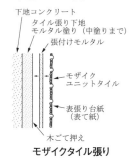

モザイクタイル張り

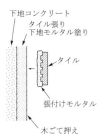

改良積上げ張り

改良圧着張り

【問題 196】　セメントモルタルによる壁タイル後張り工法に関する記述として、**最も不適当なもの**はどれか。

1. モザイクタイル張りの張付けモルタルは、2度塗りとし、総塗厚を3mm程度とした。

2. マスク張りの張付けモルタルは、ユニットタイル裏面に厚さ4mmのマスク板をあて、金ごてで塗り付けた。

3. 改良積上げ張りの張付けモルタルは、下地モルタル面に塗厚4mm程度で塗り付けた。

4. 密着張りの化粧目地詰めは、タイル張付け後、24時間以上経過したのち、張付けモルタルの硬化を見計らって行った。

━━ 解説

1. **モザイクタイル張り**の張付けモルタルの塗付けは、下地モルタル面の微妙な凹凸にまで、張付けモルタルが食い込むように、いかに薄くとも**2度塗り**とし、1度目は薄く下地面にこすりつけるように塗る。次いで、張付けモルタルを塗り重ね3mm程度の厚さとし、定規を用いて、むらのないよう塗厚を均一にする。

2. 50二丁タイルの**マスク張り**の張付けモルタルは、タイル裏面に張り付けるための**モルタル厚**が**3〜4mm程度**となるマスク板を用いて塗る。

3. 小口タイルの**改良積上げ張り**の**張付けモルタル**は、タイル裏面全面に**7mm程度**の厚さになるように塗り付ける。

4. タイルの**目地詰め作業**は、張付けたタイルの接着に害を及ぼさないようにするため、タイル張付け後、**24時間以上経過**した後、張付けモルタルの硬化を見計らって、目地詰めを行う。

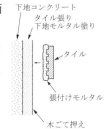

下地コンクリート
タイル張り下地
モルタル塗り（中塗りまで）
張付けモルタル
モザイク
ユニットタイル
表張り台紙
（表て紙）
木ごて押え

下地コンクリート
タイル張り
下地モルタル塗り
タイル
張付けモルタル
木ごて押え

CHECK ☐☐☐☐☐

【問題 197】　セメントモルタルによる壁タイル後張り工法に関する記述として、**最も不適当なもの**はどれか。

1. 外壁タイル張り面の伸縮調整目地の位置は、縦目地を3m内外に割り付け、横目地を各階ごとの打継ぎ目地に合わせた。

2. マスク張りでは、張付けモルタルを塗り付けたタイルは、塗り付けてから20分を限度に張り付けた。

3. 改良圧着張りの化粧目地詰めは、タイル張付け後24時間経過したのちとした。

4. モザイクタイル張りの張付けモルタルは2層に分けて塗り付けるものとし、1層目はこて圧をかけて塗り付けた。

━━━ 解説 ━━━

1. **伸縮調整目地**を設ける位置は、**横目地**については各階の水平打継ぎ箇所で**4m内外**ごと、**縦目地**については、柱形・開口部寸法に応じた構造上の要所とし、**3m内外**ごとに設けることを標準とする。

2. **マスク張り**では、張付けモルタルを塗り付けたタイルは、直ちに張り付ける。

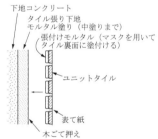

3. タイルの**目地詰め作業**は、張付けたタイルの接着に害を及ぼさないようにするため、タイル張付け後、**24時間以上経過**した後、張付けモルタルの硬化を見計らって、目地詰めを行う。

4. **モザイクタイル張り**の張付けモルタルの塗付けは、下地モルタル面の微妙な凹凸にまで、張付けモルタルが食い込むように、いかに薄くとも**2度塗り**とし、1度目は薄く下地面にこすりつけるように塗る。次いで、張付けモルタルを塗り重ね3mm程度の厚さとし、定規を用いて、むらのないよう塗厚を均一にする。

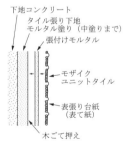

正答　2

R04-36 B

【問題 198】　アルミニウム製建具に関する記述として、**最も不適当なもの**はどれか。

1. 連窓の取付けは、ピアノ線を張って基準とし、取付け精度を 2 mm以内とした。

2. 建具枠に付くアンカーは、両端から逃げた位置にあるアンカーから、間隔を500mm以下で取り付けた。

3. 外部建具周囲の充填モルタルは、NaCl換算0.04％(質量比)以下まで除塩した海砂を使用した。

4. 水切り及び膳板は、アルミニウム板を折曲げ加工するため、厚さを1.2mmとした。

● 　解説

1. **連窓の取付け**は、ピアノ線張りを基準とし、取付け精度は、許容差を±2 mm程度とする。

2. 建具枠の**アンカー**は、枠を確実に固定できる構造とし、枠の隅より**150mm内外**を端とし、**間隔は500mm以下**に取り付ける。

3. 外部建具周囲の**充填モルタル**に**海砂**を用いる場合は、**NaCl換算0.04％以下**まで**除塩**したものを使用する。

4. アルミニウム板を加工して、枠、かまち、**水切**、**膳板**及び額縁等に使用する場合の**厚さ**は、**1.5mm以上**とする。

R02-40 C

【問題 199】　アルミニウム製建具工事に関する記述として、**最も不適当なもの**はどれか。

1.　表面処理が着色陽極酸化皮膜のアルミニウム製部材は、モルタルに接する箇所の耐アルカリ性塗料塗りを省略した。

2.　外部建具周囲の充填モルタルは、NaCl換算0.04％（質量比）まで除塩した海砂を使用した。

3.　建具枠のアンカーは、両端から逃げた位置から、間隔を500mm以下で取り付けた。

4.　水切りと下枠との取合いは、建具枠まわりと同一のシーリング材を使用した。

■■■　解説　■■■

1.　表面処理が**着色陽極酸化皮膜**のアルミニウム製部材は、多孔質の最深部に金属を吸着させて着色する。モルタルに接する箇所には、**耐アルカリ性塗料塗り**を施し、絶縁処理を行う。

2.　外部建具周囲の**充填モルタル**に**海砂**を用いる場合は、**NaCl換算0.04％以下**まで**除塩**したものを使用する。

3.　建具枠の**アンカー**は、枠を確実に固定できる構造とし、枠の隅より**150mm内外**を端とし、**間隔は500mm以下**に取り付ける。

4.　水切りと下枠との取合いは、建具枠まわりと同一の**シーリング材**を用いる。

正答　1

H30-40 B

【問題 200】　アルミニウム製建具に関する記述として、**最も不適当なもの**はどれか。

1.　建具の組立てにおいて、隅部の突付け部分はシート状の止水材を使用した。

2.　見え隠れ部分で使用する補強材に、亜鉛めっき処理した鋼材を使用した。

3.　水切り、ぜん板は、アルミニウム板を折曲げ加工するので、厚さを1.2mmとした。

4.　建具枠のアンカーは、両端から逃げた位置から、間隔を500mm以下で取り付けた。

■■■　解説　■■■

1.　建具の隅の収まりは、一般に、素材を仕口の形に合わせて加工し、突付け、小ねじ留めとしている。突付け部は、漏水防止のためのシーリング材またはシート状の止水材を使用する。

2.　建具枠に組み込む補強材、力骨、アンカー等は、**鋼製又はアルミニウム合金製**とする。鋼製のものは、**亜鉛めっき**等の接触による腐食防止処理を行ったものを使用する。

3.　アルミニウム板を加工して、枠、かまち、水切、ぜん板及び額縁等に使用する場合の**厚さは、1.5mm以上**とする。

4.　建具枠のアンカーは、枠を確実に固定できる構造とし、枠の隅より**150mm内外**を端とし、**間隔は500mm以下**に取り付ける。

R05-36 A 　　　　　　　　　　　　CHECK ☐☐☐☐☐

【問題 201】 鋼製建具に関する記述として、**最も不適当なもの**はどれか。

　　　ただし、1枚の戸の有効開口は、幅950mm、高さ2,400mmとする。

1. 外部に面する両面フラッシュ戸の表面板は鋼板製とし、厚さを1.6mmとした。
2. 外部に面する両面フラッシュ戸の見込み部は、上下部を除いた左右2方を表面板で包んだ。
3. たて枠は鋼板製とし、厚さを1.6mmとした。
4. 丁番やピボットヒンジ等により、大きな力が加わる建具枠の補強板は、厚さを2.3mmとした。

━━━ 解説 ━━━

1.2.3.4. 鋼製建具の枠の丁番、ドアクローザー、ピボットヒンジ等が取り付く箇所には、裏面に**補強板**を取り付ける。

表面板は、力骨及び中骨にかぶせ、溶接若しくは小ねじ留め又は中骨には溶接に代えて構造用接合テープを用いる。外部に面する両面フラッシュ戸は、下部を除き、**三方**の見込み部を表面板で包む。

鋼製建具に使用する鋼板類の厚さ（単位：mm）

区　分		使　用　箇　所	厚　さ
窓	枠　　類	**枠**、方立、無目、ぜん板、額縁、水切り板	**1.6**
出入口	枠　類	一般部分	1.6
		くつずり	1.5
	戸	かまち、鏡板、**表面板**	1.6
		力　骨	2.3
		中　骨	1.6
	その他	額縁、添え枠	1.6
補強板の類			2.3以上

R01-40 C

【問題 202】　鋼製建具に関する記述として、**最も不適当なもの**はどれか。

1.　ステンレス鋼板製のくつずりは、表面仕上げをヘアラインとし、厚さを1.5mm とした。

2.　丁番やピボットヒンジなどにより、大きな力が加わる建具枠の補強板は、厚さを 2.3mmとした。

3.　外部に面する両面フラッシュ戸の見込み部は、下部を除いた三方を表面板で包ん だ。

4.　外部に面する両面フラッシュ戸の表面板は、鋼板製のものを用い、厚さを0.6mm とした。

解説

1. **ステンレス鋼板製**のくつずりは、厚さ1.5mmのものを用いる。表面仕上げは、一般に傷が目立ちにくいヘアライン仕上げが用いられる。

2.3.4. 鋼製建具の枠の丁番、ドアクローザー、ピボットヒンジ等が取り付く箇所には、裏面に**補強板**を取り付ける。

　表面板は、力骨及び中骨にかぶせ、溶接若しくは小ねじ留め又は中骨には溶接に代えて構造用接合テープを用いる。外部に面する両面フラッシュ戸は、下部を除き、三方の見込み部を表面板で包む。

鋼製建具に使用する鋼板類の厚さ (単位：mm)

区　分		使　用　箇　所	厚　さ
窓	枠　類	枠、方立、無目、ぜん板、額縁、水切り板	1.6
出入口	枠　類	一般部分	1.6
		くつずり	1.5
	戸	かまち、鏡板、**表面板**	1.6
		力　骨	2.3
		中　骨	1.6
	その他	額縁、添え枠	1.6
補強板の類			2.3以上

R02-38 A

【問題 203】　軽量鉄骨壁下地に関する記述として、**最も不適当なもの**はどれか。

1. 鉄骨梁に取り付く上部ランナーは、耐火被覆工事の後、あらかじめ鉄骨梁に取り付けられた先付け金物に溶接で固定した。

2. コンクリート壁に添え付くスタッドは、上下のランナーに差し込み、コンクリート壁に打込みピンで固定した。

3. スタッドは、上部ランナーの上端とスタッド天端との隙間が15mmとなるように切断した。

4. 上下のランナーの間隔が3mの軽量鉄骨壁下地に取り付ける振れ止めの段数は、2段とした。

解説

1. 軽量鉄骨壁下地の施工において、軽量鉄骨天井下地にランナーを取り付ける場合、ランナーと天井下地材の野縁が直角の場合には、**ランナーを野縁に、各々間隔900mm**程度にタッピンねじの類又は**溶接**で固定する。また、ランナーを上部鉄骨梁に取り付ける場合は、耐火被覆終了後、あらかじめ取り付けられた先付け金物又はスタッドに、タッピンねじの類又は溶接で固定する。

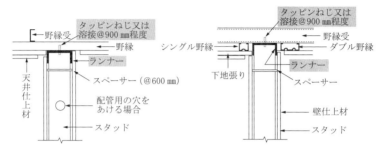

（ランナーが野縁と直角の場合）　　（ランナーが野縁と平行の場合）

2. スタッドがコンクリート壁等に添え付く場合は、ランナーと同様に、振れ止め上部（間隔約1.2m程度）を打込みピン等で固定する。

3. スタッドの取付けは、スタッドを上下ランナーに差込み、半回転して取付ける。**スタッド**は、スタッドの天端と上部ランナーの溝底との間が**10mm以下**となるように、スタッドの**上端**を切断する。

4. **振れ止め**は、床ランナー下端より間隔約**1.2m**ごとに設ける。ただし、上部ランナー上端から400mm以内に振れ止めが位置する場合には、その振れ止めは省略することができる。上下のランナーの間隔が３m場合振れ止めの段数は、２段となる。

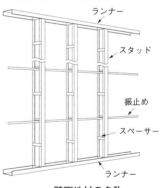

壁下地材の名称

正答　3

H30−38 B

【問題 204】 軽量鉄骨壁下地に関する記述として、**最も不適当なもの**はどれか。

1. ランナーは、両端部は端部から50mm内側で固定し、中間部は900mm間隔で固定した。

2. 振れ止めは、床ランナーから1,200mm間隔で、スタッドに引き通し、固定した。

3. スタッドの建込み間隔の精度は、±5mmとした。

4. スペーサーは、各スタッドの端部を押さえ、900mm間隔に留め付けた。

━━ 解説

1. ランナー両端部の**固定位置**は、端部より50mm**内側**にする。ランナーの継手は**突付け**継ぎとし、**中間部**は900mm間隔で固定する。

2. **振れ止め**は、床面ランナー下端から1,200mm程度の間隔でフランジを上向きにし、スタッドに引き通しスペーサーで固定する。また、上部ランナーから400mm以内に振れ止めが位置する場合には、その振れ止めは省略できる。

3. スタッドの建込み間隔の**精度**は、通常の天井高では**±5mm**とし、スタッドの垂直精度は約±2mmとする。

4. **スペーサー**は、スタッドの強度を高め、ねじれを防止し、振れ止めを固定するために用いる。スペーサーは各スタッドの端部を押さえ、**間隔600mm程度**に留め付ける。

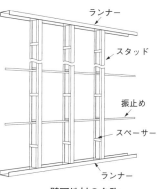

ランナー
スタッド
振止め
スペーサー
ランナー

壁下地材の名称

【問題 205】　特定天井に該当しない軽量鉄骨天井下地工事に関する記述として、**最も不適当なもの**はどれか。

1. 天井のふところが1,500mm以上あったため、吊りボルトの振れ止めとなる水平方向の補強は、縦横間隔を1,800mm程度とした。

2. 下り壁による天井の段違い部分は、2,700mm程度の間隔で斜め補強を行った。

3. 下地張りのある天井仕上げの野縁は、ダブル野縁を1,800mm程度の間隔とし、その間に4本のシングル野縁を間隔を揃えて配置した。

4. 野縁は、野縁受にクリップ留めし、野縁が壁と突付けとなる箇所は、野縁受からのはね出しを200mmとした。

■ 解説 ■

1. 天井のふところが1,500mm以上の場合は、**縦横間隔1,800mm程度**に丸鋼等により吊りボルトの**振れ止め補強**を行う。

2. 下り壁や間仕切りを境として天井に**段違い**がある場合には、2,700mm程度の間隔で段違い部分に**振れ止め補強**を行う。

3. **下地張りのある天井仕上げの野縁**は、**ダブル野縁を1,800mm程度**の間隔とし、その間に4本のシングル野縁を間隔を揃えて配置する。

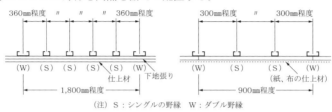

(注) S：シングルの野縁　W：ダブル野縁

下地張りのある場合　　　　下地張りのない場合

4. 野縁は野縁受けに**クリップ**を**交互**に向きを変えて留め付け、**野縁のはね出し**は、野縁受けから**150mm以内**とする。

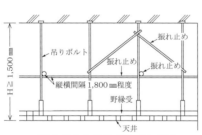

天井のふところが大きい場合

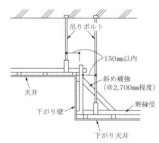

下がり壁による段違いの場合

R03−34 B

【問題 206】　特定天井に該当しない軽量鉄骨天井下地工事に関する記述として、**最も不適**
当なものはどれか。

1.　下地張りがなく、野縁が壁に突付けとなる場所に天井目地を設けるため、厚さ
0.5mmのコ形の亜鉛めっき鋼板を野縁端部の小口に差し込んだ。

2.　屋内の天井のふところが1,500mm以上ある吊りボルトは、縦横方向に間隔3.6m
で補強用部材を配置して水平補強した。

3.　吊りボルトの間隔が900mmを超えたため、その吊りボルトの間に水平つなぎ材
を架構し、中間から吊りボルトを下げる2段吊りとした。

4.　下地張りのある天井仕上げの野縁は、ダブル野縁を1,800mm程度の間隔とし、
その間に4本のシングル野縁を間隔を揃えて配置した。

解説

1. 下張りがなく野縁が壁等に突き付く場合、天井目地を設けるときは、厚さ0.5mm以上のコ形又はL形の亜鉛めっき鋼板を、野縁端部の小口に差し込むか添え付けて留め付ける。

2. 天井のふところが1,500mm以上の場合は、**縦横間隔1,800mm程度**に丸鋼等により吊りボルトの**振れ止め補強**を行う。

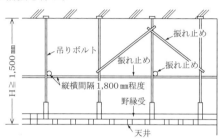

天井のふところが大きい場合

3. ダクト等によって**吊りボルトの間隔**が900mmを超える場合は、その吊りボルト間に水平つなぎ材を架構し、中間から吊りボルトを下げる2段吊りとする方法で対応することができる。

4. **下地張りのある天井仕上げの野縁**は、**ダブル野縁**を1,800mm程度の間隔とし、その間に4本のシングル野縁を間隔を揃えて配置する。
   下地張りのない天井仕上げの野縁は、**ダブル野縁**を900mm程度の間隔とし、その間に2本のシングル野縁を間隔を揃えて配置する。

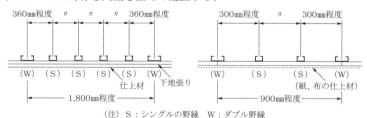

(注) S：シングルの野縁　W：ダブル野縁

下地張りのある場合　　　**下地張りのない場合**

R03-38 Ａ

【問題 207】　鉄筋コンクリート造の断熱工事に関する記述として、**最も不適当なものはど**れか。

1.　硬質ウレタンフォーム吹付け工法において、ウレタンフォームが厚く付きすぎて表面仕上げ上支障となるところは、カッターナイフで除去した。

2.　硬質ウレタンフォーム吹付け工法において、ウレタンフォームは自己接着性に乏しいため、吹き付ける前にコンクリート面に接着剤を塗布した。

3.　押出法ポリスチレンフォーム張付け工法において、セメント系下地調整塗材を用いて隙間ができないようにしてから、断熱材を全面接着で張り付けた。

4.　押出法ポリスチレンフォーム打込み工法において、窓枠回りの施工が困難な部分には、現場発泡の硬質ウレタンフォームを吹き付けた。

■　解説　■

1.　硬質ウレタンフォーム吹付け工法の場合、厚く吹き過ぎて表面仕上げに支障を来す箇所は、**カッターナイフ**等により**除去**する。

2.　硬質ウレタンフォーム吹付け工法の**現場発泡断熱材**は、自己接着性があるので**接着剤は必要ない**。

3.　押出法ポリスチレンフォーム張付け工法における内断熱工法の場合は、断熱材と壁体のすき間には結露しやすいため、断熱材を**全面接着**してすき間ができないようにする。

4.　開口部等のモルタル詰めの部分及び型枠緊張用ボルト、コーンの撤去跡は、断熱材を張り付けるか又は断熱材現場発泡工法による吹付けとする。

正答　2

R01−43 A

【問題 208】 鉄筋コンクリート造建築物の内部の断熱工事に関する記述として、**最も不適当なもの**はどれか。

1. 硬質ウレタンフォーム吹付け工法において、厚さ5mmの下吹きの後、多層吹きの各層の厚さは各々30mm以下とした。

2. 硬質ウレタンフォーム吹付け工法において、冷蔵倉庫で断熱層が特に厚かったため、1日の最大吹付け厚さを100mmとした。

3. 押出法ポリスチレンフォーム打込み工法において、断熱材の継目は突付けとし、テープ張りをしてコンクリートの流出を防止した。

4. 押出法ポリスチレンフォーム張付け工法において、躯体面とのすき間が生じないように断熱材を全面接着とし、密着させて張り付けた。

解説

1. 吹付けにおいて、施工面に、約5mm以下の厚さになるように下吹きする。総厚さが30mm以上の場合は**多層吹き**とし、各層の厚さは各々**30mm以下**とする。随時、厚さを測定しながら作業し、吹付け厚さの許容誤差は0から+10mmとする。1日の総吹付け厚さは**80mm以下**とする。

2. 冷蔵倉庫など断熱層が特に厚い施工であっても、1日の**総吹付け厚さは80mmを超え**ないものとする。

3. 押出法ポリスチレンフォーム打込み工法は、継目は突付けとしてテープ張りをするか、相欠き目地等にして**すき間**ができないようにしてコンクリートを打ち込む。

4. 押出法ポリスチレンフォーム張付け工法における内断熱工法の場合は、断熱材と壁体のすき間には結露しやすいため、断熱材を**全面接着**して**すき間**ができないようにする。

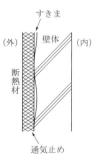

断熱材の裏面のすきま

正答　2

R03-37 A

【問題 209】　ビニル床シート張りに関する記述として、**最も不適当なもの**はどれか。

1. 床シートの張付けは、気泡が残らないよう空気を押し出し、その後45kgローラーで圧着した。

2. 床シートの張付けは、下地に接着剤を塗布した後、オープンタイムをとってから張り付けた。

3. 防湿層のない土間コンクリートへの床シートの張付けには、ゴム系溶剤形の接着剤を使用した。

4. 熱溶接工法において、溶接作業は、床シートを張り付けた後、12時間以上経過してから行った。

■ 解説 ■

1. 圧着は、床シートを送り込みながら圧着棒を用いて空気を押し出すようにし、その後、**45kgローラー**で**圧着**する。

2. ビニル床タイルの張付けでは、下地面に接着剤を塗布し、所定の**オープンタイム**をとって溶剤の揮発を適切に行ってから張り付ける。所定のオープンタイムをとらずに張り付けると初期粘着が出ず、又、溶剤が床材で密閉されて、床材の軟化やふくれの原因となる。

3. ゴム系溶剤形は、コンクリート下地に含まれるアルカリ性の強い湿気に影響されやすい。**ウレタン樹脂系接着剤**は様々な床材料に対して強い接着力が得られ、適用範囲が広い。特に、湿気のおそれのある下地の耐湿用接着剤として、土間コンクリート、開放廊下、工場等の場所に多く採用されている。

4. **熱溶接工法**は、シートを張付け後、残留物が継目部分を膨れさせたり接着不良の欠陥を防止するため、**12時間以上放置**し、接着が落ち着いてから行う。

R01-42 C

【問題 210】　ビニル床シート張りに関する記述として、**最も不適当なもの**はどれか。

1. 防湿層のない土間コンクリートへの床シートの張付けには、ゴム系溶剤形の接着剤を使用した。
2. 熱溶接工法において、溶接作業は、床シートを張付け後12時間以上経過してから行った。
3. 床シートを立ち上げて幅木としたため、幅木天端は、シリコーンシーリング材で処理した。
4. 寒冷期の施工で、張付け時の室温が5℃以下になることが予想されたため、採暖を行い、室温を10℃以上に保った。

■ 解説 ■

1. ゴム系溶剤形は、コンクリート下地に含まれるアルカリ性の強い湿気に影響されやすい。**エポキシ樹脂系接着剤**は様々な床材料に対して強い接着力が得られ、適用範囲が広い。特に、湿気のおそれのある下地の耐湿用接着剤として、**土間コンクリート**、**開放廊下**、**工場**等の場所に多く採用されている。
2. **熱溶接工法**は、シートを張付け後、残留物が継目部分を膨れさせたり接着不良の欠陥を防止するため、**12時間以上放置**し、接着が落ち着いてから行う。
3. 床シートを立ち上げて幅木とする場合、天端処理をシリコーンシーリング材でシールする方法、キャップをかぶせる方法、入り幅木にする方法がある。
4. 寒冷期に施工する際、**5℃以下**又は接着剤の硬化前に**5℃以下**になるおそれがあるときは作業を**中止**する。やむを得ず施工する場合は、ジェットヒーター等の採暖を行う。

正答 1

R04-37 A

【問題 211】　合成樹脂塗床に関する記述として、**最も不適当なもの**はどれか。

1.　薬品を使用する実験室の塗床は、平滑な仕上げとするため、流し展べ工法とした。

2.　合成樹脂を配合したパテ材や樹脂モルタルでの下地調整は、プライマーの乾燥後に行った。

3.　エポキシ樹脂系コーティング工法のベースコートは、コーティング材を木ごてで塗り付けた。

4.　エポキシ樹脂系モルタル塗床の防滑仕上げは、トップコート１層目の塗布と同時に骨材を散布した。

■　解説

1.　**流し展べ工法**は、調合した流し展べ材(エポキシ樹脂ペースト)を下地塗布面に金ごてなどで１〜３mm程度の厚みに塗布し、材料の自己流動性で**平滑な塗膜**を得る工法で、仕上がり面が平滑で安全な樹脂塗膜であることから、性能上の特長として耐薬品性、耐摩耗性、清潔性、美観性に優れている。

2.　合成樹脂を配合したパテ材や樹脂モルタルでの**下地調整**は、**プライマー**の**乾燥後**、下地のくぼみやすき間等の大きさにより適宜材料を使い分けて**平滑**に仕上げる。

3.　**コーティング工法**は、エポキシ樹脂等の水性形、溶剤形塗り床材を**ローラーばけやスプレー**で塗り付ける工法である。

4.　エポキシ樹脂系モルタル塗床の**防滑仕上げ**は、トップコート１層目の塗布と同時にむらがないように均一に**骨材**を散布する。

塗床の形態と特徴

ベースコートの形態	コーティング仕上げ	流しのべ仕上げ
工法の特徴	主に水性形、溶剤形塗床材をローラーばけやスプレーで塗り付ける工法。防塵、美装を目的とした床に使用	塗床材あるいは塗床材に骨材(けい砂等)を混合することによって、平滑に仕上げるセルフレベリング工法。耐摩耗性、耐薬品性を主目的とした床に使用
工法の断面図		
用途例	一般床、倉庫、軽作業室	実験室、化学工場等、厨房

仕上工事　　　　　　　　　内装工事

【問題 212】　合成樹脂塗床に関する記述として、**最も不適当な**ものはどれか。

1. エポキシ樹脂系モルタル塗床の防滑仕上げは、トップコート1層目の塗布と同時に骨材を散布した。
2. エポキシ樹脂系コーティング工法のベースコートは、コーティング材を木ごてで塗り付けた。
3. プライマーは、下地の吸込みが激しい部分に、硬化後、再塗布した。
4. 弾性ウレタン樹脂系塗床材塗りは、塗床材を床面に流し、金ごてで平滑に塗り付けた。

■ 解説 ■

1. エポキシ樹脂系モルタル塗床の**防滑仕上げ**は、トップコート1層目の塗布と**同時**にむらがないように均一に**骨材**を散布する。
2. **コーティング工法**は、エポキシ樹脂等の水性形、溶剤形塗り床材を**ローラーばけやスプレー**で塗り付ける工法である。主に防塵、美装を目的にした床に使用する。
3. プライマーの吸込みが激しく塗膜を形成しない場合は、全体が硬化した後、吸込みが止まるまで数回にわたり塗る。
4. 平滑仕上げでは、下地調整後にウレタン樹脂を床面に流して、ローラー、はけ又は金ごてで平滑に仕上げる。

塗床の形態と特徴

ベースコートの形態	コーティング仕上げ	流しのべ仕上げ
工法の特徴	主に水性形、溶剤形塗床材をローラーばけやスプレーで塗り付ける工法。防塵、美装を目的とした床に使用	塗床材あるいは塗床材に骨材（けい砂等）を混合することによって、平滑に仕上げるセルフレベリング工法。耐摩耗性、耐薬品性を主目的とした床に使用
工法の断面図		
用途例	一般床、倉庫、軽作業室	実験室、化学工場等、厨房

正答　2

H30-42 B

【問題 213】　合成樹脂塗床に関する記述として、**最も不適当なもの**はどれか。

1. 樹脂パテや樹脂モルタルでの下地調整は、プライマーの塗布後に行った。
2. 薬品を使用する実験室の塗床は、平滑な仕上げとするため、流しのべ工法とした。
3. 下地調整に用いる樹脂パテは、塗床材と同質の樹脂とセメントなどを混合したものとした。
4. エポキシ樹脂のコーティング工法のベースコートは、金ごてで塗り付けた。

■■■　**解説**　■■■■

1. 合成樹脂を配合したパテ材や樹脂モルタルでの**下地調整**は、**プライマーの乾燥後**、下地のくぼみやすき間等の大きさにより適宜材料を使い分けて平滑に仕上げる。
2. **流しのべ工法**は、調合した流しのべ材(エポキシ樹脂ペースト)を下地塗布面に金ごてなどで１～３mm程度の厚みに塗布し、材料の自己流動性で**平滑**な塗膜を得る工法で、仕上がり面が平滑で安全な樹脂塗膜であることから、性能上の特長として耐薬品性、耐摩耗性、清潔性、美観性に優れている。
3. 下地調整には、塗り床材と同質の樹脂に無機質系充填材やセメント等を混合した樹脂パテを用いて、下地のくぼみやすき間、ひび割れ等を平らに修正する。
4. **コーティング工法**は、エポキシ樹脂等の水性形、溶剤形塗り床材を**ローラーばけ**や**スプレー**で塗り付ける工法である。主に**防塵**、**美装**を主目的にした床に使用する。

塗床の形態と特徴

ベースコートの形態	コーティング仕上げ	流しのべ仕上げ
工法の特徴	主に水性形、溶剤形塗床材をローラーばけやスプレーで塗り付ける工法。防塵、美装を目的とした床に使用	塗床材あるいは塗床材に骨材(けい砂等)を混合することによって、平滑に仕上げるセルフレベリング工法。耐摩耗性、耐薬品性を主目的とした床に使用
工法の断面図	ベースコート(2)／ベースコート(1)／プライマー	ベースコート(2)／ベースコート(1)／プライマー
用途例	一般床、倉庫、軽作業室	実験室、化学工場等、厨房

正答 4

R04-38 A

【問題 214】　壁のせっこうボード張りに関する記述として、**最も不適当なもの**はどれか。

1.　テーパーエッジボードの突付けジョイント部の目地処理における上塗りは、ジョイントコンパウンドを幅200～250mm程度に塗り広げて平滑にした。

2.　せっこう系接着材による直張り工法において、ボード中央部の接着材を塗り付ける間隔は、床上1,200mm以下の部分より、床上1,200mmを超える部分を小さくした。

3.　せっこう系接着材による直張り工法において、躯体から仕上がり面までの寸法は、厚さ9.5mmのボードで20mm程度、厚さ12.5mmのボードで25mm程度とした。

4.　ボードの下端部は、床面からの水分の吸上げを防ぐため、床面から10mm程度浮かして張り付けた。

解説

1.　**テーパーエッジボード**の突付けジョイント部の目地処理における上塗りは、**ジョイントコンパウンド**を**200～250mm**程度に塗り広げ、その上に全面パテ処理を行い**平滑**に仕上げる。

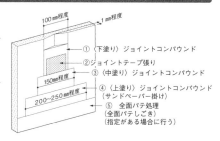

2.　せっこう系接着材による**直張り工法**では、**接着材の塗付け間隔**は、**ボード周辺部**や力の掛かりやすい**下部**は**中央部付近**より小さくする。

3.　せっこう系接着材による**直張り工法**において、下地面からボードの仕上り面までの寸法は、下地の精度がよくなければならない。一般には、躯体から仕上がり面までの寸法は厚さ9.5mmのボードで20mm程度、厚さ12.5mmのボードで25mm程度とする。

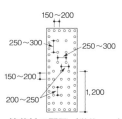

接着材の間隔（単位：mm）

4.　せっこう系接着材による**直張り工法**では、床面の水分の吸上げ防止、接着材の乾燥を考慮して、ボード下端と床面の間にスペーサーを置いて、**10mm**程度浮かして張り付ける。

床取合いの例

正答　**2**

R02-43 A

【問題 215】　壁のせっこうボード張りに関する記述として、**最も不適当なもの**はどれか。

1. ボードの下端部は、床面からの水分の吸上げを防ぐため、床面から10mm程度浮かして張り付けた。

2. テーパーエッジボードの突付けジョイント部の目地処理における上塗りは、ジョイントコンパウンドを幅200～250mm程度に塗り広げて平滑にした。

3. 軽量鉄骨壁下地にボードを直接張り付ける際、ボード周辺部を固定するドリリングタッピンねじの位置は、ボードの端部から5mm程度内側とした。

4. 木製壁下地にボードを直接張り付ける際、ボード厚の3倍程度の長さの釘を用いて、釘頭が平らに沈むまで打ち込んだ。

■■■■　解説　■■■■

1. せっこう系接着材による**直張り工法**では、床面の水分の吸上げ防止、接着材の乾燥を考慮して、ボード下端と床面の間にスペーサーを置いて、**10mm程度浮かして**張り付ける。

床取合いの例

2. **テーパーエッジボードの突付けジョイント部の目地処理における上塗りは、ジョイントコンパウンドを200～250mm程度に**塗り広げ、その上に全面パテ処理を行い**平滑**に仕上げる。

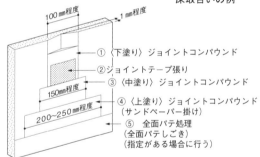

3. **ボード周辺部**は、端部から**10mm**程度内側の位置で留め付ける。

4. **木製壁下地**に**釘打ち**する場合は、**ボード厚の3倍程度の長さ**をもつ釘を用い、釘頭が平らになるまで十分打ち付ける。

H30−43 A

【問題 216】 壁のせっこうボード張りに関する記述として、**最も不適当なもの**はどれか。

1. 軽量鉄骨壁下地にボードを直接張り付ける場合、ドリリングタッピンねじの留付け間隔は、中間部300mm程度、周辺部200mm程度とする。

2. せっこう系接着材による直張り工法において、ポリスチレンフォーム断熱材が下地の場合は、プライマー処理をして、ボードを張り付ける。

3. せっこう系接着材による直張り工法において、ボード中央部の接着材を塗り付ける間隔は、床上1,200mm以下の部分より床上1,200mmを超える部分を小さくする。

4. テーパーボードの継目処理において、グラスメッシュのジョイントテープを用いる場合は、ジョイントコンパウンドの下塗りを省略できる。

▬▬▬ **解説** ▬▬▬

1. 軽量鉄骨壁下地に直接ボードを張り付ける場合の**ドリリングタッピンねじの留め付け間隔**は、**中間部300mm程度、周辺部200mm程度**とする。

2. ポリスチレンフォーム断熱材下地にせっこうボードを張る場合、せっこう系直張り用接着材の製造所が指定するプライマーで処理をした後に張り付ける。

3. せっこう系接着材による**直張り工法**では、**接着材の塗付け間隔**は、**ボード周辺部や力の掛かりやすい下部は中央部付近上部より小さく**する。

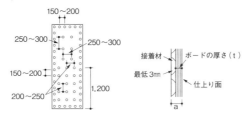

接着材の間隔（単位：mm）　　仕上り面までの寸法

4. テーパーボードの継目処理で、グラスメッシュのジョイントテープを用いる場合、ジョイントコンパウンドの下塗りを省略できる。

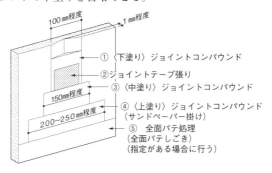

正答 **3**

【問題 217】　特定天井に関する記述として、**最も不適当なもの**はどれか。

　　　ただし、特定天井の構造方法は仕様ルートによるものとする。

1.　野縁受けの接合は、相互にジョイントを差し込んだうえでねじ留めとし、ジョイント部を 1 m 以上の間隔で千鳥状に配置した。

2.　吊り材は、天井面の面積 1 m²当たり 1 本以上とし、釣合いよく配置した。

3.　勾配屋根における吊り材は、勾配をもつ屋根面に対して垂直に設置した。

4.　地震時に有害な応力集中を生じさせないため、天井面の段差部分にクリアランスを設けた。

―――　解説　―――――――――――――――――――――――――――――――――――

1.　天井材は、ボルト接合、ねじ接合その他これらに類する接合方法により相互に緊結しなければならない。野縁受け相互にジョイントを差し込んだ上でねじ留めされたものは、相互に緊結されていると考えられる。なお、野縁や野縁受けの隣り合うジョイントの位置は、互いに 1 m 以上離し、千鳥状に配置しなければならない。

2.　吊り材は、天井面の面積が 1 m²当たりの平均本数を 1 本以上とし、釣合い良く配置しなければならない。なお、天井面構成部材等の単位面積質量が 6 kg 以下のものにあっては、0.5 本以上とする。

3. 勾配屋根においては、仕様ルートを用いる場合には、接合部材等を工夫して、鉛直方向に吊り材を設置しなければならない。

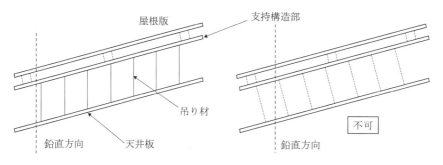

図 勾配屋根における吊り材の配置方向

4. 天井面構成部材に天井面の段差その他の地震時に有害な応力集中が生じるおそれのある部分を設けてはならないが、クリアランスを設けて完全に縁が切れていれば、地震時に有害な応力集中が生ずるおそれがないので、段差には該当しない。鉛直方向に1cm以上のクリアランスを確保する。

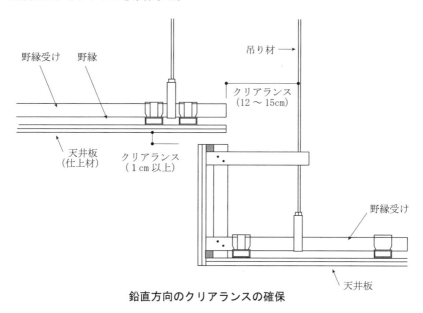

図 鉛直方向のクリアランスの確保

正答 3

R05-39 A

【問題 218】 内装改修工事に関する記述として、**最も不適当なもの**はどれか。

ただし、既存部分は、アスベストを含まないものとする。

1. ビニル床シートの撤去後に既存下地モルタルの浮き部分を撤去する際、健全部分と縁を切るために用いるダイヤモンドカッターの刃の出は、モルタル厚さ以下とした。

2. 既存合成樹脂塗床面の上に同じ塗床材を塗り重ねる際、接着性を高めるよう、既存仕上げ材の表面を目荒しした。

3. 防火認定の壁紙の張替えは、既存壁紙の裏打紙を残した上に防火認定の壁紙を張り付けた。

4. 既存下地面に残ったビニル床タイルの接着剤は、ディスクサンダーを用いて除去した。

解説

1. 下地モルタルの撤去は、ダイヤモンドカッター等で行うが、**カッターの刃の出は、モルタル厚さ以下**とし、健全部分と縁を切ってから行う。

2. 既存仕上材を撤去せずに既存床仕上材と同材質の塗床材で塗重ねを行う場合は、既存仕上材の表面をディスクサンダー等により**目荒し**を行い、接着性を高める。

3. 壁紙の張替えは、既存の壁紙を残さず**撤去**し、下地基材面を露出させてから新規の壁紙を張り付けなければ防火材料に認定されない。通常壁紙を剥がすときに裏打ち紙が層間はく離して、裏打ち紙の薄層が下地側に張付いたまま残ってしまう。残った裏打ち紙を張り付けている糊を溶解させることで剥がすことができる。

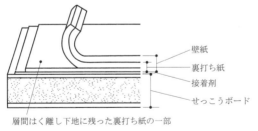

層間はく離し下地に残った裏打ち紙の一部

残った裏打ち紙に水を塗り、糊を溶解させてから剥がす

壁紙
裏打ち紙
接着剤
せっこうボード

裏打ち紙の層間はく離 | **裏打ち紙の撤去方法**

既存壁紙の撤去

4. 既存床仕上材の除去の際、アスベストが含有していないものについては、接着剤等は**ディスクサンダー**等により除去し、新規仕上げの施工に支障を来さないようにする。

正答 3

R01−45 A

施

工

【問題 219】　内装改修工事における既存床仕上げ材の撤去に関する記述として、**最も不適当なもの**はどれか。

1. ビニル床シートは、ダイヤモンドカッターで切断し、スクレーパーを用いて撤去した。

2. モルタル塗り下地の合成樹脂塗床材は、ケレン棒と電動はつり器具を用いて下地モルタルと共に撤去した。

3. 乾式工法のフローリング張り床材は、丸のこで適切な寸法に切断し、ケレン棒を用いて撤去した。

4. 磁器質床タイルは、目地をダイヤモンドカッターで縁切りし、電動はつり器具を用いて撤去した。

■　解説　■

1. ビニル床タイル等は、ダイヤモンドカッターではなく、通常の**カッター**で**切断**し、スクレーパー等により他の仕上げに損傷を与えないように撤去する。

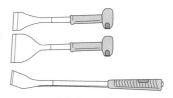

スクレーパー
（へら状の刃に柄を付けた工具の総称）

2. 合成樹脂塗床材を機械で撤去する場合は、ケレン棒、電動ケレン棒、電動はつり器具、ブラスト機械等により除去する。また、必要に応じて、集じん装置付き機器を使用する。除去範囲は、下地がモルタル塗りの場合はモルタル下地共、コンクリート下地の場合はコンクリート表面から**3mm**程度とする。

3. 乾式工法によるフローリングの撤去は、丸のこ等で適切な寸法に切断し、ケレン棒等ではがし取る。

4. 磁器質床タイルは、張替え部を**ダイヤモンドカッター**等で縁切りをして、タイル片を電動ケレン棒、電動はつり器具等を用いて、周囲に損傷を与えないように削り取る。

正答　1

R02-45 C

CHECK ☐☐☐☐☐

＊【問題 220】　鉄筋コンクリート造の外壁改修工事に関する記述として、**最も不適当なもの**はどれか。

1. コンクリート打放し仕上げにおいて、コンクリートに生じた幅が0.5mmの挙動のおそれのあるひび割れ部分は、軟質形エポキシ樹脂を用いた樹脂注入工法で改修した。
2. コンクリート打放し仕上げにおいて、コンクリートのはく落が比較的大きく深い欠損部分は、ポリマーセメントモルタル充填工法で改修した。
3. 小口タイル張り仕上げにおいて、1箇所当たりの下地モルタルと下地コンクリートとの浮き面積が0.2m²の部分は、アンカーピンニング部分エポキシ樹脂注入工法で改修した。
4. 小口タイル張り仕上げにおいて、タイル陶片のみの浮きの部分は、浮いているタイルを無振動ドリルで穿孔して、注入口付アンカーピンニングエポキシ樹脂注入タイル固定工法で改修した。

■ 解説

1. 外壁のコンクリート打放し仕上げのひび割れ部の改修工法は、次表による。0.3mmで挙動のおそれのあるひび割れは、Uカットシール材充填工法又は軟質形エポキシ樹脂を用いた樹脂注入工法を用いる。

改修工法	ひび割れ	特　徴	
樹脂注入工法	0.2mm以上 1.0mm以下	挙動あり：軟質形エポキシ樹脂 挙動なし：硬質形エポキシ樹脂	
Uカットシール材充填工法	1.0mm超	挙動あり：シーリング材	
	0.2mm以上 1.0mm以下	挙動あり	可とう性エポキシ樹脂
	1.0mm超	挙動なし	
シール工法	0.2mm未満	一時的な漏水防止処置	

2. コンクリート打放し仕上げの外壁において、ポリマーセメントモルタルを充填する工法は、コンクリート表面のはく落が比較的浅い欠損部分に適用される。
3. 下地モルタルと下地コンクリートとの間の1箇所0.25m²未満の浮きの場合は、アンカーピンニング部分エポキシ樹脂注入工法、注入口付アンカーピンニングエポキシ樹脂注入工法で改修する。
4. タイルと下地モルタルとの間の1箇所0.25m²以下の浮きの場合は、注入口付アンカーピンニングエポキシ樹脂注入タイル固定工法で改修する。

正答　2

＊【問題 221】　鉄筋コンクリート造建築物の小口タイル張り壁面の浮きの調査方法と改修工法に関する記述として、**最も不適当なもの**はどれか。

1. 打診法は、打診用ハンマーなどを用いてタイル張り壁面を打撃して、反発音の違いから浮きの有無を調査する方法である。

2. 赤外線装置法は、タイル張り壁面の内部温度を赤外線装置で測定し、浮き部と接着部における熱伝導の違いにより浮きの有無を調査する方法で、天候や時刻の影響を受けない。

3. アンカーピンニング部分エポキシ樹脂注入工法は、タイル陶片の浮きがなく目地モルタルが健全で、構造体コンクリートと下地モルタル間に浮きが発生している場合に用いる工法である。

4. 注入口付アンカーピンニングエポキシ樹脂注入タイル固定工法は、構造体コンクリートと下地モルタル間に浮きがなく、タイル陶片のみに浮きが発生している場合に用いる工法である。

解説

1. モルタルやタイル面のはく離の有無は、打診用テストハンマーを用いて壁面をたたき、その音によって判断する。

2. 壁体内にはく離が存在するとその部分は断熱材が挿入されたのと同じ状態になり、壁面に温度差が生じる。この温度差を赤外線センサーで熱映像としてとらえる検知方法である。天候や時刻の影響を受けやすく、日中温度5℃以下の場合は測定できない。

3. アンカーピンニング部分エポキシ樹脂注入工法は、タイル陶片の浮きが無く目地モルタルが健全で、構造体コンクリートと下地モルタル間に浮きが発生している場合に用いる工法である。

4. 注入口付アンカーピンニングエポキシ樹脂注入タイル固定工法は、タイルの大きさが小口タイル以上のタイル陶片の浮きに適用する唯一の工法で、無振動ドリルにより、タイルの中心に穿孔する工法である。

H30−44 Ａ

＊【問題 222】　屋上露出防水層の上に植栽を行う屋上緑化システムに関する記述として、**最も不適当なもの**はどれか。

1. 排水のためのルーフドレンは、1排水面積当たり2か所以上設置し、その口径は目詰まりを考慮して余裕のあるものとする。

2. 施工に当たっては耐根層を損傷することのないように注意するとともに、耐根層を保護する耐根層保護層(衝撃緩衝層)を敷設してから植栽を行う。

3. 壁面等立上り部に直接土壌が接する場合、敷設する耐根層は、接する土壌仕上面より5cm下がった位置まで立ち上げる。

4. 植栽地の見切り材(土留め材)に設ける排水孔には、目詰まり防止、土壌流出防止のための処理を行う。

●━━ 解説 ━━━

1. ルーフドレンは、1排水面に最低2箇所以上設置し、ルーフドレンの口径は目詰まりを考慮して余裕のある管径にする。

2. 耐根層(耐根シート)は、植物の根茎が防水層を貫通することなどを防止するために設けるものであり、防水層に植物の根茎が直接触れることがないよう確実に遮断する性能が求められる。耐根層や防水層は、機械的衝撃に弱く、施工中についたわずかな傷からも漏水する危険性がある。このため、耐根層保護層(衝撃緩衝層)を敷設して、施工中及び施工後の衝撃から耐根層と防水層を保護する必要がある。

3. パラペット等の立上り部に直接土壌が接する場合は、耐根層を土壌表面より高く立ち上げる。

4. 植栽地の見切り材(土留め材)の排水材は、雨水の集水面積、水勾配、見切り材資材等を考慮し、資材、形状、間隔、寸法が決められており、排水孔には目詰まり防止、土壌流出防止のための処理を行う。

3

共　　通

設 備 工 事（問題 223 ～問題 240）
　●給排水／●空　調／●電気・避雷／●消火・
避難／●その他の設備
そ　の　他（問題 241 ～問題 252）
　●積　算／●測　量／●舗　装／●植　栽／
　●契約約款

※4問出題され、全問を解答する。
　（「共通」以外で出題された問題も含まれてい
　ます）。

R05-18 B

【問題 223】　給排水設備に関する記述として、**最も不適当なもの**はどれか。

1. 高置水槽方式は、一度受水槽に貯留した水をポンプで建物高所の高置水槽に揚水し、高置水槽からは重力によって各所に給水する方式である。

2. 圧力水槽方式は、受水槽の水をポンプで圧力水槽に送水し、圧力水槽内の空気を加圧して、その圧力によって各所に給水する方式である。

3. 屋内の自然流下式横走り排水管の最小勾配は、管径が100mmの場合、$\frac{1}{100}$とする。

4. 排水槽の底の勾配は、吸い込みピットに向かって$\frac{1}{100}$とする。

解説

1. **高置水槽方式**は、水道水を一度**受水槽**へ貯水し、ポンプで屋上の水槽に揚水し、この水槽から重力によって建物内部の必要な箇所に給水する方式である。

2. **圧力水槽方式**は、水道水を一度受水槽に貯水し、これをポンプで**圧力水槽**に送り、圧力水槽内の空気の圧縮・加圧を利用して、建物内部の必要な箇所に給水する方式である。

3. 屋内の自然流下式横走り排水管の**最小勾配**は、**管径75及び100mm**の場合で 1 / 100、**管径150以上**の場合で 1 / 200とする。

屋内配水管の最小勾配

管径(mm)	勾　配
65 以下	1 / 50
75・100	1 / 100
125	1 / 150
150 以上	1 / 200

4. **排水槽**の底部は、吸い込みピットに向かって 1 / 15**以上** 1 / 10**以下の下がり勾配**とし、排水・汚泥の排出及び清掃が容易かつ安全に行える構造とする。

R03-18 A

【問題 224】 給水設備の給水方式に関する記述として、**最も不適当なもの**はどれか。

1. 高置水槽方式は、一度受水槽に貯留した水をポンプで建物高所の高置水槽に揚水し、高置水槽からは重力によって各所に給水する方式である。

2. 圧力水槽方式は、受水槽の水をポンプで圧力水槽に送水し、圧力水槽内の空気を加圧して、その圧力によって各所に給水する方式である。

3. ポンプ直送方式は、水道本管から分岐した水道引込み管にポンプを直結し、各所に給水する方式である。

4. 水道直結直圧方式は、水道本管から分岐した水道引込み管より直接各所に給水する方式である。

解説

1. **高置水槽方式**は、水道水を一度**受水槽**へ貯水し、ポンプで屋上の水槽に揚水し、この水槽から重力によって建物内部の必要な箇所に給水する方式である。

2. **圧力水槽方式**は、水道水を一度受水槽に貯水し、これをポンプで**圧力水槽**に送り、圧力水槽内の空気の圧縮・加圧を利用して、建物内部の必要な箇所に給水する方式である。

3. **ポンプ直送方式**は、**受水槽**の水を**給水ポンプ**で直接加圧して、建物内部の必要な箇所へ直送する方式である。設問の記述は、水道直結増圧方式である。

4. **水道直結直圧方式**は、水道本管の配水管から分岐して給水管を引込み、配水管の水圧によって直接各々の水栓に給水する方式である。

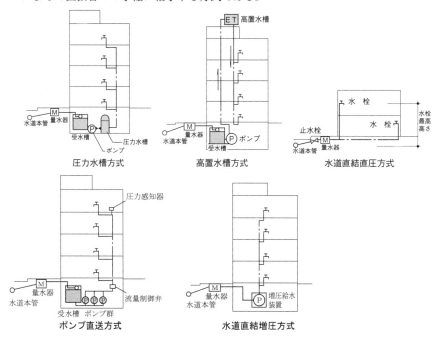

R01−18 B

【問題 225】　給水設備の給水方式に関する記述として、**最も不適当なもの**はどれか。

1. 水道直結増圧方式は、水道本管から分岐した水道引込み管に増圧給水装置を直結し、各所に給水する方式である。

2. 高置水槽方式は、一度受水槽に貯留した水をポンプで建物高所の高置水槽に揚水し、高置水槽からは重力によって各所に給水する方式である。

3. ポンプ直送方式は、水道本管から分岐した水道引込み管にポンプを直結し、各所に給水する方式である。

4. 圧力水槽方式は、受水槽の水をポンプで圧力水槽に送水し、圧力水槽内の空気を加圧して、その圧力によって各所に給水する方式である。

解説

1. **水道直結増圧方式**は、水道本管からの引込み管に増圧給水装置を直結接続して給水する方式。水道直結直圧方式では、水圧不足で給水できないような高所の水栓などにも給水できる。

2. **高置水槽方式**は、水道水を一度**受水槽**へ貯水し、ポンプで屋上の水槽に揚水し、この水槽から重力によって建物内部の必要な箇所に給水する方式である。

3. **ポンプ直送方式**は、**受水槽**の水を**給水ポンプ**で直接加圧して、建物内部の必要な箇所へ直送する方式である。設問の記述は、水道直結増圧方式である。

4. **圧力水槽方式**は、水道水を一度受水槽に貯水し、これをポンプで**圧力水槽**に送り、圧力水槽内の空気の圧縮・加圧を利用して、建物内部の必要な箇所に給水する方式である。

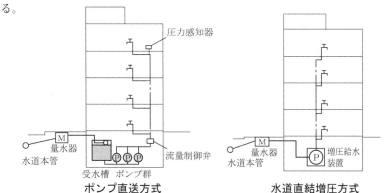

ポンプ直送方式

水道直結増圧方式

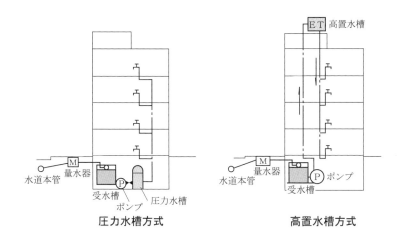

圧力水槽方式

高置水槽方式

共通

R04−18 A

【問題 226】 空気調和設備に関する記述として、**最も不適当なもの**はどれか。

1. 空気調和機は、一般にエアフィルタ、空気冷却器、空気加熱器、加湿器、送風機等で構成される装置である。

2. 冷却塔は、温度上昇した冷却水を、空気と直接接触させて気化熱により冷却する装置である。

3. 二重ダクト方式は、2系統のダクトで送られた温風と冷風を、混合ユニットにより熱負荷に応じて混合量を調整して吹き出す方式である。

4. 単一ダクト方式におけるCAV方式は、負荷変動に対して風量を変える方式である。

● **解説**

1. **空気調和機**は、温湿度を調整した空気を室に送る機器で、**エアフィルタ、空気冷却器、空気加熱器、加湿器、送風機**で構成されている。

2. 冷却塔は、冷凍機内で温度上昇した水を空気と直接接触させて、冷却水の一部の蒸発による気化熱を用いて、残りの冷却水の水温を下げる装置である。

3. **二重ダクト方式**は、**冷風、温風**を**2系統**のダクトに送り、末端の**混合ボックス**により冷風と温風を混合調節して吹き出し、室温を制御する方式である。

4. 単一ダクトの**CAV方式（定風量方式）**は、調整された空気を空調機から単一のダクトで送る方式で、**ゾーンごとの負荷の違いには対応できない**。室内の還気と外気とを混合した空気の温湿度を空気調和機で調節、熱負荷に応じて風量も調節し、各階・各室に送風する方式は、単一ダクトの**VAV方式（変風量方式）**である。

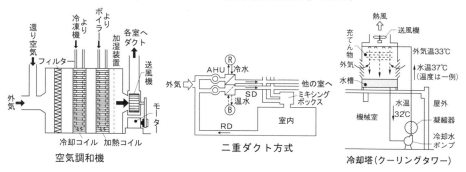

空気調和機　　　　　　　二重ダクト方式　　　　　　冷却塔（クーリングタワー）

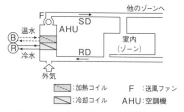

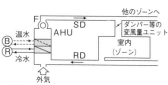

凡例：
■■ ：加熱コイル　　F　：送風ファン　　Ⓑ：ボイラー　　SD：送風ダクト
■■ ：冷却コイル　　AHU：空調機　　　Ⓡ：冷凍機　　RD：還気ダクト

単一ダクト定風量（CAV）方式　　　単一ダクト変風量（VAV）方式

正答　**4**

【問題 227】　空気調和設備に関する記述として、**最も不適当なもの**はどれか。

1. ファンコイルユニット方式における2管式は、冷水管及び温水管をそれぞれ設置し、各ユニットや系統ごとに選択、制御して冷暖房を行う方式である。

2. パッケージユニット方式は、小容量の熱源機器を内蔵するパッケージ型空調機を、各空調区域や各室に設置して空調を行う方式である。

3. 定風量単一ダクト方式は、還気と外気を空調機内で温度、湿度、清浄度を総合的に調整した後、ダクトにより各室に一定の風量で送風する方式である。

4. 二重ダクト方式は、2系統のダクトで送られた温風と冷風を、混合ユニットにより熱負荷に応じて混合量を調整して吹き出す方式である。

━━━ **解説** ━━━━━━━━━━━━━━━━━━━━━━━━━━━━━━

1. **ファンコイルユニット方式**の２管式(冷温水の配管が、往き・返り各１本、計２本の配管方式)は、全体に熱交換用のコイルを１台組込んでおり、必要に応じて冷房と暖房を切り替えて供給し温調するタイプである。基本的に中央制御で、部屋ごとに温度調整はできるが、冷暖房同時運転はできない。

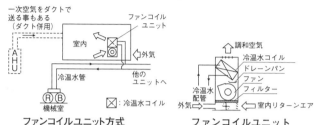

ファンコイルユニット方式　　ファンコイルユニット

2. **パッケージユニット**は、機内に冷凍機を内蔵し、送風機、冷却コイル、エアフィルター等を組み込んだユニット形空調機である。中央式と比べると、設置台数が多くなり保守管理が繁雑となる。

3. 単一ダクトの**CAV方式(定風量方式)**は、調整された空気を空調機から単一のダクトで送る方式で、ゾーンごとの負荷の違いには対応できない。室内の還気と外気とを混合した空気の温湿度を空気調和機で調節、熱負荷に応じて風量も調節し、各階・各室に送風する方式は、単一ダクトの**VAV方式(変風量方式)**である。

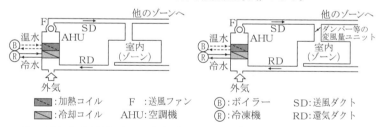

単一ダクト定風量（ＣＡＶ）方式　　単一ダクト変風量（ＶＡＶ）方式

4. **二重ダクト方式**は、**冷風**、**温風**を**２系統**のダクトに送り、末端の**混合ボックス**により冷風と温風を混合調節して吹き出し、室温を制御する方式である。

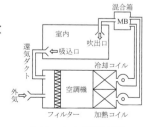

ボイラーと冷凍機同時運転

H30−18 Ａ

【問題 228】　空気調和設備に関する記述として、**最も不適当なもの**はどれか。

1.　パッケージユニット方式は、小容量の熱源機器を建物内に多数分散配置する方式であり、セントラルシステムに比較して保守管理に手間を要する方式である。

2.　ファンコイルユニット方式における4管式は、2管式と比較してゾーンごとの冷暖房同時運転が可能で、室内環境の制御性に優れている方式である。

3.　二重ダクト方式は、2系統のダクトで送風された温風と冷風を、混合ユニットにより熱負荷に応じて混合量を調整して吹き出す方式である。

4.　単一ダクト方式におけるCAV方式は、負荷変動に対して風量を変える方式である。

解説

1. **パッケージユニット**は、機内に冷凍機を内蔵し、送風機、冷却コイル、エアフィルター等を組み込んだユニット形空調機である。中央式と比べると、設置台数が多くなり保守管理が繁雑となる。

2. **ファンコイルユニット方式**の2管式は季節ごとに冷房と暖房を切り替える必要があり、4管式はゾーンごとの冷暖房同時運転が可能で室内環境の制御性に優れている。

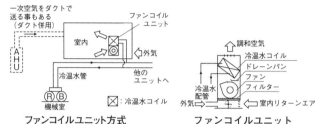

ファンコイルユニット方式　　　　　ファンコイルユニット

3. **二重ダクト方式**は、冷風、温風を2系統のダクトに送り、末端の**混合ボックス**により冷風と温風を**混合調節**して吹き出し、室温を制御する方式である。

4. 単一ダクトの**CAV方式（定風量方式）**は、調整された空気を空調機から単一のダクトで送る方式で、**ゾーンごとの負荷**の違いには対応できない。室内の還気と外気とを混合した空気の温湿度を空気調和機で調節、熱負荷に応じて風量も調節し、各階・各室に送風する方式は、単一ダクトの**VAV方式（変風量方式）**である。

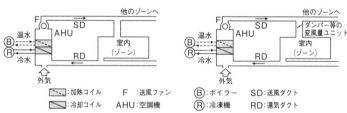

単一ダクト定風量（CAV）方式　　　単一ダクト変風量（VAV）方式

【問題 229】　電気設備に関する記述として、**最も不適当なもの**はどれか。

1.　合成樹脂製可とう電線管のうちPF管は、自己消火性があり、屋内隠ぺい配管に用いることができる。

2.　電圧の種別で低圧とは、直流にあっては600V以下、交流にあっては750V以下のものをいう。

3.　低圧屋内配線のための金属管は、規定値未満の厚さのものをコンクリートに埋め込んではならない。

4.　低圧屋内配線の使用電圧が300Vを超える場合における金属製の電線接続箱には、接地工事を施さなければならない。

■ 解説

1. **合成樹脂製可とう電線管（PF管）**は、建物内の電気配線に使用されている。PF管は自己消火性を持っているため、**埋込み・隠ぺい・露出配管**に使用できる。

2. 電圧の種別で**低圧**とは、**直流**にあっては750V以下、**交流**にあっては600V以下のものをいう。

	直　流	交　流
低　圧	750V以下	600V以下
高　圧	750Vを超え7,000V以下	600Vを超え7,000V以下
特別高圧	7,000Vを超えるもの	

3. **低圧屋内配線**に使用する金属管の**厚さ**は、コンクリートに埋め込むものは、1.2mm以上、それ以外のものは1.0mm以上とする。

4. 低圧屋内配線の使用電圧が**300Vを超える場合**、金属製の電線接続箱等には**C種接地工事**を施す。

正答　2

R03−17 A

【問題 230】　電気設備に関する記述として、**最も不適当なもの**はどれか。

1. 電圧の種別における低圧とは、交流の場合600V以下のものをいう。

2. 電圧の種別における高圧とは、直流の場合750Vを超え、7,000Vまでのものをいう。

3. 大型の動力機器が多数使用される場合の配電方式には、単相2線式100Vが多く用いられる。

4. 特別高圧受電を行うような大規模なビルなどの配電方式には、三相4線式240V/415Vが多く用いられる。

■ **解説** ■

1. 2. 電圧の種別で**低圧**とは、**直流**にあっては750V以下、**交流**にあっては600V以下のものをいう。**高圧**とは、**直流**にあっては750Vを超え7,000V以下、**交流**にあっては600Vを超え7,000V以下のものをいう。

	直　流	交　流
低　圧	750V以下	600V以下
高　圧	750Vを超え7,000V以下	600Vを超え7,000V以下
特別高圧	7,000Vを超えるもの	

3. 大型の動力機器が多数使用される工場や一般ビルの幹線として用いられるのは、**三相3線式200V**又は**三相4線式**であり、単相2線式100Vは一般住宅用に用いられる。

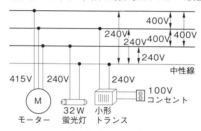

三相4線式400V級

4. 電気方式において、**大規模建築物**には、**三相4線式**が用いられる。

なお、使用する電気方式を決める場合は、主な使用場所により関連させ検討する。

電気方式と主な使用場所

電気方式		主　な　使　用　場　所
単相2線式	100V	一般家庭、ビル、工場の電灯コンセントの分岐回路
	200V	単相電動機、電熱器、蛍光灯の分岐回路
単相3線式	100V/200V	上記2項目の分岐回路をもつ幹線
三相3線式	200V	一般低圧電動機の幹線と分岐回路 単相200V分岐回路
三相4線式	240V/415V (50Hz)	大規模ビル、工場などの蛍光灯(240V) 電動機(415V)の幹線と分岐回路
	265V/460V (60Hz)	100Vを得るためには需要場所の近くに小形変圧器 (415V/200V/100V)

R01-17 **B**

【問題 231】　電気設備に関する記述として、**最も不適当な**ものはどれか。

1. ビニル電線(IV)は、地中電線路に用いることができる。

2. 低圧屋内配線のための金属管は、規定値未満の厚さのものをコンクリートに埋め込んではならない。

3. 合成樹脂製可とう電線管のうちPF管は、自己消火性があり、屋内隠ぺい配管に用いることができる。

4. 合成樹脂管内、金属管内及び金属製可とう電線管内では、電線に接続点を設けてはならない。

■■ 解説 ■■

1. 地中埋設工事で使える電線の種類は、VVF(600Vビニル絶縁ビニルシースケーブル平形)ケーブル、VVR(600Vビニル絶縁ビニルシースケーブの丸形)ケーブル、EM－EEF(600V耐熱性ポリエチレンシース)ケーブル、CV(架橋ポリエチレン絶縁ビニルシース)ケーブルなどである。**ビニル絶縁電線**(IV)、屋外用ビニル絶縁電線(OW)、引込用ビニル絶縁電線(DV)などの絶縁電線は**地中電線路**には使えない。

2. **低圧屋内配線**に使用する金属管の**厚さ**は、コンクリートに埋め込む場合、**1.2mm以上**、それ以外のものは1.0mm以上とする。

3. **合成樹脂製可とう電線管(PF管)**は、建物内の電気配線に使用されている。PF管は自己消火性を持っているため、**埋込み・隠ぺい・露出配管**に使用できる。

4. 合成樹脂管内、金属管内及び金属製可とう電線管内では、電線に**接続点**を設けてはならない。

R04−17 B

【問題 232】　避雷設備に関する記述として、**最も不適当なもの**はどれか。

1. 受雷部は、保護しようとする建築物の種類、重要度等に対応した4段階の保護レベルに応じて配置する。

2. 避雷設備は、建築物の高さが20mを超える部分を雷撃から保護するように設けなければならない。

3. 危険物を貯蔵する倉庫は、危険物の貯蔵量や建築物の高さにかかわらず、避雷設備を設けなければならない。

4. 鉄骨造の鉄骨躯体は、構造体利用の引下げ導線の構成部材として利用することができる。

━━━　解説　━━━

1. 受雷部は、保護しようとする建築物等に雷撃が侵入しないように施設するもので、建築物等の種類・重要度等によって、**4段階の保護レベル**に応じて配置する。

2. **高さ20m**を超える建築物には、有効な**避雷針**を設けなければならない（周囲の状況によって安全上支障のない場合を除く）。

3. **指定数量の10倍以上**の危険物を貯蔵する倉庫には、総務省令で定める避雷針を設けること（周囲の状況によって安全上支障のない場合を除く）。

4. **引下げ導線システム**には、避雷導体によって直接接続するものや、建築物等の鉄骨や鉄筋を利用する構造体利用引下げ導体がある。

正答　3

R02－17 B

【問題 233】 避雷設備に関する記述として、**最も不適当なもの**はどれか。

1. 高さが15mを超える建築物には、原則として、避雷設備を設けなければならない。

2. 指定数量の10倍以上の危険物を貯蔵する倉庫には、高さにかかわらず、原則として、避雷設備を設けなければならない。

3. 受雷部システムの配置は、保護しようとする建築物の種類、重要度等に応じた保護レベルの要求事項に適合しなければならない。

4. 鉄骨造の鉄骨躯体は、構造体利用の引下げ導線の構成部材として利用することができる。

● 解説

1. **高さ20mを超える建築物**には、有効な**避雷針**を設けなければならない(周囲の状況によって安全上支障のない場合を除く)。

2. **指定数量の10倍以上の危険物を貯蔵する倉庫**には、総務省令で定める避雷針を設けること(周囲の状況によって安全上支障のない場合を除く)。

3. 受雷部は、保護しようとする建築物等に雷撃が侵入しないように施設するもので、建築物等の種類・重要度等によって、**4段階の保護レベル**に応じて配置する。

4. **引下げ導線システム**には、避雷導体によって直接接続するものや、建築物等の**鉄骨**や**鉄筋**を利用する構造体利用引下げ導体がある。

H30−17 Ａ

【問題 234】　避雷設備に関する記述として、**最も不適当なもの**はどれか。

1. 高さが20mを超える建築物には、原則として、有効に避雷設備を設けなければならない。

2. 危険物を貯蔵する倉庫には、危険物の貯蔵量や建物の高さにかかわらず、避雷設備を設けなければならない。

3. 受雷部は、保護しようとする建築物の種類、重要度等に対応した4段階の保護レベルに応じて配置する。

4. 鉄筋コンクリート造の鉄筋は、構造体利用の引下げ導線の構成部材として利用することができる。

━━━━ 解説 ━━━━

1. **高さ20m**を超える建築物には、有効な**避雷針**を設けなければならない(周囲の状況によって安全上支障のない場合を除く)。

2. **指定数量の10倍以上**の危険物を貯蔵する倉庫には、総務省令で定める**避雷針**を設ける(周囲の状況によって安全上支障のない場合を除く)。

3. 受雷部は、保護しようとする建築物等に雷撃が侵入しないように施設するもので、建築物等の種類・重要度等によって、**4段階**の**保護レベル**に応じて配置する。

4. 鉄筋コンクリート造の場合は**鉄筋**を、鉄骨鉄筋コンクリート造の場合は**鉄骨**を利用して**引下げ導線**に代えてもよい。

共

通

正答　2

R04-19 B

【問題 235】　消火設備に関する記述として、**最も不適当なもの**はどれか。

1. 屋内消火栓設備は、建物の内部に設置し、人がノズルを手に持ち、火点に向けてノズルより注水を行い、冷却作用により消火するものである。

2. 閉鎖型ヘッドを用いる湿式スプリンクラー消火設備は、火災による煙を感知したスプリンクラーヘッドが自動的に開き、散水して消火するものである。

3. 不活性ガス消火設備は、二酸化炭素等の消火剤を放出することにより、酸素濃度の希釈作用や気化するときの熱吸収による冷却作用により消火するものである。

4. 水噴霧消火設備は、噴霧ヘッドから微細な霧状の水を噴霧することにより、冷却作用と窒息作用により消火するものである。

1. **屋内消火栓設備**は、人が操作することによって火災を消火する設備であり、水源、加圧送水装置、起動装置、屋内消火栓、配管・弁類及び非常電源等から構成されている。消防隊が到着するまでの**初期消火**に利用される。

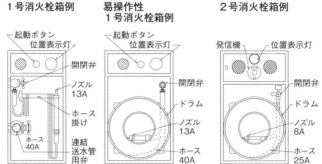

| 1号消火栓箱例 | 易操作性
1号消火栓箱例 | 2号消火栓箱例 |

2. **スプリンクラー消火設備**は、スプリンクラーヘッドの吐水口が熱を感知し自動的に開き、散水、消火する。ヘッドは、閉鎖形と開放形があり、一般には閉鎖形が用いられる。煙を感知して自動的に散水するものではない。

閉鎖型スプリンクラーヘッド

3. **不活性ガス消火設備**は、二酸化炭素や窒素等の不活性剤を空気中に放出することにより、酸素濃度の希釈作用による窒息効果と気化時の熱吸収作用による**冷却効果**で消火する。

4. **水噴霧消火設備**は、噴霧ヘッドからの微細な霧状の水の噴射により、燃焼面を覆い、酸素を遮断するとともに、熱を吸収する**冷却作用**で消火する。

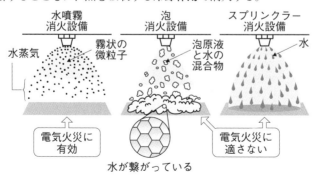

共通

R02-19 B

【問題 236】　消火設備に関する記述として、**最も不適当なもの**はどれか。

1. 屋内消火栓設備は、建物の内部に設置し、人がノズルを手に持ち、火点に向けてノズルより注水を行い、冷却効果により消火するものである。

2. 閉鎖型ヘッドのスプリンクラー消火設備は、火災による煙を感知したスプリンクラーヘッドが自動的に開き、散水して消火するものである。

3. 泡消火設備は、特に低引火点の油類による火災の消火に適し、主として泡による窒息作用により消火するものである。

4. 連結散水設備は、散水ヘッドを消火活動が困難な場所に設置し、地上階の連結送水口を通じて消防車から送水して消火するものである。

解説

1. **屋内消火栓設備**は、人が操作することによって火災を消火する設備であり、水源、加圧送水装置、起動装置、屋内消火栓、配管・弁類及び非常電源等から構成されている。消防隊が到着するまでの**初期消火**に利用される。

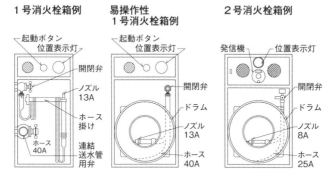

1号消火栓箱例　　易操作性1号消火栓箱例　　2号消火栓箱例

2. **スプリンクラー消火設備**は、スプリンクラーヘッドの吐水口が熱を感知し自動的に開き、散水、消火する。ヘッドは、閉鎖形と開放形があり、一般には閉鎖形が用いられる。煙を感知して自動的に散水するものではない。

3. **泡消火設備**は、燃焼物を空気又は炭酸ガスを含む泡で覆い、空気を遮断し、窒息と冷却効果で消火するもので、引火点の低い油類による火災の消火に適している。

4. **連結散水設備**は、散水ヘッドを消火活動が困難な場所に設置する。例えば、地下街や地下階で火災が発生すると、煙が充満して消火活動が困難な場所に設ける。

　　連結送水管は、消防隊専用の消火設備で、消防隊が高層階や地下街にホースを延長する作業にかえて、各階の放水口まであらかじめ送水管を配管しておき、消防ポンプ車が送水口から送水することにより、放水口にホース、ノズルが接続され消火活動を行う。

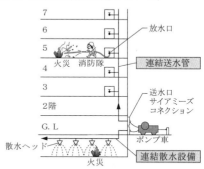

連結送水管・連結散水設備

H30−19 A

【問題 237】　消火設備に関する記述として、**最も不適当なもの**はどれか。

1. 不活性ガス消火設備は、二酸化炭素などによる冷却効果、窒息効果により消火するもので、博物館の収蔵庫に適している。

2. 粉末消火設備は、粉末消火剤による負触媒効果、窒息効果により消火するもので、自動車車庫に適している。

3. 泡消火設備は、泡状の消火剤による冷却効果、窒息効果により消火するもので、電気室に適している。

4. 水噴霧消火設備は、微細な霧状の水による冷却効果、窒息効果により消火するもので、指定可燃物貯蔵所に適している。

解説

1. **不活性ガス消火設備**は、二酸化炭素や窒素等の不活性ガスを空気中に放出することにより、酸素濃度の希釈作用による窒息効果と気化時の熱吸収作用による**冷却効果**で消火する。博物館や図書館の収蔵庫等の火災には、汚損や腐食性の少ない不活性ガス消火設備などが用いられる。

2. **粉末消火設備**は、重炭酸ナトリウムなどの微細な粉末を使用して負触媒効果により消火する設備である。この設備は、消火剤が粉末なので凍結せず**寒冷地**に適し、また引火性液体の表面火災に速効性があることなどから、**飛行機の格納庫**、自動車の車庫、ボイラ室、**寒冷地の駐車場**などのほか、マグネシウムなどの特殊火災の消火設備として用いられている。

3. **泡消火設備**は、燃焼物を空気又は炭酸ガスを含む泡で覆い、空気を遮断し、**窒息**と**冷却効果**で消火するもので、引火点の低い油類による火災の消火に適している。水を含んだ泡で燃焼面を覆うので、**電気室やコンピュータ室**には適さない。

4. **水噴霧消火設備**は、噴霧ヘッドからの微細な霧状の水の噴射により、燃焼面を覆い、酸素を遮断するとともに、熱を吸収する冷却作用で消火する。水による**冷却効果・窒息効果**に優れているために油火災に有効であり、又、指定可燃物貯蔵所にも適している。

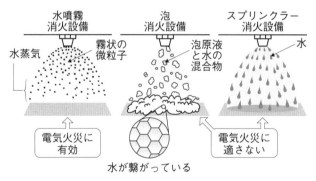

R05-19 A

【問題 238】　建築物に設けるエレベーターに関する記述として、**最も不適当なもの**はどれか。

ただし、特殊な構造又は使用形態のものは除くものとする。

1.　乗用エレベーターには、停電時に床面で1ルクス以上の照度を確保することができる照明装置を設ける。

2.　乗用エレベーターには、1人当たりの体重を65kgとして計算した最大定員を明示した標識を掲示する。

3.　火災時管制運転は、火災発生時にエレベーターを最寄階に停止させる機能である。

4.　群管理方式は、エレベーターを複数台まとめた群としての運転操作方式で、交通需要の変動に応じて効率的な運転管理を行うことができる。

■■■　解説　■■■

1.　停電の場合においても、**床面で1ルクス以上の照度を確保することができる照明装置**を設けなければならない。

2.　用途及び積載量（kgで表した重量）並びに乗用エレベーター及び寝台用エレベーターにあっては**最大定員**（1人当たりの体重は65kgとして計算した定員）を明示した標識をかご内の見やすい場所に掲示する。

3.　**火災時管制運転**は、火災が発生したときに、火災報知器などに連動してエレベーターを**避難階へ自動的に運転**させた後に休止させるものである。

4.　一般に大規模な建築物に設置する多数台のエレベーターは、交通需要の変化に即応して効率的に運転管理ができる群管理方式を採用する。最近のものは、マイクロコンピューターによって交通需要を分析し、その需要に対して最適な運行管理を行う。

【問題 239】　建築物に設ける昇降設備に関する記述として、**最も不適当なもの**はどれか。

　　ただし、特殊な構造及び使用形態のものを除くものとする。

1.　乗用エレベーターには、１人当たりの体重を65kgとして計算した最大定員を明示した標識を掲示する。

2.　乗用エレベーターの昇降路の出入口の床先とかごの床先との水平距離は、４cm以下とする。

3.　エスカレーターの踏段と踏段の隙間は、原則として５mm以下とする。

4.　エスカレーターの勾配が８°を超え30°以下の踏段の定格速度は、毎分50mとする。

━━━　解説　━━━

1.　用途及び積載量(kgで表した重量)並びに乗用エレベーター及び寝台用エレベーターにあっては**最大定員**(１人当たりの体重は65kgとして計算した定員)を明示した標識をかご内の見やすい場所に掲示する。

2.　乗用エレベーターの昇降路は、原則として、昇降路の出入口の床先とかごの床先との水平距離は**４cm以下**とし、かごの床先と昇降路壁との水平距離は12.5cm以下としなければならない。

3.　エスカレーターの踏段と踏段の**隙間**は、原則として、**５mm以下**とする。

4.　踏段の定格速度は、50m以下の範囲内において、エスカレーターの勾配に応じ国土交通大臣が定める毎分の速度以下とする。勾配が８度を超え30度(踏段が水平でないものにあっては15度)以下のエスカレーターの踏段の定格速度は、**45m／分**とする。

共

通

R01−19 B　　　　　　　　　　　　　　　　CHECK ☐☐☐☐☐

【問題 240】　建築物に設ける昇降設備に関する記述として、**最も不適当なもの**はどれか。
　　ただし、特殊な構造及び使用形態のものを除くものとする。

1.　乗用エレベーターの昇降路の出入口の床先とかごの床先との水平距離は、 4 cm
　　以下とする。

2.　群管理方式は、エレベーターを複数台まとめた群としての運転操作方式で、交通
　　需要の変動に応じて効率的な運転管理を行うことができる。

3.　火災時管制運転は、火災発生時にエレベーターを最寄階に停止させる機能である。

4.　乗用エレベーターには、 1 人当たりの体重を65kgとして計算した最大定員を明
　　示した標識を掲示する。

1. 乗用エレベーターの昇降路は、原則として、昇降路の出入口の床先とかごの床先との水平距離は**4cm以下**とし、かごの床先と昇降路壁との水平距離は12.5cm以下としなければならない。

2. 一般に大規模な建築物に設置する多数台のエレベーターは、交通需要の変化に即応して効率的に運転管理ができる群管理方式を採用する。最近のものは、マイクロコンピューターによって交通需要を分析し、その需要に対して最適な運行管理を行う。

3. **火災時管制運転**は、火災が発生したときに、火災報知器などに連動してエレベーターを**避難階**へ自動的に運転させた後に休止させるものである。

4. 用途及び積載量(kgで表した重量)並びに乗用エレベーター及び寝台用エレベーターにあっては最大定員(1人当たりの体重は**65kg**として計算した定員)を明示した標識をかご内の見やすい場所に掲示する。

共通

正答　3

R04-20 C

CHECK □□□□□

【問題 241】 積算に関する次の工事費の構成において、□□□□に当てはまる語句の組合せとして、「公共建築工事積算基準(国土交通省制定)」上、正しいものはどれか。

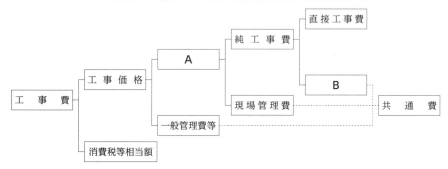

1. A. 工事原価　　B. 共通仮設費
2. A. 工事原価　　B. 直接仮設費
3. A. 現場工事費　B. 共通仮設費
4. A. 現場工事費　B. 直接仮設費

━ 解説 ━

積算に関する設問の工事費の構成において、A.は、**工事原価**、B.は、**共通仮設費**となる。

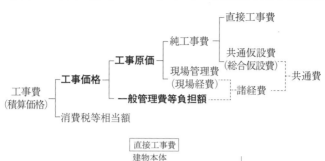

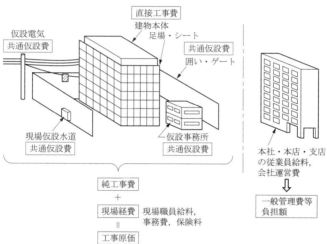

R02-20 C

【問題 242】 数量積算に関する記述として、「公共建築数量積算基準(国土交通省制定)」上、正しいものはどれか。

1. 根切り又は埋戻しの土砂量は、地山数量に掘削による増加、締固めによる減少を見込んで算出する。

2. 鉄筋コンクリート造のコンクリート数量は、鉄筋及び小口径管類によるコンクリートの欠除を見込んで算出する。

3. 鉄骨鉄筋コンクリート造のコンクリート数量は、コンクリート中の鉄骨及び鉄筋の体積分を差し引いて算出する。

4. 鉄筋の数量は、ガス圧接継手の加工による鉄筋の長さの変化はないものとして算出する。

━━━ 解説 ━━━

1. 根切り、埋戻し、山留め、排水等の計測・計算は、原則として計画数量とする。**土砂量は地山数量とし、掘削による増加、締固めによる減少は考慮しない。**

2. **コンクリートの数量は、鉄筋及び小口径管類**によるコンクリートの**欠除はないもの**とする。小口径管類とは、一般的な設備配管を指す。

3. コンクリートの数量は、鉄筋及び小口径管類によるコンクリートの欠除はないものとする。したがって、コンクリート中の鉄骨の体積分を差し引いたものとする。なお、鉄骨によるコンクリートの欠除は、定められた方法より計測・計算した鉄骨の設計数量について7.85tを1.0m³として換算した体積とする。

4. **圧接継手の加工のための鉄筋の長さの変化はないものとする。**

R03−16 B 　　　　　　　　　　　　　　CHECK ☐☐☐☐☐

【問題 243】 測量に関する記述として、**最も不適当なもの**はどれか。

1. 間接水準測量は、傾斜角や斜距離などを読み取り、計算によって高低差を求める方法である。

2. GNSS測量は、複数の人工衛星から受信機への電波信号の到達時間差を測定して位置を求める方法である。

3. 平板測量は、アリダード、磁針箱などで測定した結果を、平板上で直接作図していく方法である。

4. スタジア測量は、レベルと標尺によって2点間の距離を正確に測定する方法である。

共

通

━━ 解説 ━━━━━━━━━━━━━━━━━━━━━━━━━━━━━━━━━━━━━

1. 代表的な間接水準測量の方法としては、2点間の鉛直角と水平距離または斜距離を測定し、三角法により高低差を求める三角水準測量があるが、直接水準測量より測定精度がかなり低くなる。直接水準測量を行うことができない渡海水準測量や渡河水準測量などで行われている。

2. 全地球測位システムなどの衛星測位システムを用いて、地上の位置関係を求める測量作業。角度や距離を測る光学機器による測量と比べ、観測点間の見通しが不要で、天候にも左右されないため、効率的に実施できる。

3. **平板測量**は、巻尺で測った結果を、三脚に取り付けた**平板**の上で**ア
リダード**や**磁針箱**等を用いて現
地で直接作図するものである。

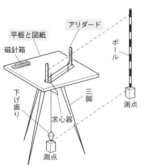
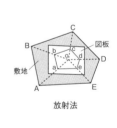

放射法

4. **スタジア測量**は、トランシットと標尺を利用して、間接的に水平距離と高低差を同時に求める簡略な測量で精度は劣る。標尺は、視準線の高さを示すもので、箱形の断面をしているので箱尺ともよばれている。

正答 4

R01−16 B   CHECK ☐☐☐☐☐

【問題 244】　水準測量に関する記述として、**最も不適当なもの**はどれか。

1. 直接水準測量は、レベルと標尺を用いて、既知の基準点から順に次の点への高低を測定して、必要な地点の標高を求める測量である。

2. 間接水準測量は、計算によって高低差を求める測量方法であり、鉛直角と水平距離を用いる三角高低測量などがある。

3. 公共測量における直接水準測量では、レベルは視準距離を等しくし、できる限り両標尺を結ぶ直線上に設置して、往復観測とする。

4. 直接水準測量において、標尺は両手で支えて目盛を隠さないように持ち、左右にゆっくり動かして最大の値を読み取る。

解説

1. **直接水準測量**は、レベルと標尺を用いて、地上の2点間の**高低差**を求めるものである。

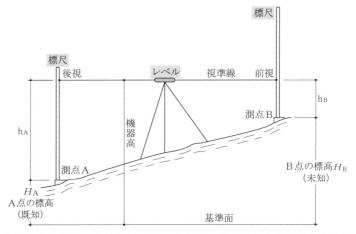

2. 代表的な間接水準測量の方法としては、2点間の鉛直角と水平距離または斜距離を測定し、三角法により高低差を求める**三角水準測量**があるが、直接水準測量より測定精度がかなり低くなる。直接水準測量を行うことができない渡海水準測量や渡河水準測量などで行われている。

3. 水準測量は、高低測量とも呼ばれ、諸側点間の高低差を求める測量である。レベルを標尺間の**中央**に置き、往復観測とする。

4. 直接水準測量において、標尺は両手で支えて目盛を隠さないように持ち、前後にゆっくり動かして最小の値を読み取る。

正答　4

CHECK ☐☐☐☐☐

【問題 245】　構内アスファルト舗装に関する記述として、**最も不適当なもの**はどれか。

1. 設計CBRは、路床の支持力を表す指標であり、修正CBRは、路盤材料の品質を表す指標である。

2. 盛土をして路床とする場合は、一層の仕上り厚さ300mm程度ごとに締め固めながら、所定の高さに仕上げる。

3. アスファルト混合物の締固め作業は、一般に継目転圧、初転圧、二次転圧、仕上げ転圧の順に行う。

4. 初転圧は、ヘアクラックの生じない限りできるだけ高い温度とし、その転圧温度は、一般に110〜140℃の間で行う。

共
通

━━━ 解説 ━━━

1. CBRは、路床、路盤の**支持力**を表す指標であり、**修正CBR**は路盤材料や盛土材料の**強さ**を表す指標である。

2. 路盤材料は、一層の**敷きならし厚さ**を締固め後の仕上がり厚さが**20cm**を超えないように敷きならし、適切な含水の状態で締固める。

3. アスファルト混合物の**締固め作業**は、一般に既設の舗装との継目部分を密着させるための継目転圧、初転圧、二次転圧、仕上げ転圧の順序で行う。

4. アスファルト混合物等の**初転圧の敷均し時の温度**は、一般に110〜140℃の間で行い、敷均しにはフィニッシャーを用いる。

正答　2

R02−16 B

【問題 246】 構内アスファルト舗装に関する記述として、**最も不適当なもの**はどれか。

1. 盛土をして路床とする場合は、一層の仕上り厚さ300mm程度ごとに締め固めながら、所定の高さに仕上げる。

2. アスファルト混合物の敷均し時の温度は、一般に110℃以上とする。

3. アスファルト混合物の締固め作業は、一般に継目転圧、初転圧、2次転圧、仕上げ転圧の順に行う。

4. アスファルト舗装の継目は、既設舗装の補修、延伸等の場合を除いて、下層の継目の上に上層の継目を重ねない。

■■ 解説 ■■■■

1. **路盤材料**は、一層の敷きならし厚さを締固め後の**仕上がり厚さ**が20cmを超えないように敷きならし、適切な含水の状態で締固める。

2. アスファルト混合物等の**敷均し時の温度**は、110℃以上で行い、敷均しにはフィニッシャーを用いる。

3. アスファルト混合物の**締固め作業**は、一般に既設の舗装との継目部分を密着させるための**継目転圧**、初転圧、二次転圧、仕上げ**転圧**の順序で行う。

4. アスファルト舗装の継目は、2層以上の舗装を施工するとき、縦継目は15cm以上、横継目は1m以上ずらさなければならない。

H30−16 C

【問題 247】 構内アスファルト舗装に関する記述として、**最も不適当なもの**はどれか。

1. 盛土をして路床とする場合は、一層の仕上り厚さ300mm程度ごとに締め固めながら、所定の高さに仕上げる。

2. 舗装に用いるストレートアスファルトは、積雪寒冷地域では主として針入度が80〜100の範囲のものを使用する。

3. アスファルト混合物等の敷均し時の温度は、110℃以上とする。

4. アスファルト舗装終了後の交通開放は、舗装表面の温度が50℃以下になってから行う。

━━━ 解説 ━━━

1. 路盤材料は、一層の**敷きならし厚さ**を締固め後の仕上がり厚さが20cmを超えないように敷きならし、適切な含水の状態で締固める。

2. 舗装用ストレートアスファルトは、一般地域では主として針入度60〜80、**積雪寒冷地**では80〜100が用いられる。

3. アスファルト混合物等の**敷均し時の温度**は、110℃以上で行い、敷均しにはフィニッシャーを用いる。

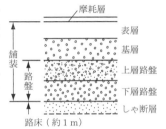

アスファルト舗装

4. アスファルト舗装の舗装終了後の**交通開放**は、舗装の変形を防止するために、表面温度が**50℃以下**になってから行う。

正答 1

R05−16 B

【問題 248】　植栽に関する記述として、**最も不適当なもの**はどれか。

1. 枝張りは、樹木の四方面に伸長した枝の幅をいい、測定方向により長短がある場合は、最短の幅とする。

2. 支柱は、風による樹木の倒れや傾きを防止するとともに、根部の活着を助けるために取り付ける。

3. 樹木の移植において、根巻き等で大きく根を減らす場合、吸水量と蒸散量とのバランスをとるために枝抜き剪定を行う。

4. 樹木の植付けは、現場搬入後、仮植えや保護養生してから植え付けるよりも、速やかに行うほうがよい。

■■■■　解説　■■■■■■■■■■■■■■■■■■■■■■■■■■■

1. **枝張り**は、樹木の四方面に伸長した**枝の幅**をいい、測定方向により長短がある場合は、**最長と最短の平均値**を枝張りとする。

2. **支柱**は、植栽された樹木が強風などで動かされたり、倒れたりしないように取付けるものである。

3. 根からの水分吸収能力と葉・枝から蒸散作用の釣り合いを保つため、整姿を兼ねて剪定整枝を行う。

4. 樹木は、現場搬入後速やかに植え付ける。なお、植え付けが不可能な場合のみ、仮植え又は保護養生により乾燥等の防止を行う。

【問題 249】　請負契約に関する記述として、「公共工事標準請負契約約款」上、**誤っている**ものはどれか。

1. 設計図書とは、図面及び仕様書をいい、現場説明書及び現場説明に対する質問回答書は含まない。

2. 発注者は、工事の完成を確認するために必要があると認められるときは、その理由を受注者に通知して、工事目的物を最小限度破壊して検査することができる。

3. 工期の変更については、発注者と受注者が協議して定める。ただし、予め定めた期間内に協議が整わない場合には、発注者が定め、受注者に通知する。

4. 工事の施工に伴い通常避けることができない騒音、振動、地盤沈下、地下水の断絶等の理由により第三者に損害を及ぼしたときは、原則として、発注者がその損害を負担しなければならない。

■■■ 解説 ■■■

1. **設計図書**は、**図面及び仕様書**（標準仕様書又は共通仕様書及び特記仕様書）をいい、**現場説明書**及び**質問回答書**を含む。１条。

2. 発注者は工事の完成を確認するために必要があると認められるときは、その理由を受注者に通知して、工事目的物を**最小限度破壊**して**検査**することができる。32条。

3. **工期の変更**については、**発注者**と受注者が**協議**して定める。ただし、予め定めた期間内に協議が整わない場合には、発注者が定め、受注者に通知する。24条。

4. 工事の施工に伴い通常避けることができない騒音、振動、地盤沈下、地下水の断絶等の理由により**第三者**に**損害**を及ぼしたときは、**発注者**がその**損害**を**負担**しなければならない。ただし、その損害のうち工事の施工につき受注者が善良な管理者の注意義務を怠ったことにより生じたものについては、受注者が負担する。29条。

R03-20 A

【問題 250】　請負契約に関する記述として、「公共工事標準請負契約約款」上、**誤ってい**るものはどれか。

1. 発注者又は受注者は、工期内で請負契約締結の日から12月を経過した後に賃金水準又は物価水準の変動により請負代金額が不適当となったと認めたときは、相手方に対して請負代金額の変更を請求することができる。

2. 受注者は、発注者が設計図書を変更したために請負代金額が 1 / 2 以上減少したときは、契約を解除することができる。

3. 工期の変更については、発注者と受注者が協議して定める。ただし、あらかじめ定めた期間内に協議が整わない場合には、発注者が定め、受注者に通知する。

4. 発注者は、工事の完成を確認するために必要があると認められるときは、その理由を受注者に通知して、工事目的物を最小限度破壊して検査することができる。

■ **解説** ■

1. **発注者又は受注者**は、工期内で請負契約締結の日から**12箇月**を経過した後に、賃金水準又は物価水準の変動により請負代金額が不適当となったと認めたときは、相手方に対して**請負代金額の変更を請求**することができる。26条。

2. **受注者**は、設計図書を変更したため請負代金額が **2 / 3 以上減少**したとき、契約を**解除**することができる。52条。

3. **工期の変更**については、**発注者と受注者が協議**して定める。ただし、予め定めた期間内に協議が整わない場合には、発注者が定め、受注者に通知する。24条。

4. 発注者は工事の完成を確認するために必要があると認められるときは、その理由を受注者に通知して、工事目的物を**最小限度破壊**して**検査**することができる。32条。

R01-20 C　　　　　　　　　　　　　　　CHECK ☐☐☐☐☐

【問題 251】　請負契約に関する記述として、「公共工事標準請負契約約款」上、正しいものはどれか。

1.　設計図書とは、設計図及び仕様書をいい、現場説明書及び現場説明に対する質問回答書は含まない。

2.　検査の結果不合格と決定された工事材料は、受注者が所定の期日以内に工事現場外に搬出しなければならない。

3.　受注者は、発注者が設計図書を変更したために請負代金額が 1／3 以上減少したときは、契約を解除することができる。

4.　発注者又は受注者は、工期内で請負契約締結の日から 6 月を経過した後に、賃金水準又は物価水準の変動により請負代金額が不適当となったと認めたときは、相手方に対して請負代金額の変更を請求することができる。

━━━ 解説 ━━━

1.　**設計図書**は、図面及び仕様書(**標準仕様書**又は**共通仕様書**及び**特記仕様書**)をいい、**現場説明書**及び**質問回答書**を含む。1条。

2.　**受注者**は、設計図書において監督員の検査(確認を含む。以下この条において同じ。)を受けて使用すべきものと指定された**工事材料**については、当該検査に合格したものを使用しなければならない。この場合において、当該検査に直接要する費用は、受注者の負担とする。受注者は、検査の結果不合格と決定された工事材料については、当該決定を受けた日から○日以内に工事現場外に搬出しなければならない。13条。

3.　**受注者**は、設計図書を変更したため**請負代金額**が 2／3 以上減少したとき、契約を解除することができる。52条。

4.　発注者又は受注者は、工期内で請負契約締結の日から**12箇月**を経過した後に、賃金水準又は物価水準の変動により請負代金額が不適当となったと認めたときは、相手方に対して請負代金額の**変更**を**請求**することができる。26条。

共

通

正答　2

H30－20 A

【問題 252】　請負契約に関する記述として、「公共工事標準請負契約約款」上、**誤ってい**るものはどれか。

1. 受注者は、工事の施工に当たり、設計図書に示された施工条件と実際の工事現場が一致しないことを発見したときは、その旨を直ちに監督員に通知し、その確認を請求しなければならない。

2. 発注者は、受注者が契約図書に定める主任技術者若しくは監理技術者を設置しなかったときは、契約を解除することができる。

3. 工事の施工に伴い通常避けることができない騒音、振動、地盤沈下、地下水の断絶等の理由により第三者に損害を及ぼしたときは、原則として、発注者がその損害を負担しなければならない。

4. 現場代理人は、契約の履行に関し、工事現場に原則として常駐し、その運営、取締りを行うほか、請負代金額の変更及び契約の解除に係る権限を行使することができる。

解説

1. **受注者**は、施工上の制約等設計図書に示された施工条件と実際の工事現場が**一致しない**ことを発見したときは、その旨を直ちに**監督員**に**通知**し、その確認を請求しなければならない。18条。

2. **受注者**が、**主任技術者**若しくは**監理技術者**を設置しなかったときは、**発注者**は、契約を**解除**することができる。47条。

3. 工事の施工に伴い通常避けることができない騒音、振動、地盤沈下、地下水の断絶等の理由により**第三者**に**損害**を及ぼしたときは、**発注者**がその**損害**を**負担**しなければならない。ただし、その損害のうち工事の施工につき受注者が善良な管理者の注意義務を怠ったことにより生じたものについては、受注者が負担する。29条。

4. **現場代理人**は、この契約の履行に関し、工事現場に**常駐**し、その**運営**、**取締り**を行うほか、**請負代金額の変更**等、この契約の**解除**に係る権限を除き、この契約に基づく受注者の一切の権限を行使することができる。請負代金額の変更及び契約の解除に係る権限を行使することはできない。10条。

2025年度　日建学院受験対策スケジュール

月	1級建築施工管理技術検定 試験日程	日建学院受験者応援サービス ー最寄りの各校で受付ー	
1月		**願書取寄せサービス** ご自宅や職場へ願書のお届けをいたします。お知り合いの方の分もご一緒にお取り寄せできます。 ＊願書代金がかかります。 ＊受験申込期間に間に合うよう、お早めにお申し込みください。	
2月			
	願書配布・申込み（2月下旬～3月上旬）		（3月 基本
3月			
			（4月 午
4月			
			（6月 午
5月			
			（6月 集中
6月			
	一次試験受検票発送（7月上旬）		
7月	**一次試験日（7月第3日曜日）**	**無料セミナー** 「施工経験記述ポイント講習会」 二次試験のキーポイントとも言える経験記述に関するポイント解説 7月下旬～8月末	
8月	一次合格発表（8月下旬）		
	一次合格者二次試験受験料払込 （8月下旬～9月上旬）		
9月	二次試験受検票発送（9月下旬）		
10月	**二次試験日(10月第3日曜日)**		
11月			
12月		**二次本試験問題・解答参考例無料進呈** 二次試験を振り返るために最適の資料です。お近くの各校、またはHPでご請求ください。	
1月	二次合格発表（1月上旬）		
2月			
3月			

日建学院

建学院講座スケジュール

二次対策

中旬) ける	
A 上旬) 学習	
3 中旬) 学習	
中旬) 擬試験	

二次本科速修コース
〈32回〉
(6月下旬〜10月中旬)
二次範囲全体の対策講義
添削指導：11回
公開模擬試験

二次コース
〈16回〉
(9月上旬〜10月中旬)
二次範囲全体の対策講義
公開模擬試験

1級建築施工管理技士 一次試験対策

試験範囲から重要項目をピックアップし
4カ月で効率的に学習します。

1級建築施工管理技士 一次コース
※教育訓練給付金対象講座

受講料 **308,000円** (税込)
【受講講義】基礎講座、合格講座A・B、直前講座

実力確認と弱点分野の明確化に役立ちます。

一次公開模擬試験
受験料 **5,500円** (税込)
試験日 6月下旬

1級建築施工管理技士 二次試験対策

映像講義と講師による直接指導
1級建築施工管理技士二次本科速修コース
※教育訓練給付金対象講座

受講料 **253,000円** (税込)

日建学院では、全国各校で各種講習を実施しています。
お問い合わせ・資料のご請求はお気軽にお近くの日建
学院各校、または、HPでどうぞ。

● 監理技術者講習
● 建築士定期講習
● 宅建登録講習
● 宅建実務講習
● マンション管理士法定講習
● 評価員講習会
● 第一種電気工事士定期講習

日建学院 本校教室一覧

北海道・東北地区

札　幌	☎ 011-251-6010
苫小牧	☎ 0144-35-9400
旭　川	☎ 0166-22-0201
青　森	☎ 017-774-5001
弘　前	☎ 0172-29-2561
八　戸	☎ 0178-70-7500
盛　岡	☎ 019-659-3900
水　沢	☎ 0197-22-4551
仙　台	☎ 022-267-5001
秋　田	☎ 018-801-7070
山　形	☎ 023-622-5100
酒　田	☎ 0234-26-3351
郡　山	☎ 024-941-1111

北陸地区

新　潟	☎ 025-245-5001
長　岡	☎ 0258-25-8001
上　越	☎ 025-525-4885
富　山	☎ 076-433-2002
金　沢	☎ 076-280-6001
KIT前教室	☎ 076-293-0821
福　井	☎ 0776-21-5001

関東地区

水　戸	☎ 029-305-5433
つくば	☎ 029-863-5015
宇都宮	☎ 028-637-5001
小　山	☎ 0285-31-4331
群　馬	☎ 027-330-2611
太　田	☎ 0276-58-2570
大　宮	☎ 048-648-5555
川　口	☎ 048-499-5001
川　越	☎ 049-243-3611
所　沢	☎ 04-2991-3759
朝霞台	☎ 048-470-5501
南越谷	☎ 048-986-2700
越　谷	☎ 048-525-1806
千　葉	☎ 043-244-0121
船　橋	☎ 047-422-7501
成　田	☎ 0476-22-8011
木更津	☎ 0438-80-7766
柏	☎ 04-7165-1929
新松戸	☎ 047-348-6111
浦　安	☎ 047-397-6780
池　袋	☎ 03-3971-1101
新　宿	☎ 03-6894-5800
上　野	☎ 03-5818-0731
新　橋	☎ 03-6858-4650
吉祥寺	☎ 0422-28-5001
立　川	☎ 042-527-3291
八王子	☎ 042-628-7101

北千住	☎ 03-6850-0120
町　田	☎ 042-728-6411
武蔵小杉	☎ 044-733-2323
横　浜	☎ 045-440-1250
厚　木	☎ 046-224-5001
藤　沢	☎ 0466-29-6470
山　梨	☎ 055-263-5100
長　野	☎ 026-244-4333
松　本	☎ 0263-41-0044

東海地区

静　岡	☎ 054-654-5091
浜　松	☎ 053-546-1077
沼　津	☎ 055-954-3100
名古屋	☎ 052-541-5001
北愛知	☎ 0568-75-2789
岡　崎	☎ 0564-28-3811
豊　橋	☎ 0532-57-5113
岐　阜	☎ 058-216-5300
四日市	☎ 059-349-0005
津	☎ 059-291-6030

近畿地区

京　都	☎ 075-221-5911
福知山	☎ 0773-23-9121
滋　賀	☎ 077-561-4351
梅　田	☎ 06-6377-1055
なんば	☎ 06-4708-0445
枚　方	☎ 072-843-1250
堺	☎ 072-228-6728
岸和田	☎ 072-436-1510
橿　原	☎ 0744-28-5600
奈　良	☎ 0742-34-8771
神　戸	☎ 078-230-8331
姫　路	☎ 079-281-5001
和歌山	☎ 073-473-5551
田　辺	☎ 0739-22-6665

中国地区

岡　山	☎ 086-223-8860
倉　敷	☎ 086-435-0150
福　山	☎ 084-926-0570
広　島	☎ 082-223-2751
岩　国	☎ 0827-22-3740
山　口	☎ 083-972-5001
徳　山	☎ 0834-31-4339
松　江	☎ 0852-27-3618
鳥　取	☎ 0857-27-1987
米　子	☎ 0859-33-7519

四国地区

松　山	☎ 089-924-6777
西　条	☎ 0897-55-6770
高　松	☎ 087-869-4661
高　知	☎ 088-821-6165
徳　島	☎ 088-622-5110

九州地区

北九州	☎ 093-512-7100
博　多	☎ 092-233-1278
天　神	☎ 092-762-3170
久留米	☎ 0942-33-9164
大牟田教室	☎ 0944-32-8915
佐　賀	☎ 0952-31-5001
長　崎	☎ 095-820-5100
佐世保	☎ 0956-87-0627

大　分	☎ 097-546-
中　津	☎ 0979-25-
熊　本	☎ 096-241-
宮　崎	☎ 0985-50-
延　岡	☎ 0982-20-
都　城	☎ 0986-88-
鹿児島	☎ 099-808-
沖　縄	☎ 098-861-
うるま	☎ 098-916-
名　護	☎ 0980-50-

日建学院 認定校

日建学院 公認スクール

受講者の生活スタイルは様々です。できることならば通学時間は短
がいい。そんな思いで「日建学院認定校」と「日建学院公認スクール
国に開校しています。「日建学院認定校」では建築士と土木施工管理
を中心に運営、「日建学院公認スクール」でも多くの講座を運営しま
す。提供される講座は、本校と同じカリキュラム、同じ教材でクオリ
高い授業が提供されます。日建学院ホームページの全国学校案内であ
なたの近くの日建学院をお探し下さい。

講座一覧

※認定校及び公認スクールでは取扱講座が異なりますので詳しくは最寄り校へご確認下さい。

建築関連

1級建築士
2級建築士
インテリアコーディネーター
建築設備士
構造設計1級建築士

不動産関連

宅地建物取引士（宅建）
賃貸不動産経営管理士
管理業務主任者
土地家屋調査士
測量士補

建設関連

1級建築施工管理技士
2級建築施工管理技士
1級土木施工管理技士
2級土木施工管理技士
1級管工事施工管理技士
2級管工事施工管理技士
1級造園施工管理技士
2級造園施工管理技士
給水装置工事主任技術者

第三種電気主任技術者

1級エクステリアプランナー
2級エクステリアプランナー
コンクリート主任技士
コンクリート技士
CPDS

税務・ビジネス・介護・福祉

ファイナンシャルプランナー2級（AFP）
ファイナンシャルプランナー3級
日商簿記2級
日商簿記3級
秘書検定
2級建設業経理士
福祉住環境コーディネーター
介護福祉士

就職・スキルアップ

JW-CAD
Auto-CAD
DRA-CAD
建築CAD検定
Office
SPI

実務

構造計算関連

職業訓練

介護職員初任者研修
介護福祉士実務者研修 通学
全国の職業訓練（ハロトレ）

法定講習一覧

（株）日建学院 実施

建築士定期講習
宅建登録講習
宅建実務講習
監理技術者講習
評価員講習会
第一種電気工事士定期講習
マンション管理士法定講習

お問い合わせ・資料請求　試験情報は　**日建学院コールセンター**　📞**0120-243-229**　受付／AM10:00〜PM5:00(土・日・祝日は除きます)
株式会社建築資料研究所　東京都豊島区池袋2-50-1

1級建築施工管理技士『一次対策問題解説集』購入者限定！

特典 1　1級建築施工管理技士一次「ズバリ解説」

『ズバリ解説』は、日建学院が誇る画期的な学習システムです。

過去問題集の「動画解説」をパソコンやタブレット・スマホで学ぶ！

いつでもどこでも何度でも「Web動画」で学ぶ！
問題集の解答解説がすぐに視聴できます。
「ズバリ解説」は、問題集にある出題年度・番号をクリックするだけで解答肢までしっかり解説した「映像講義」が自動的にスタートします。
疑問があればその場で解決！

特典 2　1級建築施工管理技士一次「公開模擬試験」

47都道府県で実施する全国最大規模の模擬試験です。「個人分析表」で弱点科目を早期発見、実力判断が可能です。

特典①	1級建築施工管理技士 一次「ズバリ解説」	通常受講料：55,000円（税込）	→購入者特典：38,500円（税込）
特典②	1級建築施工管理技士 一次「公開模擬試験」	通常受験料：5,500円（税込）	→購入者特典：3,300円（税込）

全国の日建学院各校はHPで！ https://www.ksknet.co.jp/nikken/place/index.aspx
（注意）一部開講しない校、特典適用がない校もございますので予めご了承ください。必ずご希望校にご確認ください。

※「ズバリ解説」について
【配信時期】　2025年4月下旬～2025年7月下旬

※「公開模擬試験」の実施校について
直営校のみ実施いたします。一部実施しない校もありますので、最寄りの校にお問い合わせください。

≪お申込み方法≫下記申込書に必要事項をご記入のうえ、事務局スタッフに費用と一緒にお渡しください。

------------------------------ 切り取り ------------------------------

● 2025年度版 1級建築施工管理技士『一次対策問題解説集』購入者限定特典申込書 ●

■必要事項をご記入ください。

				申込日		年	月	日

学習方法	一般・他講習	受験番号				受付校	
受験回数	1回目 ・ 2回目 ・ 3回目以上	住所	〒				
フリガナ							
氏名			アパート名			号室	
		連絡先	自宅・携帯	（ 　 ）			
生年月日	西暦　年　月　日生	勤務先				（ 　 ）	

■受講希望の項目に○印をつけてください。

	選択欄	購入者限定特典	概要等
特典①		1級建築施工管理技士一次「ズバリ解説」	
特典②		1級建築施工管理技士一次「公開模擬試験」	実施日：6月22日(日) ※予定
費用	合計	円 (税別)	

＊＊＊＊日建学院使用欄＊＊＊＊

備考		担当	

※個人情報の取り扱いについて／弊社ではご提供いただいた個人情報をお客様へのご連絡・商品の発送のほか、弊社のサービス・商品等のご案内を目的に利用させていただきますので予めご了承ください。（株式会社建築資料研究社 東京都豊島区池袋 2-50-1）

申込期限　2025年6月5日（木）

【正誤等に関するお問合せについて】

　本書の記載内容に万一、誤り等が疑われる箇所がございましたら、**郵送・FAX・メール等の書面**にて以下の連絡先までお問合せください。その際には、お問合せされる方のお名前・連絡先等を必ず明記してください。また、お問合せの受付け後、回答には時間を要しますので、あらかじめご了承いただきますよう、お願い申し上げます。

　なお、正誤等に関するお問合せ以外のご質問、受験指導および相談等はお受けできません。そのようなお問合せにはご回答いたしかねますので、あらかじめご了承ください。

お電話によるお問合せは、お受けできません。

【郵送先】

〒171-0014

東京都豊島区池袋2-38-1　日建学院ビル　3F

建築資料研究社 出版部

「令和7年度版　1級建築施工管理技士 一次対策問題解説集」正誤問合せ係

【FAX】

　03-3987-3256

【メールアドレス】

　seigo@mx1.ksknet.co.jp

【本書の法改正・正誤情報等について】

　本書の記載内容について発生しました法改正・正誤情報等は、下記ホームページ内でご覧いただけます。

　なおホームページへの掲載は、対象試験終了時ないし、本書の改訂版が発行されるまでとなりますので、あらかじめご了承ください。

https://www.kskpub.com ➡ 訂正・追録

令和7年度版　**1級建築施工管理技士 一次対策問題解説集①**

2024 年12月10日　初版第1刷発行

編　　　著	日建学院教材研究会
発 行 人	馬場 栄一
発 行 所	**株式会社建築資料研究社**

〒171-0014　東京都豊島区池袋2-38-1

日建学院ビル　3F

TEL 03-3986-3239　FAX 03-3987-3256

https://www.kskpub.com

表　　　紙	齋藤 知恵子(sacco)
印刷・製本	**株式会社埼京印刷**